BRANDENDE ENGEL

Eerder verschenen van Bear Grylls bij The House of Books

Doodsvlucht

Bear Grylls

Brandende engel

the house of books

Eerste druk, oktober 2016
Tweede druk, augustus 2017

Oorspronkelijke titel: *Burning Angels*
Oorspronkelijk uitgegeven door: Orion Books, London 2016
© Bear Grylls Ventures, 2016
© Vertaling uit het Engels: Carolien Metaal, 2016
© Nederlandse uitgave: The House of Books, Amsterdam 2016
Oorspronkelijk ontwerp en belettering: Blacksheep/orionbooks
Omslagontwerp: Loudmouth, Utrecht
© Omslagfoto: Plainpicture
Foto auteur: © johnwrightphoto.com
Typografie: Crius Group, Hulshout

ISBN 978 90 443 5278 8
ISBN 978 90 443 4763 0 (e-book)
NUR 332

www.thehouseofbooks.com
www.overamstel.com

OVERAMSTEL
uitgevers

The House of Books is een imprint van Overamstel uitgevers bv

MIX
Papier van
verantwoorde herkomst
FSC
www.fsc.org   FSC® C104608

Voor Roger Gower, die gedood werd door stropers tijdens een patrouil-levlucht over Oost-Afrika, en voor de Roger Gower Memorial Fund en Tusk Trust, twee belangrijke natuurbeschermingsorganisaties.

Noot van de schrijver

Dit boek is geïnspireerd op de belevenissen van mijn grootvader, brigadegeneraal William Edward Harvey Grylls, OBE, 15/19de regiment van de koninklijke huzaren en bevelvoerend officier van Target Force, de geheime eenheid die aan het eind van de Tweede Wereldoorlog door Winston Churchill werd opgericht. Deze eenheid, een van de meest clandestiene die ooit door het War Office in het leven is geroepen, had als missie geheime technologieën, wapentuig, wetenschappers en nazikopstukken op te sporen en te beschermen, om de westerse zaak te dienen tegen de nieuwe wereldmacht, de Sovjet-Unie.

Niemand in onze familie had ook maar het flauwste vermoeden van zijn geheime rol in Target Force, totdat vele jaren na zijn dood op grond van de Official Secrets Act informatie werd vrijgegeven die mij ertoe heeft aangezet dit boek te schrijven.

Mijn opa was een man van weinig woorden, maar ik heb heel dierbare herinneringen aan hem uit de tijd dat ik nog een jongetje was. Deze pijprokende, enigmatische man met droge humor was geliefd bij zijn ondergeschikten. Voor mij was hij echter altijd gewoon opa Ted.

Daily Mail, augustus 2015

GOUDTREIN VAN NAZI'S GEVONDEN: BEKENTENIS OP STERFBED LEIDT
SCHATGRAVERS NAAR GEHEIME LOCATIE WAARVAN POOLSE AUTORITEITEN
BEWEREN BEWIJS OP DE RADAR GEZIEN TE HEBBEN

In Polen is een goudtrein van de nazi's gevonden nadat de man
die aan het eind van de Tweede Wereldoorlog geholpen had die te
verbergen op zijn sterfbed de locatie heeft onthuld. Twee mannen,
een Duitser en een Pool, beweerden vorige week dat ze de trein gevonden hadden – met naar verluidt een schat – dicht bij het stadje
Walbrzych in het zuidwesten van Polen.

Piotr Zuchowski, de Poolse staatssecretaris voor cultureel erfgoed, zei: 'We weten niet wat er in de trein zit. Waarschijnlijk militair materieel, maar ook sieraden, kunstwerken en documenten.
Gepantserde treinen uit deze periode werden gebruikt om uiterst
waardevolle spullen te vervoeren, en dit is een gepantserde trein.'

Volgens de plaatselijke overlevering heeft nazi-Duitsland opdracht gegeven voor de aanleg van het omvangrijke ondergrondse
netwerk van tunnels rond slot Fürstenstein (nu kasteel Ksiaz) om
de kostbaarheden uit het Derde Rijk te verbergen. Gevangenen uit
concentratiekampen moesten de gigantische tunnels bouwen die –
onder de codenaam *Projekt Riese* – gebruikt werden als productie-
ruimte voor strategische wapens, aangezien de plek veilig was voor
luchtaanvallen van de geallieerden.

The Sun, oktober 2015

Volgens de geschiedenis werd het regiment van de Special Air Service dat in 1942 was opgericht in 1945 ontmanteld... Maar in een nieuw boek heeft gerenommeerd historicus Damian Lewis onthuld dat een uiterst geheime SAS-eenheid van dertig man bleef doorvechten. Deze groep ging aan het eind van de oorlog 'ondergronds' om in het geheim op oorlogsmisdadigers te jagen.

Hun doel was het vinden van de SS- en Gestapomonsters die hun gevangengenomen kameraden hadden gedood, evenals honderden Franse burgers die geprobeerd hadden hen te helpen. In 1948 had de groep meer dan honderd van de meest verschrikkelijke oorlogsmisdadigers opgespoord – van wie velen het proces in Neurenberg in 1945 en 1946 hadden ontlopen – en voor het gerecht gedaagd.

Deze piepkleine SAS-eenheid, de 'Geheime Jagers' genoemd, werd geleid vanuit een schaduwhoofdkwartier gevestigd in het Hyde Park Hotel in Londen en met zwart geld bekostigd door een verbannen Russische aristocraat die werkte voor het Britse War Office, prins Yuri Galitzine.

En het waren leden van deze groep die als eersten de volledige reikwijdte van de gruweldaden ontdekten van de nazikampen... In het concentratiekamp Natzweiler in de buurt van Straatsburg waren afgrijselijke experimenten uitgevoerd door de nazi's. Daar experimenteerde commandant Josef Kramer met de techniek om Joodse gevangenen door middel van gas om te brengen.

BBC, januari 2016

ÖTZI DE IJSMAN HAD EEN PARASIET, BEWEREN ONDERZOEKERS

Microben die uit de ingewanden van een 5300 jaar oude mummie zijn gehaald, hebben aangetoond dat hij voor zijn dood leed aan een parasiet, hebben wetenschappers ontdekt. Ötzi de IJsman, zoals het bevroren lichaam dat in 1991 in de Alpen werd gevonden genoemd wordt, had een bacteriële infectie die vandaag de dag gemeengoed is, aldus onderzoekers.

De bacterie – *helicobacter pylori* – werd genetisch geanalyseerd om de geschiedenis van de microbe te traceren, die nauw verbonden is met de geschiedenis van menselijke migratie.

Professor Albert Zink, hoofd van het Instituut voor Mummies en de IJsman in Bolzano, zei: 'Een van de eerste uitdagingen was het halen van monsters uit de maag zonder de mummie al te veel te beschadigen. Daarvoor moesten we hem volledig ontdooien. Uiteindelijk vonden we een opening…'

1

16 oktober 1942, Helheimgletsjer, Groenland

SS-luitenant Herman Wirth streek de dwarrelende sneeuwvlokken weg die hem het zicht ontnamen. Hij moest zichzelf dwingen naar voren te buigen, zodat zijn gezicht en het hare nog geen dertig centimeter van elkaar af waren. Toen hij door de tussenliggende ijsmassa heen staarde, slaakte hij een verstikte kreet.

De ogen van de vrouw waren opengesperd, zelfs in haar doodsstrijd. Ze waren inderdaad hemelsblauw, zoals hij vooraf geweten had. Maar daarmee hield het dan ook op; verder werd al zijn hoop de grond in geboord.

Ze keek krankzinnig uit haar ogen. Verdwaasd. Zombieachtig. Twee gloeiendhete geweerlopen die zich door het transparante blok ijs op hem richtten. Hoe bizar ook, toen deze vrouw in haar gletsjergraf was gevallen, had ze tranen van bloed gehuild. Wirth kon zien waar het sijpelende, schuimende rood uit haar oogkassen was gekomen om vervolgens te bevriezen.

Hij verbrak met moeite het oogcontact en liet zijn blik naar beneden dwalen, naar haar mond. Daar had hij rillend in de kou, die zelfs door zijn dikke slaapzak van ganzendons was gedrongen, talloze nachten over liggen fantaseren. Hij had haar lippen voor zich gezien. Ze zouden vol zijn en tuitend en schitterend roze, had hij zichzelf wijsgemaakt. De mond van een volmaakte Germaanse, die vijfduizend jaar had gewacht op de kus die haar tot leven zou wekken. Zíjn kus.

Maar hoe langer hij keek, hoe meer walging hij voelde opkomen. Hij draaide zich om en kokhalsde in de ijzige wind die door de spleet loeide. Haar kus zou juist een doodskus zijn, de omhelzing van een duivelin. Op de mond van de vrouw zat namelijk een donkerrode korst – een bevroren massa bloed wierp zich als een kronkelende lijkwade in het ijs voor haar. En ook uit haar neus was een gruwelijke donkerrode golf gekomen.

Hij liet zijn blik zakken en naar links en rechts dwalen, over haar bevroren, naakte huid. Om de een of andere reden had deze vrouw uit de oudheid zich de kleren van het lijf gerukt voordat ze over de ijskap was gekropen en blindelings in de spleet was gestort die door de gletsjer sneed. Ze was blijven liggen op een vooruitstekende rand en binnen een paar uur stijf bevroren.

Volmaakt geconserveerd... maar verre van volmaakt.

Wirth kon het amper geloven, maar zelfs uit de oksels van de ijsvrouw kwamen dikke, aan elkaar geregen kralen van donkerrood vocht. Voordat ze stierf – want ze was gestorven – had deze zogenoemde noordse oergodin bloed getranspiréérd.

Nog lager zakte zijn blik, vrezend voor wat hij zou aantreffen. En ja hoor, een dikke bevroren rode veeg omringde haar onderlichaam. Zelfs toen ze daar al lag, had haar kloppende hart zijn laatste dikke gutsen verrot bloed uit haar lendenen gestuwd.

Wirth draaide zich om en braakte. Hij spuugde de inhoud van zijn maag door het rooster van zijn kooi en zag het waterige spul diep in de schaduwen onder zich spetteren. Hij kokhalsde tot er niets meer over was en hij alleen nog met pijnlijke steken amechtig hijgde.

Hij kromde zijn handen om de ijzeren tralies en hees zich overeind. Hij keek omhoog naar de schijnwerpers die een verblindend, meedogenloos licht in de ijsspleet wierpen dat overal om hem heen weerkaatste in een waanzinnige caleidoscoop van bevroren kleuren.

Kammlers zogenoemde Var, zijn geliefde eeuwenoude noordse prinses... Nou ja, de generaal mocht haar hebben!

Wat moest Wirth in godsnaam zeggen tegen SS-generaal Hans Kammler? Wat moest hij hem laten zien? De befaamde SS-commandant was helemaal hiernaartoe gevlogen om getuige te zijn van haar glorieuze bevrijding uit het ijs en de belofte van haar wederopstanding, zodat hij het nieuws persoonlijk zou kunnen overbrengen aan de Führer.

Hitlers droom, die eindelijk in vervulling was gegaan.

En nu dit.

Wirth dwong zijn ogen weer naar het lichaam. Hoe langer hij het bekeek, hoe meer de angst hem om het hart sloeg. Het was alsof het lichaam van de ijsmaagd strijd had geleverd met zichzelf, alsof het de eigen ingewanden had afgewezen en uit elke opening had uitgebraakt. Als ze zo gestorven was, moest ze nog aanzienlijk lang in leven zijn geweest en gebloed hebben.

Wirth geloofde niet meer dat de val in de spleet de doodsoorzaak was. Of de kou. Nee, dat was de duivelse, eeuwenoude ziekte die haar in zijn greep had gehouden, terwijl ze zich klauterend en strompelend een weg baande over de gletsjer.

Maar bloed huilen? Bloed braken? Bloed transpireren? Bloed plassen, zelfs? Wat zou daar in godsnaam de oorzaak van zijn? Waar zou ze in godsnaam aan gestorven zijn?

Dit was bij lange na niet de arische oermoeder op wie ze allemaal hadden gehoopt. Dit was niet de noordse strijdgodin over wie hij talloze nachten had gedroomd, de vrouw die het bewijs leverde van een arische lijn die vijfduizend jaar terugging. Dit was geen oermoeder van de übermensch van de nazi's: een volmaakt blonde, blauwogige noordse vrouw gered uit de tijd ver voor het bereik van de geschiedschrijving.

Hitler had zo lang gesmacht naar een dergelijk bewijs. En nu dit: een duivelsvrouw.

Terwijl Wirth naar die gekwelde gelaatstrekken staarde – die lege, uitpuilende, door bloedkorsten omgeven ogen met de angstaanjagende starende blik van een levende dode – drong er opeens met een verblindende klap iets tot hem door. Om de een of andere reden wist hij dat hij door een deuropening in de poorten van de hel keek.

Hij deed een paar wankelende stappen achteruit, stak zijn hand omhoog en trok met een ruk aan het signaaltouw. 'Omhoog! Haal me omhoog! Omhoog! Zet de lier aan!'

Boven hem kwam de motor brullend tot leven. Wirth voelde de kooi met een schok in beweging komen. Het afgrijselijke, doorbloede blok ijs verdween langzaam uit beeld.

De ochtendzon gaf de door wind en ijs gegeselde witte vlakte een vage gloed toen Wirths in elkaar gedoken gestalte uit de ijsspleet verrees. Uitgeput klom hij uit de kooi en stapte op de opeengepakte, bevroren sneeuw. De wachtposten aan weerszijden van hem probeerden met hun hakken te klikken toen hij passeerde, maar hun grote, met bont gevoerde laarzen maakten een dof geluid en de rubberzolen plakten aan de dikke sneeuwlaag.

Wirth salueerde halfslachtig; hij had wel wat anders aan zijn hoofd. Hij gooide zijn schouders in de loeiende wind, trok zijn dikke kraag steviger om zijn gevoelloze gelaat en liep door naar de nabijgelegen tent. Een woeste windvlaag zwiepte de zwarte rook weg van de schoorsteen die door het tentdak heen stak. De kachel was opgestookt, ongetwijfeld ter voorbereiding van hun stevige ontbijt.

Wirth vermoedde dat zijn drie SS-collega's al wakker waren. Het waren vroege vogels en omdat dit de dag was waarop de ijsmaagd zou herrijzen uit haar graf, stonden ze ongetwijfeld te popelen van ongeduld.

In eerste instantie waren er maar twee mede SS-officieren met hem meegegaan: eerste-luitenant Otto Rahn en generaal Richard Darre. Toen was opeens SS-generaal Hans Kammler ingevlogen met een toestel dat was uitgerust met ski's om getuige te zijn van de laatste fase van deze operatie.

Als leider van de expeditie was generaal Darre hoegenaamd de baas, maar iedereen wist dat generaal Kammler de meeste macht uitoefende. Kammler was Hitlers man, hij was de vertrouwenspersoon van de Führer. En eerlijk gezegd was Wirth opgetogen geweest dat de generaal in hoogsteigen persoon was gekomen om bij zijn grootste triomf aanwezig te zijn.

Nog geen achtenveertig uur geleden had het er allemaal fantastisch uitgezien; het volmaakte einde van een ongelooflijk ambitieuze onderneming. Maar nu... Wirth had weinig zin in het aanbreken van de dag, zijn ontbijt of zijn SS-collega's.

Waarom was hij eigenlijk hier? Wirth noemde zichzelf een student van oude culturen en religies; dat had hem ook onder de aandacht gebracht van Himmler en Hitler. Hij had zijn nazipartijnummer van de Führer zelf gekregen: inderdaad een zeldzame eer. In 1935 had hij de *Deutsche Ahnenerbe* opgericht, een vereniging die onderzoek deed naar het erfgoed van de Duitse voorouders. Die had als missie te bewijzen dat een mythische noordse populatie ooit de wereldheerschappij had bezeten – het oorspronkelijke arische ras. Volgens de legende had een blond, blauwogig volk Hyperboria bewoond, een ijzig fabelland in het noorden, wat op zijn beurt weer wees op de poolcirkel.

Er waren expedities gemaakt naar Finland, Zweden en de Noordpool, maar die hadden geen geweldige of wereldschokkende ontdekkingen opgeleverd. Vervolgens was er een groep soldaten naar Groenland gestuurd om een weerstation op te richten, en die hadden aanlokkelijke verhalen gehoord over een oervrouw die daar was ontdekt in een ijsgraf. En daar was de huidige rampzalige missie uit voortgevloeid.

Kort gezegd was Wirth een archeologische enthousiasteling en opportunist. Hij was geen doorgewinterde nazi, dat was een ding dat zeker was. Maar als voorzitter van de Deutsche Ahnenerbe moest hij wel omgaan met de meest verdorven fanatiekelingen van Hitlers regime, van wie zich er nu twee in de tent voor hem bevonden.

Hij wist dat dit niet goed voor hem zou aflopen. Er was te veel beloofd – een deel zelfs rechtstreeks aan de Führer. Te veel hooggespannen verwachtingen, te veel onmogelijke hoop en ambities waren afhankelijk van dit moment.

Wirth had echter haar gezicht gezien en de ijsdame had het uiterlijk van een monster.

2

Wirth boog zijn hoofd en dook door de twee dikke lagen canvas; de ene diende om de moorddadige kou en de snijdende sneeuw buiten te houden en de andere, de binnenste, om de warmte die afstraalde van de lichamen en de brullende kachel binnen te houden.

De geur van vers gezette koffie kwam hem tegemoet. Drie paar ogen keken hem verwachtingsvol aan.

'Mijn beste Wirth, vanwaar dat lange gezicht?' grapte generaal Kammler. 'Dit is de grote dag!'

'Je hebt onze lieftallige *Frau* toch niet op de bodem van de spleet laten vallen?' voegde Otto Rahn er met een spottende grijns aan toe. 'Of geprobeerd haar wakker te kussen om vervolgens een klap in je gezicht te krijgen voor al je moeite?'

Kammler en Rahn bulderden van het lachen. De reactionaire SS-generaal en de ietwat verwijfde paleontoloog leken een vreemd soort camaraderie te delen. Wirth snapte er niets van, maar dat gold voor wel meer dingen in het *Reich*. En wat betreft de derde zittende gestalte – SS-generaal Richard Walter Darre – die keek alleen maar fronsend in zijn koffie, zijn donkere ogen verscholen onder grote wenkbrauwen, de dunne lippen zoals altijd op elkaar geperst.

'En, hoe is het met onze ijsmaagd?' drong Kammler aan. 'Is ze klaar voor ons?' Hij zwaaide zijn hand over het overvloedige ontbijt. 'Of gaan we eerst ons feestmaal nuttigen?'

Wirth huiverde. Hij was nog steeds misselijk. Hij vermoedde

dat het beter was als de drie mannen de ijsdame zagen voordat ze gingen eten. 'Het is misschien het beste, *Herr General*, om dit voor het ontbijt te doen.'

'Je kijkt ontgoocheld, luitenant,' zei Kammler. 'Voldoet ze niet aan onze verwachtingen? Is ze geen blonde, blauwogige engel van het noorden?'

'Heb je haar uit het ijs gehaald?' kwam generaal Darre tussenbeide. 'Zijn haar gelaatstrekken zichtbaar? Wat zeggen ze je over onze Freya?' Darre had de naam aan een oude noordse godin – die 'de dame' betekende – ontleend voor de in het ijs begraven vrouw.

'Natuurlijk is ze onze Hariasa,' wierp Rahn tegen. 'Onze Hariasa van het oude noorden.' Ook Hariasa was een noordse godheid; haar naam betekende 'de godin met het lange haar'. Drie dagen eerder had dat volkomen toepasselijk geleken.

Wekenlang had het team stukje bij beetje het ijs weg geschaafd om er beter doorheen te kunnen kijken. Toen ze daar eindelijk in geslaagd waren, bleek de ijsmaagd omgekeerd in de wand van de spleet te zitten, waardoor alleen haar rug te zien was. Maar dat was genoeg. Ze bleek in het bezit te zijn van schitterende lange gouden lokken, die tot dikke vlechten waren gevlochten.

Bij die ontdekking hadden Wirth, Rahn en Darre een scheut van opwinding gevoeld. Als haar gelaatstrekken eveneens overeenkwamen met het arische model, zouden ze gebeiteld zitten. Hitler zou hen de hemel in prijzen. Ze hoefden haar alleen maar los te hakken uit de ijswand en het blok ijs om te draaien om haar goed te bekijken.

Nou, Wirth had dat gedaan... en zijn maag was ervan omgekeerd.

'Ze is niet helemaal wat we ervan verwachtten, heren,' stamelde hij. 'U kunt het het beste met eigen ogen bekijken.'

Kammler schoot als eerste licht fronsend overeind. De SS-generaal had het bevroren lijk de naam van een derde noordse godin toebedeeld. 'Ze zal gekoesterd worden door eenieder die haar onder ogen krijgt,' had hij verkondigd. 'Daarom heb ik de Führer verteld dat we haar Var genoemd hebben, de "geliefde".'

Je moest wel een echte heilige zijn om te houden van dat bloederige, verdorven lijk. En Wirth wist één ding zeker: er waren maar weinig heiligen in deze tent.

Hij loodste de mannen over het ijs en had het gevoel dat hij zijn eigen begrafenisstoet leidde. Ze betraden de kooi en werden omlaag getakeld. De schijnwerpers lichtten op toen ze onder het oppervlak zakten. Wirth had de opdracht gegeven de lichten te doven tenzij er iemand werkte aan het ijsblok of het lijk wilde bekijken. Hij wilde niet dat het ijs zou smelten van de hitte van de krachtige lampen en hun hofdame ontdooide. Ze moest diepgevroren blijven, wilden ze haar veilig kunnen vervoeren naar het hoofdkwartier van de Deutsche Ahnenerbe in Berlijn.

Hij wierp een steelse blik op Rahn. Diens gezicht was in schaduwen gehuld. Waar hij zich ook bevond, Rahn droeg altijd een gleufhoed van zwart vilt met een brede rand. De man die zich uitgaf voor bottenjager en archeologisch avonturier had die tot zijn handelsmerk gebombardeerd.

Wirth voelde een zekere kameraadschap met de flamboyante Rahn. Ze deelden dezelfde hoop, hartstocht en overtuiging. En natuurlijk dezelfde angst.

De kooi kwam met een schok tot stilstand en zwaaide even hevig heen en weer, voordat de ketting waaraan hij hing hem min of meer stabiliseerde. Vier paar ogen staarden in het gezicht van het lichaam dat begraven zat in het blok ijs; ijs dat doortrokken was van weerzinwekkende donkerrode kronkels. Wirth voelde de impact die de verschijning had op zijn SS-collega's. Er hing een verbijsterde, ongelovige stilte.

Generaal Kammler verbrak die uiteindelijk. Hij keek Wirth aan. Zijn gezicht was als altijd ondoorgrondelijk, een kille reptielenblik flakkerde in zijn ogen. 'De Führer is in afwachting,' zei hij zacht. 'We zullen de Führer niet teleurstellen.' Er viel een stilte. 'Zorg dat ze haar naam, Var, eer aandoet.'

Wirth schudde vol ongeloof zijn hoofd. 'Gaan we verder volgens plan? Maar Herr General, de risico's…'

'Welke risico's, Herr *Leutnant?*'

'We hebben geen idee waaraan ze is gestorven…' Wirth gebaarde naar het lijk. 'Wat de oorzaak is van al…'

'Er is geen risico,' onderbrak Kammler hem. 'Ze is vijf millennia geleden verongelukt op een ijskap. Dat zijn vijfduizend jaren. Je maakt haar toonbaar. Je maakt haar mooi. Maak haar noords, arisch… volmaakt. Maak haar geschikt voor de Führer.'

'Maar hoe, Herr General?' vroeg Wirth. 'U hebt gezien…'

'Ontdooi haar, in godsnaam,' viel Kammler hem nogmaals in de rede. Hij gebaarde naar het ijsblok. 'Jullie van de Deutsche Ahnenerbe experimenteren toch al jaren op levende mensen? Bevriezen ze en ontdooien ze weer?'

'Dat is zo, Herr General,' gaf Wirth toe. 'Ik persoonlijk niet, maar er is inderdaad geëxperimenteerd met het invriezen van mensen, plus de zoutwater…'

'Bespaar me de details.' Kammler priemde een gehandschoende vinger naar het bloederige lijk. 'Breng haar tot leven. Veeg die doodskopglimlach van haar gezicht, wat het ook kost. Wis die… blik uit haar ogen. Zorg dat ze voldoet aan de mooiste dromen van de Führer.'

Wirth forceerde een antwoord. 'Jawel, Herr General.'

Kammlers blik gleed van Wirth naar Rahn. 'Als jullie niet… Als jullie hier niet in slagen, kost dat jullie de kop.' Hij blafte het bevel dat de kooi opgetild moest worden. In stilte stegen ze gezamenlijk op. Toen ze boven waren, draaide Kammler zich weer naar de mannen van de Deutsche Ahnenerbe. 'Ik heb niet zo'n trek meer.' Hij klikte zijn hakken tegen elkaar en bracht de nazigroet. 'Heil Hitler!'

'Heil Hitler,' galmden zijn SS-collega's.

Toen beende generaal Hans Kammler over het ijs naar zijn luchtvaartuig.

3

Heden

De piloot van de C-130 Hercules draaide zich om en keek Will Jaeger aan. 'Is het niet een beetje overdreven, *buddy*, om alleen voor jullie een hele C-130 te huren?' Hij had een vet zuidelijk accent, hoogstwaarschijnlijk Texaans. 'Jullie zijn maar met z'n drieën, toch?'

Door de deuropening naar het vrachtruim wierp Jaeger een blik op zijn twee medestrijders, die op de canvas klapstoelen zaten. 'Ja. Alleen wij drieën.'

'Beetje té, vind je niet?'

Jaeger was aan boord van het vliegtuig gegaan alsof hij een parachutesprong van grote hoogte ging maken: uitgedost met een integraalhelm, een zuurstofmasker en een log springpak. De piloot zou hem met geen mogelijkheid kunnen herkennen. Nóg niet, in ieder geval.

Jaeger haalde zijn schouders op. 'Tja, nou ja, we hadden meer mensen verwacht. Je weet hoe dat gaat: sommigen hebben het niet gered.' Hij zweeg even. 'Ze zijn vastgelopen in de Amazone.' Die laatste woorden liet hij een tijdje in de lucht hangen.

'De Amazone?' vroeg de piloot. 'De jungle, zeker? Wat is er gebeurd? Een mislukte sprong?'

'Erger.' Jaeger maakte de bandjes die zijn springhelm op zijn plek hielden wat losser, alsof hij lucht nodig had. 'Ze hebben het niet gered... omdat ze omgekomen zijn.'

De piloot schrok. 'Zijn ze gestorven? Hoe dan? Een of ander ongeluk tijdens de vrije val?'

Jaeger sprak nu langzaam en benadrukte elk woord. 'Nee. Geen ongeluk. Wat mij betreft niet. Eerder een zeer geplande, zeer opzettelijke moord.'

'Moord? Godsamme.' De piloot boog zich naar voren en haalde de gashendel een stukje terug. 'We zijn bijna op kruishoogte… Nog eenentwintig minuten tot de sprong.' Stilte. 'Moord? Wie is er dan vermoord? En… verdomme… waarom?'

Als antwoord zette Jaeger zijn helm helemaal af. Tegen de kou droeg hij ook nog een strakke zijden bivakmuts. Dat deed hij altijd als hij van dertigduizend voet sprong. Op die hoogte kon het kouder zijn dan op de Everest.

De piloot zou hem zo nog steeds niet kunnen herkennen, maar hij kon wel de blik in Jaegers ogen zien. En op dit moment was die dodelijk. 'Volgens mij was het moord,' herhaalde Jaeger. 'Koelbloedige moord. Het gekke is… dat het allemaal gebeurde na een sprong uit een C-130.' Hij keek om zich heen in de cockpit. 'Sterker nog, een toestel dat heel erg leek op dit exemplaar…'

De piloot schudde zijn hoofd en werd bekropen door de zenuwen. 'Ik volg je even niet, buddy… Maar hé, je stem komt me bekend voor. Neem me niet kwalijk dat ik het zeg, maar dat is altijd zo met jullie Britten, jullie klinken verdomme allemaal hetzelfde.'

'Ik neem het je niet kwalijk.' Jaeger glimlachte. Zijn ogen niet. De blik daarin was bloedstollend. 'Maarre… ik meen dat jij bij de SOAR hebt gezeten. Voordat je voor jezelf ging werken, bedoel ik.'

'De SOAR?' De piloot klonk verbaasd. 'Ja, dat is inderdaad waar. Maar hoe… Ken ik jou ergens van?'

Jaegers blik verhardde. 'Eens een Night Stalker, altijd een Night Stalker – is dat niet wat ze altijd zeggen?'

'Jawel…' De piloot klonk nu angstig. 'Maar zoals ik al vroeg, buddy, ken ik jou ergens van?'

'Nou… inderdaad. Hoewel ik vermoed dat je gaat wensen dat je me nooit ontmoet had. Want op dit moment, búddy, ben ik jouw ergste nachtmerrie. Er was eens een tijd dat jij mij en mijn team naar de Amazone hebt gevlogen en helaas leefde daarna niemand meer lang en gelukkig…'

Drie maanden eerder had Jaeger een expeditie met een team van tien personen geleid door de Amazone, op zoek naar een verdwenen vliegtuig uit de Tweede Wereldoorlog. Ze hadden toen een toestel gehuurd bij dezelfde privémaatschappij als nu. Onderweg had de piloot verteld dat hij in dienst was geweest bij het Special Operations Aviation Regiment, dat ook bekend was als de Night Stalkers.

De SOAR was een eenheid die Jaeger goed kende. Toen hij in dienst was bij de elitetroepen hadden piloten van de SOAR hem en zijn manschappen meerdere malen uit de ellende gehaald. Het motto van de SOAR was 'Death waits in the dark', maar Jaeger had zich geen moment voor kunnen stellen dat hij en zijn team daar uiteindelijk het doelwit van zouden zijn.

Jaeger trok de bivakmuts van zijn hoofd. 'De dood wacht in het donker… Zeg dat wel! Zeker toen jij een handje hielp. We waren er bijna allemaal aangegaan.'

Even staarde de piloot hem met grote ogen van ongeloof aan. Toen wendde hij zich tot de persoon die naast hem zat. 'Neem jij het over, Dan,' zei hij zacht, terwijl hij de controle over het toestel afstond aan zijn copiloot. 'Ik moet even praten met onze… Engelse vriend hier. En Dan, neem contact op met Dallas/Fort Worth. Breek de vlucht af. Ze moeten ons naar…'

'Dat zou ik niet doen,' kapte Jaeger hem af, 'als ik jou was.'

Jaeger haalde met zo'n snelle beweging een compacte SIG Sauer P228 uit zijn springpak dat de piloot het amper merkte, laat staan een kans had gehad zich te verzetten. De SIG was het voorkeurswapen van elitesoldaten. Hij drukte de stompe loop hard tegen het achterhoofd van de piloot.

De kleur was volledige weggevloeid uit het gezicht van de man. 'Wat… krijgen we nou? Gijzel je mijn toestel?'

Jaeger glimlachte. 'Zeker weten.' Hij richtte zijn volgende woorden tot de copiloot. 'Ben jij ook een voormalige Night Stalker? Of gewoon zo'n verraderlijke klootzak als je buddy hier?'

'Wat moet ik zeggen, Jim?' mompelde de copiloot. 'Wat zeg ik tegen deze klere…'

'Dat zal ik je wel vertellen,' onderbrak Jaeger hem, terwijl hij de stoel van de piloot ontgrendelde en met een ruk ronddraaide tot de man hem recht aankeek. Hij richtte de 9 mm op het voorhoofd van de piloot. 'Meteen en naar waarheid, zonder omhaal van woorden, anders schiet ik met de eerste kogel zijn hersenen eruit.'

De ogen van de piloot puilden uit. 'Zeg het verdomme tegen hem, Dan. Deze gast is gestoord genoeg om het te doen.'

'Ja, we zaten allebei bij SOAR,' zei de copiloot schor. 'Zelfde eenheid.'

'Mooi zo. Laat mij dan maar eens zien waartoe de SOAR in staat is. Stippel een koers uit naar Cuba. Zodra we het Amerikaanse luchtruim uit zijn, laat je ons zakken tot vlak boven de golven. Niemand mag weten dat we eraan komen.'

Toen de copiloot niet reageerde, zei de piloot: 'Doe het nou maar.'

'Een koers naar Cuba uitstippelen,' bevestigde hij tandenknarsend. 'Heb je een specifieke bestemming in gedachten? Cuba heeft namelijk nogal een uitgestrekte kustlijn, als je begrijpt wat ik bedoel.'

'Je gaat ons droppen boven een klein eiland. Zodra we er in de buurt zijn, krijg je de exacte coördinaten. We moeten meteen na zonsondergang boven dat eiland zijn – dus onder de dekmantel van de duisternis. Stem je snelheid daarop af.'

'Je vraagt niet veel,' gromde de copiloot.

'Houd ons in een stabiele zuidoostelijke koers. Ondertussen heb ik een paar vragen voor je buddy hier.'

Jaeger klapte de stoel van de navigator, die zich aan de achterkant van de cockpit bevond, naar beneden en ging erop zitten. Hij liet de loop van de SIG zakken tot die een bedreiging vormde voor de mannelijkheid van de piloot. 'Oké. Vragen,' zei hij peinzend. 'Heel veel vragen.'

De piloot haalde zijn schouders op. 'Oké. Mij best. *Shoot.*'

Jaeger wierp heel even een blik op het pistool en grijnsde toen gemeen. 'Wil je dat echt?'

De piloot fronste. 'Bij wijze van.'

'Vraag één. Waarom heb je mijn team de dood in gestuurd in de Amazone?'

'Hé, daar wist ik helemaal niets van. Niemand heeft iets gezegd over doden.'

Jaeger verstevigde zijn greep op het pistool. 'Beantwoord de vraag.'

'Geld,' stamelde de piloot. 'Zoals altijd. Maar ik wist echt niet dat ze zouden proberen jullie allemaal te vermoorden.'

'Hoeveel?'

'Genoeg.'

'Hoeveel?'

'Honderdveertigduizend dollar.'

'Oké, even uitrekenen. We zijn er zeven kwijtgeraakt. Twintigduizend dollar per persoon. Dat lijkt mij een koopje.'

De piloot hief zijn handen in de lucht. 'Hé, ik had verdomme echt geen idee! Hebben ze geprobeerd jullie om zeep te helpen? Hoe had ik dat nou moeten weten?'

'Wie heeft je betaald?'

De piloot aarzelde. 'Een of andere Braziliaanse kerel. Ik had hem ontmoet in een kroeg.'

Jaeger snoof. Hij geloofde er geen woord van en bleef aandringen. Hij had details nodig. Informatie op basis waarvan hij kon handelen. Iets wat hij kon gebruiken om achter zijn werkelijke vijanden aan te gaan. 'Heb je een naam?'

'Jawel. Andrei.'

'Andrei. Een Braziliaan met de naam Andrei die je in een kroeg hebt ontmoet?'

'Nou ja, misschien was hij niet echt Braziliaans. Eerder Russisch.'

'Mooi. Verstandig dat je dat nog weet. Zeker als er een 9 mm-pistool op je ballen gericht is. Dus, die Russische Andrei, die je in een kroeg hebt ontmoet… Enig idee voor wie hij werkte?'

'Het enige wat ik weet is dat ene Vladimir de baas was.' Hij zweeg even. 'Wie jouw mensen ook vermoord heeft, hij was de kerel die de bevelen uitdeelde.'

Vladimir. Jaeger had die naam eerder gehoord. Hij vermoedde dat hij de bendeleider was, hoewel er vast en zeker andere, machtiger mensen boven hem stonden. 'Heb je die Vladimir ooit gezien?'

De piloot schudde zijn hoofd. 'Nee.'

'Maar je hebt het geld toch maar aangenomen.'

'Ja. Ik heb het geld aangenomen.'

'Twintigduizend dollar voor elk van mijn mannen. Wat heb je gedaan? Een zwembadfeestje gegeven? De kinderen meegenomen naar Disney?'

De piloot gaf geen antwoord. Zijn onderkaak schoof opstandig naar voren. Jaeger kwam in de verleiding met het pistool op de kop van die kerel te rammen, maar die moest bij zijn volle verstand blijven. Hij moest zijn toestel als nooit tevoren besturen en hen boven hun snel naderende doelwit brengen.

4

'Oké, nu we hebben vastgesteld dat je mijn mannen voor een appel en een ei hebt verkwanseld, moeten we het eens worden over hoe je het goed kunt maken, of in ieder geval deels.'

De piloot gromde. 'Wat heb je in gedachten?'

'Nou, kijk. Vladimir en co hebben iemand van mijn expeditie-team ontvoerd. Leticia Santos. Een Braziliaanse. Voormalig militair. Jonge gescheiden moeder met een dochter. Ik mocht haar wel.' Hij zweeg even. 'Ze houden haar gevangen op een afgelegen eiland voor de Cubaanse kust. Je hoeft niet te weten hoe we haar gevonden heb-ben. Je moet wel weten dat we ernaartoe vliegen om haar te redden.'

De piloot forceerde een lach. 'En wie denk jij wel niet dat je bent? James *freakin'* Bond? Jullie zijn met zijn drieën. Een driekoppig team. En dan? Denk je dat mensen als Vladimir geen gezelschap hebben?'

Jaeger boorde zijn kalme, maar doordringende grijsblauwe ogen in die van de piloot. 'Vladimir heeft dertig goed bewapende mannen onder zich. Tien keer zoveel als wij, maar toch gaan we. En jullie moeten ervoor zorgen dat we zo onopvallend mogelijk op dat eiland terechtkomen.'

Met zijn donkere, lange haar en enigszins grimmige, wolfachtige gelaatstrekken leek Jaeger jonger dan de achtendertig jaar die hij was. Maar hij had de uitstraling van een man die veel had meege-maakt en met wie niet te sollen viel, helemaal niet als hij, zoals nu, een wapen in zijn hand had.

Dat ontging de piloot dan ook niet. 'Aanvalseenheid besluipt goed verdedigd doelwit; in kringen van de Amerikaanse commando's rekenden we er altijd op dat drie tegen één in ons voordeel was.'

Jaeger groef in zijn rugzak en haalde er een vreemd ogend voorwerp uit; het deed denken aan een groot conservenblik zonder etiket, met aan één kant een clip. Hij stak het voor zich uit. 'Ach ja, maar wij hebben dit.' Zijn vingers gleden over de letters die aan een kant van het blik gestempeld waren: KOLOKOL-1.

'Nooit van gehoord,' zei de piloot schouderophalend.

'Logisch. Het is Russisch. Sovjettijdperk. Maar laat ik het zo zeggen: als ik de pin lostrek, wordt dit toestel vol gifgas gepompt en valt het als een baksteen naar beneden.'

De piloot keek Jaeger gespannen aan. 'Als je dat doet, gaan we er allemaal aan.'

Jaeger wilde de man onder druk zetten, maar niet te ver gaan. 'Dat ben ik ook niet van plan.' Hij liet het blik weer in zijn rugzak vallen. 'Maar geloof me, je wilt niet in de buurt komen van dit spul.'

'Oké, duidelijk.'

Ruim drie jaar geleden had Jaeger zelf op weerzinwekkende manier kennisgemaakt met het gas. Hij was toen aan het kamperen met zijn vrouw en zoon in de heuvels van Wales. Dezelfde groep die nu Leticia Santos gevangenhield, had in het holst van de nacht toegeslagen met Kolokol-1, waarna Jaeger buiten bewustzijn was geraakt en had moeten vechten voor zijn leven. Daarna had hij zijn vrouw en achtjarige zoon, Ruth en Luke, niet meer gezien. De geheimzinnige groep die hen had meegenomen, was Jaeger daar vervolgens mee gaan kwellen. Sterker nog, hij twijfelde er niet meer aan dat ze hem alleen in leven hadden gelaten om hem te kúnnen kwellen.

Elk mens heeft een breekpunt. Nadat hij de hele wereld had afgespeurd naar zijn verdwenen gezinsleden had Jaeger zich uiteindelijk moeten neerleggen bij de afgrijselijke waarheid: ze waren blijkbaar spoorloos verdwenen en hij had hen niet kunnen beschermen. Hij was behoorlijk van de kaart geweest, had troost gezocht in drank en vergetelheid. Er was een zeer bijzondere vriend voor nodig geweest – en het weer opduiken van bewijs dat zijn vrouw en zoon nog in leven waren – om hem weer onder de mensen te brengen. Tot zichzelf te brengen.

Maar hij was een heel ander mens geworden. Somberder. Cynischer. Wantrouwender. Wijzer. Tevreden met zijn eigen gezelschap; een loner zelfs. Bovendien bleek de nieuwe Will Jaeger veel meer bereid alle regels te breken om degenen die zijn leven hadden verwoest op te sporen.

Vandaar de huidige missie. En hij had er geen enkel bezwaar tegen om gaandeweg een paar duistere trucs van de vijand te leren kennen. En te gebruiken.

Sun Tzu, de oude Chinese meester van de krijgskunst, had een gezegde: 'Ken je vijand.' Een simpeler boodschap was er niet, maar toch was Jaeger het in zijn tijd bij het leger als een mantra gaan beschouwen. *Ken je vijand*: het was de eerste regel van elke missie. En de laatste tijd was daar wat hem betreft een tweede regel bij gekomen: leer van je vijand.

Bij de Royal Marines en de SAS – de twee eenheden waar Jaeger gediend had – hadden ze het belang van een onorthodoxe probleemaanpak benadrukt. Overal voor open staan. Het onverwachte doen. Leren van de vijand was daar het toppunt van. Jaeger vermoedde dat een aanval in het holst van de nacht met hetzelfde gas dat zij hadden gebruikt wel het laatste was wat de groep op dat Cubaanse eiland zou verwachten.

Kolokol-1 was een middel dat de Russen in nevelen gehuld hielden. Niemand kende de exacte samenstelling, maar in 2002 had het zich opeens in het publieke bewustzijn genesteld toen een stelletje terroristen ruim honderd gijzelaars vasthielden in een Moskous theater. De Russische autoriteiten hadden er geen gras over laten groeien: hun speciale eenheid – de Spetsnaz – had het theater volgepompt met Kolokol-1. Vervolgens waren ze het gebouw binnengevallen en hadden ze alle terroristen gedood. Helaas hadden tegen die tijd ook al veel gijzelaars het gas ingeademd.

De Russen hadden nooit toegegeven wat ze precies gebruikt hadden, maar Jaegers vrienden in de geheime Britse defensielaboratoria hadden een paar monsters te pakken gekregen en bevestigd dat het Kolokol-1 was. Het gas zou een verdovingsmiddel zijn, maar zonder behandeling liep je het risico eraan te overlijden. Dat was in dat theater dan ook met veel gijzelaars gebeurd.

Kortom: het was uiterst geschikt voor Jaegers doel. Hij wilde dat Vladimirs mannen het overleefden. Als hij hen van kant maakte, was de kans groot dat hij de complete Cubaanse politie, de land- en de luchtmacht achter zich aan kreeg. En op dit moment moesten hij en zijn team gewoon ongezien binnenglippen en weer wegkomen.

Zelfs voor degenen die het overleefden, was Kolokol-1 een harde dobber. Het zou weken duren voor ze ervan hersteld waren en tegen die tijd waren Jaeger en zijn mensen – onder wie Leticia Santos – allang gevlogen.

Er was nog een reden waarom Jaeger Vladimir niet wilde doden: hij had vragen voor hem en Vladimir moest die beantwoorden.

'Oké, we gaan het zo doen,' zei hij tegen de piloot. 'Om nul tweehonderd uur moeten we boven een zescijferig grid zijn. Dat grid is een stukje zee even ten westen van het bewuste eiland, tweehonderd meter van de kust. Je dient op boomtophoogte binnen te vliegen, vervolgens te stijgen naar driehonderd voet voor een LLP.'

De piloot staarde hem met open ogen aan. 'LLP? Dat wordt je begrafenis.'

De *low-level*-parachutesprong was een ultrageheime techniek van de commando's die vanwege de bijkomende risico's zelden werd gebruikt in gevechtssituaties.

'Zodra we weg zijn, ga je zo laag mogelijk vliegen,' vervolgde Jaeger. 'Houd zo veel mogelijk afstand van het eiland. Houd je toestel buiten het zicht – en het gehoor – van…'

'Ja, hállo, ik ben een Night Stalker,' viel de piloot hem in de rede. 'Ik weet wat ik doe. Dat hoef je me niet te vertellen.'

'Fijn om te horen. Je vliegt weg van het eiland en bepaalt een koers naar huis. Dan zijn we klaar en ben je van ons af.' Jaeger zweeg even. 'Is dat duidelijk?'

'Min of meer,' zei de piloot schouderophalend. 'Het is alleen nogal een lullig plan.'

'Hoezo?'

'Simpel. Ik kan je op verschillende manieren belazeren. Zo kan ik je boven de verkeerde coördinaten droppen. Midden in de verdomde zee bijvoorbeeld, zodat je ernaartoe moet zwemmen. Of ik ga hoog vliegen – Hé, Vladimir, wakker worden! De cavalerie is uitgerukt... Alle drie! Man, jouw plan is zo lek als een freakin' zeef.'

Jaeger knikte. 'Dat snap ik. Alleen ga jij dat allemaal niet doen. En ik zal je vertellen waarom niet. Je hebt de dood van mijn zeven mensen op je geweten. Je moet een kans krijgen het goed te maken, anders zal dat je de rest van je leven kwellen.'

'Jij denkt dat ik een geweten heb,' gromde de piloot. 'Nou, dat denk je dan verkeerd.'

'O, dat heb je wel degelijk,' wierp Jaeger tegen. 'Maar voor de zekerheid is er nog een tweede reden. Als jij ons belazert, zal je dat duur komen te staan.'

'O ja, joh? Hoe dan?'

'Nou, kijk, je hebt net een ongeautoriseerde vlucht onder de radar naar Cuba voltooid. Je gaat vast terug naar DFW, aangezien je nergens anders heen kunt. Wij hebben dikke vrienden op Cuba. Zij wachten op een signaalwoord van mij: SUCCES. Als ze dat om nul vijfhonderd uur nog niet hebben ontvangen, nemen ze contact op met de douane van de VS met de hint dat jouw toestel drugstransporten heeft uitgevoerd.'

De ogen van de piloot schoten vuur. 'Ik heb dat rotspul nog nooit aangeraakt! Bovendien kennen de gasten op DFW ons. Daar trappen ze nooit in.'

'Ik denk het wel. Ze zullen het op zijn minst willen controleren. Een tip van de baas van de Cubaanse douane kunnen ze niet negeren. En als de DEA zijn drugshonden aan boord brengt, raken

33

die door het dolle heen. Ik ben namelijk zo vrij geweest om wat wit poeder rond te strooien aan de achterkant van je toestel. In het ruim van een C-130 zijn talloze plekken om een paar gram cocaïne te verstoppen.'

Jaeger zag dat de piloot zijn kaken op elkaar klemde en een blik wierp op het pistool. Hij wilde Jaeger zo te zien het liefst bespringen, maar wist vast zeker dat hij dan een kogel in zijn mik kreeg.

'Het is het een of het ander, Jim. Of je maakt het goed, waardoor we zo'n beetje quitte staan. Of je brengt de rest van je leven in een Amerikaanse gevangenis door voor het transporteren van drugs. Als je doet wat ik zeg, is het eind goed al goed. Krijg je weer een normaal leven, maar dan met een iets minder bezwaard geweten. Dus hoe je het ook bekijkt, het lijkt me verstandig om mee te werken.'

De piloot keek Jaeger recht aan. 'Ik breng jullie naar je dropzone.'

Jaeger glimlachte. 'Dan ga ik tegen mijn mensen zeggen dat ze zich klaar moeten maken voor de sprong.'

5

De C-130 scheurde rakelings over de golven. Jaeger en zijn team zaten klaar in het ruim van het vliegtuig. Door de open uitgang zag Jaeger hier en daar een flits van bruisend wit als het toestel laag over een rif vloog waar de golven woest op braken. Het eiland was omringd door scherp koraal: iets wat ze maar beter konden vermijden. Water betekende een relatief zachte landing, maar op dat koraal konden ze hun benen breken. Als alles goed ging, zouden ze tussen de binnenste koraalring en de kust in zee landen en was het maar een kort stukje zwemmen.

Toen de piloot er eenmaal van overtuigd was dat hij geen andere keus had dan de missie uit te voeren, had hij zich er min of meer bij neergelegd. En nu zag Jaeger dat deze voormalige Night Stalkers inderdaad zo goed waren als ze beweerden.

De koude nachtwind blies het ruim in, terwijl de vier propellers aan weerszijden erop los ratelden. De piloot vloog vlak over de golftoppen en stuurde het massieve toestel alsof het een Formule 1-bolide was. Als Jaeger en zijn team dit niet vaker hadden gedaan, zouden ze hierdoor in het donkere en galmende ruim ongetwijfeld kotsneigingen hebben gekregen.

Hij wendde zich tot zijn twee medewerkers. Takavesi 'Raff' Raffara was een bonk van een kerel, een keiharde Maori en een van Jaegers beste vrienden uit de tijd dat ze bij de sas zaten. Raff was de man die Jaeger zou kiezen voor een rug-aan-ruggevecht als het ooit goed misging. Hij vertrouwde Raff, die zijn lange haar als een traditionele Maori gevlochten droeg, blindelings. Raff had zijn loyaliteit in de loop der jaren meermalen bewezen, toen ze samen in dienst zaten, en ook kortgeleden nog, toen hij Jaeger aan het eind van de wereld was komen redden van drank en vernieling.

De andere medewerker was een zwijgzame, elegante dame met blond haar, dat in de ziedende slipstream woest rond haar fijne gelaatstrekken zwiepte. Irina Narov, een voormalige officier uit de Russische dienst die het meest met de SAS overeenkwam, zag er opvallend uit en was onverstoorbaar. Tijdens hun expeditie naar de Amazone had ze zichzelf vele malen bewezen. Maar dat betekende niet dat Jaeger al een definitief oordeel over haar gevormd had, of haar minder lastig vond. Gek genoeg was hij haar bijna gaan vertrouwen, op haar gaan rekenen. Ondanks haar irritante en soms zelfs regelrecht gekmakende gedrag, was ze op haar eigen manier net zo betrouwbaar als Raff. En bij tijd en wijle had ze bewezen net zo dodelijk te kunnen zijn; een kille, berekenende killer.

Tegenwoordig woonde Narov in New York en was ze Amerikaans staatsburger geworden. Ze had Jaeger uitgelegd dat ze buiten de lijnen opereerde, werkte voor een of andere internationale groep waarvan hij de identiteit nog niet helemaal achterhaald had. Er zat een luchtje aan, maar het was wel die groep – Narovs mensen – die de huidige onderneming gefinancierd had: Leticia Santos bevrijden. En op dit moment was dat het enige wat er voor Jaeger toe deed.

Verder had je nog Narovs geheimzinnige banden met Jaegers familie, in het bijzonder met wijlen zijn grootvader William Edward 'Ted' Jaeger. Opa Ted had tijdens de Tweede Wereldoorlog bij de Britse speciale eenheden gediend, wat Will ertoe had aangezet ook het leger in te gaan. Narov beweerde opa Ted als haar eigen opa te hebben beschouwd en vandaag de dag in zijn naam en ter nagedachtenis aan hem te werken.

Jaeger begreep daar niet zoveel van. Hij had nog nooit iemand in zijn familie iets over Narov horen zeggen, inclusief opa Ted. Aan het eind van hun Amazone-expeditie had hij gezworen antwoorden uit haar los te peuteren, het mysterie te ontrafelen dat zij belichaamde. De huidige missie diende echter voorrang te krijgen.

Via Narovs mensen en hun contacten bij de Cubaanse onderwereld was Jaegers team in staat geweest de locatie waar Leticia Santos vastgehouden werd in de gaten te houden. Ze hadden nuttige informatie vergaard, met als bonus een gedetailleerde beschrijving van Vladimir. Helaas was Leticia in de afgelopen dagen echter van een relatief licht beveiligde villa verplaatst naar het afgelegen eiland voor de kust. De bewaking was verdubbeld en Jaeger was bang dat hij haar volledig kwijt zou raken als ze haar weer gingen verplaatsen.

Er was nog een vierde persoon in het ruim van de C-130. De loadmaster was stevig vastgesnoerd aan de zijwand van het toestel, zodat hij in de open deur kon staan zonder weggesleurd te worden door de ziedende slipstream. Hij drukte zijn koptelefoon tegen zijn oren om het bericht van de piloot goed te kunnen verstaan. Hij knikte ten teken dat hij het begrepen had, stond op en hield vijf vingers voor hun gezicht: vijf minuten tot de sprong.

Jaeger, Raff en Narov kwamen ook overeind. Het welslagen van de ophanden zijnde missie hing af van drie dingen: snelheid, agressie en surprise, kortweg SAS, de officieuze slogan van de speciaal getrainde militaire eenheden die operaties uitvoeren. Om die reden was het van wezenlijk belang dat ze licht bepakt waren en vlug en geluidloos over het eiland konden bewegen. Hun uitrusting was derhalve tot het minimum beperkt.

Los van hun LLP-parachute droeg elk teamlid een rugzak met Kolokol-1-granaten, explosieven, water, noodrantsoenen, een EHBO-doos en een kleine, vlijmscherpe bijl. De overige ruimte werd ingenomen door hun CBRN-uitrusting en gasmaskers.

Aan het begin van Jaegers diensttijd had de nadruk geheel en al gelegen op NBC: nucleair, biologisch, chemisch. De nieuwe terminologie CBRN – chemisch, biologisch, radiologisch en nucleair – stond voor de nieuwe wereldorde. Toen de Sovjet-Unie nog de vijand van het Westen was geweest, was de grootste dreiging nucleair. Maar in een verscheurde wereld vol losgeslagen naties en terroristische organisaties waren chemische en biologische oorlogsvoering – of waarschijnlijker, terrorisme – de belangrijkste gevaren.

Jaeger, Raff en Narov hadden ieder een SIG P228 met een verlengd magazijn voor twintig patronen, plus zes extra volle magazijnen. Bovendien hadden ze ieder hun mes. Dat van Narov was een Fairbairn-Sykes-vechtmes, een vlijmscherp, zeer karakteristiek wapen dat Britse commando's tijdens de oorlog hadden gebruikt. Haar gehechtheid aan dat mes was nog zo'n mysterie dat Jaeger intrigeerde.

Vanavond was echter niemand van plan kogels of messen te gebruiken tegen de vijand. Hoe geruislozer en schoner ze dit konden regelen, hoe beter. De Kolokol-1 mocht zijn zwijgzame werk verrichten.

Jaeger keek op zijn horloge: nog drie minuten tot de sprong. 'Zijn jullie klaar?' schreeuwde hij. 'Vergeet niet dat het gas even tijd nodig heeft om aan te slaan.'

Hij ontving een hoofdknik en een opgestoken duim. Raff en Narov waren doorgewinterde professionals – de besten – en hij bespeurde geen greintje zenuwen bij hen. Jawel, ze waren zwaar in de minderheid, maar hij meende dat de Kolokol-1 de verhoudingen minder scheef trok. Uiteraard zat niemand te springen om het gas te gebruiken. Maar soms moest je, zoals Narov redeneerde, kwaad met kwaad bestrijden.

Toch knaagde er iets bij Jaeger: een LLP-sprong gaf geen enkele garantie. In zijn tijd bij de SAS had hij veel tijd besteed aan het testen van de allermodernste, futuristische apparatuur. Bij de Joint Air Transport Establishment (de JATE) – een geheime groep die toezicht houdt op James Bond-achtige para-aanvalstechnieken – had hij van de grootst mogelijke hoogtes gesprongen.

Onlangs had het Britse leger echter een heel ander concept ontwikkeld: de LLP. Daarmee was een paratroeper in staat om vanaf zeer geringe hoogte te springen en het er toch levend vanaf te brengen. Theoretisch was een springhoogte van 250 voet mogelijk, waardoor het luchtvaartuig ver onder de radar kon vliegen. Kort samengevat kwam het erop neer dat je met weinig risico om ontdekt te worden vijandig gebied binnen kon vliegen.

Omdat het valscherm in een fractie van een seconde open diende te gaan, was het plat en wijd, zodat het zo veel mogelijk lucht kon vangen. Desondanks was er een raketmotor nodig om ervoor te zorgen dat dit gebeurde voordat de springer te pletter sloeg. En zelfs daarmee – in wezen een ontgrendelingsmechanisme dat de parachute hoog de lucht in schoot – had je amper vijf tellen om je afdaling te vertragen en op de grond terecht te komen. Geen ruimte om fouten te maken dus. Het grote voordeel: de vijand kreeg niet de tijd om jou op te merken en te voorkomen dat je levend op de grond of in het water terechtkwam.

6

Het springsein sprong van rood op groen. Jaeger, Raff en Narov doken milliseconden achter elkaar het open ruim van de C-130 uit en werden de loeiende leegte in gezogen. Jaeger had het gevoel dat hij als een lappenpop in een gigantische windtunnel door elkaar werd gerammeld. Onder zich zag hij de kolkende zee in hoog tempo naderbij komen; de klap was een kwestie van seconden.

Geen tel te vroeg activeerde hij zijn raketgestuurde valscherm en opeens was het of hij op de staart van een raket het luchtruim in werd geschoten. Even later ging de raketmotor uit en ontvouwde het scherm zich hoog in de duisternis boven hem. Met een scherpe klap ving het lucht, slechts een paar tellen nadat de raket het hoogste punt van zijn klim bereikte. Jaegers maag maakte een paar misselijkmakende radslagen... en vervolgens zweefde hij kalm omlaag naar het woelige water.

Zodra zijn voeten het water raakten, drukte Jaeger op zijn snelontgrendelingsmechanisme om zich te ontdoen van zijn logge parachutetuig. De zeestroom was momenteel zuidoostelijk, waardoor de schermen naar het open deel van de Atlantische Oceaan zouden drijven en de kans klein was dat ze ooit nog gezien werden. Dat was precies wat Jaeger wilde: ze moesten snel arriveren en vertrekken zonder een spoor van hun aanwezigheid achter te laten.

De Hercules verdween als de wiedeweerga, zijn spookachtige verschijning werd verzwolgen door de holle nacht. Jaeger was nu volledig in duisternis gehuld. Het enige wat hij hoorde, was het gebulder van de branding. Het enige wat hij voelde, was het trekken en duwen van de warme Caribische Zee, waarvan het zout in zijn mond en neusgaten drong.

Elke rugzak was gevoerd met een stevige, waterdichte 'kanozak', waardoor de zware tassen bleven drijven. Watertrappend duwden de drie gestalten deze voor zich uit in de richting van de rafelige palmbomenrand die de kustlijn markeerde. Door mee te surfen op de krachtige brandingsgolven waren ze al binnen enkele minuten aan land en sleepten zich doorweekt over het zand naar de dichtstbijzijnde beschutte plek.

Vijf minuten wachtten ze met gespitste oren en scanden ze hun omgeving met arendsogen. Als iemand de C-130 naar beneden had zien duiken, zou die hoogstwaarschijnlijk nu zijn opwachting maken. Maar Jaeger bespeurde helemaal niets. Geen ongewone geluiden. Geen verrassende bewegingen. Geen enkel teken van leven. Afgezien van het ritmische gebeuk van de golven op het maagdelijke witte zand was het doodstil.

Jaeger voelde de adrenaline door zijn aderen razen: het was tijd om in actie te komen.

Hij haalde zijn compacte Garmin-gps-toestel tevoorschijn om zijn positie te controleren. Het zou niet voor het eerst zijn dat een cockpitbemanning troepen op de verkeerde grid neerzette en de piloot van vanavond had daar wel een heel goed excuus voor.

Maar de grid klopte. Jaeger pakte een piepklein, verlicht kompas, keek erop en gebaarde welke kant ze op moesten. Narov en Raff volgden hem geluidloos het bos in.

Een halfuur later waren ze de grotendeels verlaten landmassa overgestoken. Het eiland was dichtbegroeid met palmbomen, afgewisseld met stukken schouderhoog olifantsgras, waardoor ze er als schimmen doorheen hadden kunnen trekken.

Jaeger gaf een stopteken. Volgens zijn berekeningen moesten ze honderd meter van het gebouwencomplex zijn waar Leticia werd vastgehouden. Hij ging op zijn hurken zitten, en Raff en Narov kropen dicht bij hem. 'Trek je pak aan,' fluisterde hij.

Kolokol-1 kon op twee manieren gevaarlijk zijn: ten eerste door inademing en ten tweede door opname via een levend, poreus membraan als de huid. Daarom gebruikten ze Raptor 2-overlevingspakken, een variant voor speciale eenheden gemaakt van ultralichtgewicht materiaal, maar met een binnenlaag van koolstofbolletjes om elk druppeltje van het spul dat door de atmosfeer zweefde te absorberen. De Raptor-pakken waren benauwd, dus Jaeger was blij dat ze dit in het holst van de nacht deden, als de Cubaanse temperatuur het laagst was.

Voorts beschikten ze over geavanceerde Avon-FM54-gasmaskers om hun gezicht, ogen en longen te beschermen. Het waren excellente hulpmiddelen met een vuurbestendige buitenkant, een aaneensluitend ooggedeelte en een ultraflexibele, nauwsluitende pasvorm. Desondanks vond Jaeger het afschuwelijk om zo'n ding te dragen. Hij was een buitenmens, moest vrijuit kunnen ademen. Hij had er een stronthekel aan opgesloten te zitten of op een onnatuurlijke manier te worden ingeperkt.

Hij zette zich schrap, boog voorover en trok het masker over zijn hoofd, waarbij hij erop lette dat het rubber zijn huid luchtdicht afsloot. Hij trok de riempjes aan en voelde het masker samentrekken. Zij hadden ieder een op maat gemaakt masker, maar voor Leticia hadden ze een ruimer zittend ontsnappingsmasker mee moeten nemen. Die waren er maar in één maat, maar boden niettemin een behoorlijke periode bescherming tegen hoge concentraties gifgas.

Jaeger legde zijn hand over het ademhalingsfilter en ademde krachtig in, waardoor hij het masker strakker tegen zijn gezicht trok en absoluut zeker wist dat het goed afsloot. Vervolgens zoog hij een paar teugen lucht door het filter en hoorde het buitenaardse zuigen en blazen van zijn eigen ademhaling galmen in zijn oren.

Nu het masker gecontroleerd was, stapte hij in de logge rubberen overlaarzen en trok de kap van zijn CBRN-pak over zijn hoofd en controleerde of de elastische afdichting goed aansloot op de rand van het masker. Als laatste trok hij de dunne katoenen onderhandschoenen aan, gevolgd door de zware rubberen overhandschoenen om zijn handen dubbel te beschermen. Zijn wereld was nu gereduceerd tot het zicht door het ooggedeelte van het gasmasker. Het logge filter was bevestigd aan de linker voorzijde om te voorkomen dat het zijn zicht belemmerde, maar Jaeger begon zich al meteen claustrofobisch te voelen. Des te meer reden om snel te handelen en dit achter de rug te hebben.

'Microfooncontrole,' kondigde hij aan. Hij sprak door het piepkleine microfoontje dat ingebed was in het rubber van het masker. Je hoefde niet op een knop te drukken om je verstaanbaar te maken; ze stonden allemaal permanent aan. Zijn stem klonk bizar nasaal, maar door de korteafstandsintercom konden ze tenminste communiceren tijdens de komende actie.

'Check,' antwoordde Raff.

'Check… Jager,' voegde Narov eraan toe.

Jaeger vergunde zich een glimlach. 'De Jager' was de bijnaam die hij tijdens hun missie in de Amazone verdiend had.

Op Jaegers teken bewogen ze naar voren in het donker. Al snel zagen ze de lichten van het gebouw waar ze moesten zijn tussen de bomen glinsteren. Ze staken een stuk onbebouwd terrein over tot ze recht tegenover de omheiningsmuur aan de achterkant van de villa waren. Het enige wat hen daar nu nog van scheidde, was een smal modderpaadje.

Beschut door de bomen bestudeerden ze het doelwit. Dat baadde in een fel halo door de beveiligingsverlichting. Het had nu dus geen enkele zin om nachtkijkers te gebruiken.

Ondanks de nachtelijke koelte was het warm en benauwd in het pak met het masker. Jaeger voelde zweetdruppels over zijn voorhoofd lopen. In een poging die weg te wissen, streek hij met een gehandschoende hand over het ooggedeelte.

Op de eerste verdieping van de villa zag Jaeger licht achter de ramen branden; meer was er achter de hoge omheiningsmuur niet zichtbaar. Nu en dan ontwaarde hij een heen en weer gaande gestalte; zoals verwacht hielden Vladimirs mannen de boel goed in de gaten. Naast de muur stonden een paar fourwheeldrives geparkeerd. Die zouden onklaar gemaakt moeten worden, voor het geval iemand probeerde een achtervolging in de zetten. Zijn ogen schoten naar het platte dak van het gebouw. Dat was de voor de hand liggende plek voor wachtposten, maar hij bespeurde geen enkele beweging. Als ze al op dat dak konden komen, was dat de enige plek waar ze in de problemen zouden komen qua zichtbaarheid.

Jaeger sprak in zijn microfoon: 'We gaan, maar let op het dak. En we maken die auto's onklaar.' Er werd bevestigend geantwoord.

Snel ging Jaeger hen voor over het open pad. Ze bleven staan bij de voertuigen en brachten granaten aan met bewegingssensors. Als iemand probeerde weg te rijden, zou alleen de beweging de explosieven al tot ontploffing brengen.

Raff ging in zijn eentje verder, op weg naar de hoofdschakelaar van de elektriciteit. Met een compact sabotageapparaat zou hij een flinke stroomstoot door het elektriciteitsnet van de villa jagen en de stoppen opblazen. En dan had Vladimir ook niets aan een noodgenerator, die hij ongetwijfeld bezat.

Jaeger wierp een blik op Narov. Hij legde de palm van zijn hand op zijn kruin: het teken voor 'volg mij'. Toen kwam hij overeind en haastte zich naar de voorkant van de villa, terwijl zijn hartslag in zijn oren bonkte. Als er één moment was waarop de kans dat ze gezien werden het grootst was, zou dat nu zijn, nu ze zich erop voorbereidden de hoge muur te beklimmen. Jaeger schoof de hoek om en nam zijn positie in. Een fractie van een seconde later stond Narov naast hem.

'In stelling,' fluisterde hij in zijn microfoon.

'Begrepen,' fluisterde Raff terug. 'Het wordt donker.'

Dat werd onmiddellijk gevolgd door een gesis en geknal in de villa. Na een regen van vonken was het hele complex opeens in duisternis gehuld.

7

Jaeger pakte Narov bij haar benen en tilde haar omhoog. Ze reikte naar de bovenkant van de muur en hees zichzelf daaraan op. Vervolgens boog ze zich naar beneden en hielp hem omhoog te klauteren. Een paar tellen later lieten ze zich aan de andere kant op de grond vallen.

Het was pikdonker.

Het had maar een paar tellen gekost om de muur over te klimmen, maar Jaeger hoorde nu al gedempte kreten uit het gebouw komen. De voordeur zwaaide open en er strompelde iemand naar buiten die met zijn zaklamp over het verlaten terrein scheen. Het licht weerkaatste op het aanvalsgeweer in zijn hand. Jaeger verstijfde. Hij zag dat de figuur zich een weg baande naar een schuur in een hoek; hoogstwaarschijnlijk de plek waar de noodgenerator stond.

Zodra de figuur naar binnen was verdwenen, rende Jaeger naar het gebouw met Narov in zijn kielzog. Hij drukte zich plat tegen de muur naast de deuropening en Narov deed hetzelfde aan de andere kant. Jaeger haalde een granaat uit een van zijn zakken en pakte tegelijkertijd de kleine handbijl. Hij wierp een blik opzij naar Narov.

Ze stak haar duim op.

Jaeger pakte de pin vast die de clip tegenhield. Zodra hij daaraan trok, zou de granaat gas naar buiten gaan pompen. Ze konden nu niet meer terug.

Voorzichtig trok hij de pin los, terwijl hij met zijn vingers de hefboom gesloten hield. Als hij zijn greep verslapte, zou de clip losspringen en het gas naar buiten stromen. 'In stelling,' fluisterde hij in zijn radio.

'In stelling,' herhaalde Raff. Na het uitschakelen van het elektriciteitsnetwerk in de villa had de grote Maori zich een weg naar de achterkant gebaand; de enige in- dan wel uitgang van het gebouw.

Jaeger zette zich schrap. 'Ik ga naar binnen.'

Hij slingerde de bijl tegen het raam. Het geluid van brekend glas werd overstemd door het kabaal van mensen die binnen in het donker rondrenden. Jaeger trok de pin uit de granaat en gooide die door het gebroken raam naar binnen. Narov deed precies hetzelfde aan haar kant: ze smeet haar granaat door het raam dat ze net aan diggelen had geslagen.

Jaeger telde in gedachten. Drie. Vier. Vijf…

Achter het gebroken glas hoorde hij het heftige gesis van de granaten die zich ontdeden van hun verstikkende inhoud. Dat werd gevolgd door gehijg en gekokhals toen de Kolokol-1 effect begon te sorteren en mensen in paniek tegen hindernissen aan botsten die ze niet zagen.

Opeens klonk er geronk achter Jaegers rug: de noodgenerator die aansloeg. De figuur van daarnet kwam de schuur uit om te kijken of de stroom het weer deed, maar het bleef stikdonker. Hij zwaaide met zijn zaklamp alle kanten op in een poging de oorzaak te achterhalen.

Jaeger had maar een fractie van een seconde om zich van hem te ontdoen. Hij trok zijn SIG Sauer uit zijn borstholster. Het pistool had nu een ander silhouet, het was langer en had een dikkere loop. Hij, Raff en Narov hadden ieder een SWR Trident-demper bevestigd op hun P228. Bovendien hadden ze de magazijnen geladen met subsonische munitie die trager ging dan het geluid, zodat de knal die een kogel maakte als hij door de geluidsbarrière ging, uitbleef. Ter compensatie van de lagere snelheid waren de kogels zwaarder, waardoor het wapen nagenoeg geluidloos, maar niet minder fataal was.

Jaeger richtte de P228, maar voordat hij kon afvuren, doemde er een vertrouwd figuur op uit de schaduw, die twee schoten loste

– pzzzt, pzzzt – opnieuw richtte: *pzzzt*. Raff was een fractie van een seconde sneller geweest dan Jaeger.

Tien. Elf. Twaalf... De stem in Jaegers hoofd bleef tellen, terwijl de Kolokol-1 zijn werk deed. Even realiseerde hij zich met een klap hoe het nu in het gebouw moest zijn. Stikdonker. Volledige verwarring. Vervolgens de eerste ijselijke streling van de Kolokol-1. Een moment van paniek als je probeerde te bedenken wat er aan de hand was, waarna de doodsangst toesloeg als het gas door je luchtpijp brandde en je longen ontvlamden.

Jaeger wist uit eigen ervaring wat zo'n soort gas met mensen deed, hoe afgrijselijk het was om daardoor onderuit te gaan. Ook al overleefde je het, je zou het nooit meer kunnen vergeten. Heel even was hij terug op die heuvel in Wales, waar een dolk zich door het dunne canvas van zijn tent boorde en een spuit door de opening werd gestoken waar een wolk verstikkend gas uit kwam. Hij zag handen de tent in komen en zijn vrouw en kind grijpen, hen de duisternis in slepen. Hij probeerde zich op te richten om te vechten, hen te redden, maar de Kolokol-1 brandde in zijn ogen en verlamde al zijn ledematen. En toen greep een gehandschoende hand hem woest bij zijn haar, trok zijn hoofd omhoog en keek hij in de van haat vervulde ogen achter het masker.

'Wees voor altijd van één ding verzekerd,' siste een stem. 'Je vrouw en kind zijn in onze macht. Vergeet nooit dat jij je dierbaren niet hebt weten te beschermen.'

Hoewel de stem werd vervormd door het masker meende Jaeger die giftige, van haat vervulde toon te herkennen, maar hij kon met geen mogelijkheid een naam verbinden aan de stem van zijn kwelgeest. Hij kende hem, maar ook weer niet, en dat was een kwelling geworden waar hij zich nooit meer voor had kunnen verschuilen.

Jaeger schudde de beelden van zich af; ze waren hier nu anderen aan het bestoken met dit gas. Hij was getuige geweest van de gruwelijkheden die zijn teamleden – en zeker Leticia Santos – in de Amazone hadden moeten doormaken. Natuurlijk hoopte hij ergens hier iets te ontdekken wat hem op het spoor van zijn vrouw en kind bracht. Maar nu telde elke seconde. Zeventien. Achttien. Negentien. Twintig!

Jaeger stapte achteruit, tilde zijn been op en trapte met zijn laars hard tegen de deur. Het kostbare tropische hardhout gaf amper een krimp, maar de omlijsting was gemaakt van goedkoop triplex en versplinterde, waardoor de deur op zijn scharnieren naar binnen klapte. Met zijn sig in de aanslag stormde Jaeger de kamer in. Hij scheen door de ruimte met de zaklamp die was bevestigd aan de onderzijde van de loop. Er hing een doordringende, olieachtige witte nevel die danste in zijn lichtstraal. Mensen lagen kronkelend op de grond en grepen naar hun keel, alsof ze die eruit wilden scheuren. Niemand merkte dat hij er was. Hun ogen waren verblind door het gas, hun lichaam stond in brand.

Jaeger liep verder de kamer binnen. Hij stapte over een kokhalzende, kronkelende man en rolde met zijn laars een ander om, om diens gezicht goed te kunnen bekijken. Leticia was nergens te bekennen.

Even bleef de lichtstraal uit zijn zaklamp hangen in een plas braaksel en een lichaam dat lag te kronkelen in de schaduw. Als hij geen masker had gedragen, zou hij zelf ook van de stank over zijn nek zijn gegaan. Hij dwong zichzelf door te gaan, de weerzinwekkende toestand te negeren. Hij moest gefocust blijven op het doel.

Terwijl hij zich verplaatste door de griezelige, desoriënterende gaswolk viel zijn lichtbundel op een spookachtige witte fontein – een Kolokol-1-granaat die zijn laatste restje uitspuwde – en toen was hij aan de achterkant van de kamer. Voor hem lagen twee trappen, de ene ging naar boven, de andere naar beneden. Zijn instinct zei hem dat Leticia ondergronds vastgehouden werd.

Hij haalde een tweede granaat uit zijn zak. Maar toen hij de pin eruit rukte en het wapen de trap af wilde slingeren, werd hij overvallen door een beklemmende claustrofobie. Hij merkte dat hij verstijfde en maar aan één ding kon denken: dat afschuwelijke moment in de Welshe heuvels.

Het was cruciaal om tijdens een aanval als deze snel en effectief te werk te gaan. Maar golven misselijkheid hielden hem in een ijzeren greep. Hij had het gevoel dat hij weer in die tent was, verdronk in de zee van zijn eigen falen, niet in staat om zelfs zijn eigen vrouw en kind te beschermen. Zijn ledematen leken totaal verstijfd. Hij kon de granaat niet weggooien.

8

'Gooien!' schreeuwde Narov. 'GOOIEN! Santos zit daarbinnen! Gooi die verdomde granaat weg!'

Haar woorden kliefden door Jaegers verlamming. Het kostte een enorme wilsinspanning, maar op de een of andere manier slaagde hij erin bij zinnen te komen en de granaat ver in de diepte voor zich te werpen. Een paar tellen later stormde hij met een heen en weer maaiend wapen de trap af. Narov bevond zich vlak achter hem.

Tijdens zijn dienstjaren was het uitkammen van gebouwen een van de dingen die het zwaarst getraind werden. Het diende snel en instinctief te gebeuren.

Onder aan de trap waren twee deuren. Jaeger nam de rechter. Hij liet de clip van een derde gasgranaat schieten, trapte de deur open en gooide die naar binnen. Terwijl het gas zich begon te verspreiden, strompelde er iemand op hem af, die verstikt vloekte in een taal die Jaeger niet verstond. De man opende het vuur en zwaaide zijn wapen alle kanten op, maar hij was verblind door het gas. Even later stortte hij met zijn handen grijpend naar zijn keel op de grond.

Jaeger drong de ruimte binnen; koperen patroonhulzen knerpten onder de zolen van zijn overlaarzen. Snel keek hij om zich heen of hij Leticia Santos zag. Toen dat niet het geval was en hij op het punt stond te vertrekken, drong het opeens met een schok tot hem door: hij herkénde deze plek. Op de een of andere manier had hij die ergens eerder gezien...

En toen schoot het hem te binnen. In een poging hem van afstand te treiteren, hadden Santos' gijzelaars Jaeger beelden gemaild.

Op een daarvan was ze gehavend, geboeid en geknield te zien voor een gescheurd, smerig beddenlaken, waarop was geschreven:

Geef ons terug wat ons toebehoort.
Wir sind die Zukunft.

Wir sind die Zukunft: wij zijn de toekomst. De woorden waren zo te zien met bloed op het laken gesmeerd.

Jaeger zag datzelfde laken nu opgehangen aan een van de muren. Daaronder, op de vloer, zag hij de restanten van de gevangenname: een vies matras, een toiletemmer, stukken gerafeld touw en een paar beduimelde tijdschriften plus een honkbalknuppel, die ongetwijfeld was gebruikt om Santos buiten bewustzijn te slaan. Het was niet de kámer die Jaeger had herkend, maar de spullen van Leticia Santos' gevangenname en foltering.

Hij draaide zich met een ruk om. Narov had de tegenoverliggende kamer gecontroleerd en er was nog steeds geen spoor van Santos. Waar hadden ze haar naartoe gebracht?

Ze bleven even onder aan de trap staan. Ze waren drijfnat van het zweet en ze ademden moeizaam. Toen pakten ze ieder weer een nieuwe granaat en denderden twee trappen op naar boven, waar ze uit elkaar gingen om hun zoektocht te vervolgen. De hele verdieping leek echter verlaten te zijn.

Na een paar tellen hoorde Jaeger een hevig geruis in zijn oortje, gevolgd door de stem van Raff: 'Trap aan achterkant leidt naar het dak.'

Jaeger draaide zich om en rende door de kolkende laag gas die kant op. Raff stond onder aan een ladder met versleten ijzeren treden. Boven hem was de lucht zichtbaar door een geopend luik.

Jaeger aarzelde amper en ging de ladder op. Leticia moest daarboven zijn; hij voelde het aan zijn water.

Toen zijn hoofd de opening naderde, zette hij de zaklamp uit. Er was daarboven genoeg maanlicht om te kunnen kijken en met die lichtstraal zou hij een makkelijk doelwit zijn. Met één hand hield hij de ladder vast en met de ander hield hij zijn wapen in de aanslag. Het had geen zin om daar, in de open lucht, een gasgranaat te gebruiken.

Terwijl hij de laatste paar centimeter omhoog sloop, voelde hij dat Narov op de treden onder hem was. Hij stak zijn hoofd boven de opening uit om te kijken of hij ergens de vijand zag. Een paar tellen hield hij zich doodstil, keek en luisterde.

Uiteindelijk sprong hij met een vloeiende beweging het dak op. Terwijl hij dat deed, hoorde hij een klap, die in de stilte oorverdovend klonk. Op het midden van het dak was een gehavende televisie neergekwakt, met daarachter een stapel oud meubilair. Er was een kapotte stoel vanaf gevallen op het moment dat iemand achter die hoop zijn wapen richtte. Meteen daarna werd er wild geschoten.

Jaeger bukte en hield zijn pistool in de aanslag. Overal om hem heen ketsten kogels af op het gladde beton van het dak.

Hij richtte op de lichtflitsen uit de loop en vuurde drie keer snel achter elkaar: *pzzzt, pzzzt, pzzzt!* Het ging erom vlug en in de roos te kunnen schieten. Dit was doden of gedood worden; de scheidslijn tussen leven en dood werd gemeten in millimeters en milliseconden. En Jaeger had net iets sneller en beter gericht.

Hij verplaatste zich en zakte weer zo laag mogelijk op zijn hurken, terwijl hij om zich heen keek. Toen Narov en Raff aan weerszijden van hem op het dak sprongen, sloop Jaeger geruisloos naar voren, als een tijger die achter zijn prooi aan ging. Hij maaide met zijn wapen tegen de stapel meubels. Daar verscholen zich nog meer vijanden, dat wíst hij gewoon.

Opeens rende er iemand weg. Jaeger kreeg de renner in het vizier, maar terwijl hij zich schrap zette om te vuren, besefte hij opeens dat het een vrouw was, een donkerharige vrouw. Leticia Santos, dat kón niet anders!

Toen zag hij iemand achter haar aan rennen met een pistool in zijn hand. Die wilde haar ongetwijfeld doodschieten. De twee waren echter zo dicht bij elkaar dat het voor Jaeger onmogelijk was om het vuur te openen. 'Laat dat wapen vallen,' brulde hij. 'Laat vallen.'

Het FM54-masker had een ingebouwde geluidsversterker die werkte als een megafoon, waardoor zijn woorden bizar blikkerig klonken. 'Laat je wapen vallen!'

In antwoord daarop sloeg de schutter een gespierde arm om de nek van de vrouw en dwong haar naar de rand van het dak. Jaeger hield hen onder schot en bewoog verder naar voren. In zijn uitrusting zag hij er twee keer zo groot uit als normaal, dus hij vermoedde dat Leticia geen idee had wie er achter het masker schuilging. Zijn vervormde stem was al net zo onherkenbaar. Was hij een vriend of een vijand? Ze had geen enkele manier om daarachter te komen.

Ze deed een angstige stap achteruit; de schutter worstelde om haar onder controle te houden. De rand van het dak was vlak achter hun rug; ze konden geen kant op.

'Laat je wapen vallen!' herhaalde Jaeger. 'Laat dat verdomde wapen vallen!' Hij hield zijn SIG met beide handen dicht tegen zijn lichaam, want de demper was geneigd om de gassen uit de loop terug te blazen in het gezicht van de schutter. Het was dus cruciaal om zo stevig mogelijk te gaan staan om de terugslag op te vangen. Hij had de slechterik in zijn vizier, de haan van het pistool was gespannen en zijn wijsvinger lag om de trekker, maar toch kon hij niet schieten. In het vage schijnsel was hij niet zeker van zijn doel en de dikke handschoenen maakten het extra lastig.

De man hield zijn pistool tegen Leticia's keel gedrukt. Schaakmat.

Jaeger voelde dat Narov ter hoogte van zijn schouder kwam staan. Ook zij had haar P228 in de aanslag. Rotsvast en ijskoud als altijd. Ze ging een stap voor hem staan en hij wierp een snelle blik op haar. Haar gasmasker bungelde aan de riempjes om haar nek en in plaats daarvan had Narov een AN/PVS-21-nachtkijker opgezet. Die verlichtte haar gelaatstrekken met een fluorescerend groene, buitenaardse gloed. Ook had ze haar handschoenen uitgetrokken.

Geen reactie. Geen schijn van een reactie. Haar blik gericht op het ijzeren vizier van de SIG.

Binnen een seconde besefte Jaeger precies wat ze van plan was. Hij stak een hand uit in een poging haar tegen te houden, maar was te laat.

Pzzzt, pzzzt, pzzzt!

Narov had de trekker overgehaald.

9

De standaardmunitie voor de 9 mm-P228 weegt 7,5 gram. De drie subsonische kogels die Narov had afgevuurd waren elk drie gram zwaarder. Hoewel ze honderd meter per seconde langzamer gingen, kostte het hen toch maar een fractie van een seconde om doel te treffen.

Ze kliefden in het gezicht van de schutter en dreven hem achteruit, over de rand van het dak in een dodelijke val. Zijn arm bleef echter gekromd om de hals van de vrouw. Met een ijselijke kreet verdwenen beide personen uit beeld.

Vanaf het dak was het zeker vijftien meter tot de grond. Jaeger vloekte. Die verdomde Narov!

Hij draaide zich om en rende naar het luik. Toen hij zo snel mogelijk de ladder afdaalde, kolkte de Kolokol-1 als een spookachtige nevel rond zijn knieën. Hij sprong van de laatste tree, sprintte over de overloop, denderde de trap af en sprong hier en daar over lichamen heen. Hij spurtte door de verbrijzelde deuropening, sloeg rechtsaf en rende de hoek van het gebouw om, waar hij hijgend tot stilstand kwam op de plek waar twee gestalten op een hoopje lagen.

De schutter was meteen dood geweest als gevolg van de drie kogels in zijn hoofd en het leek of Leticia's nek was gebroken door de val. Weer vloekte Jaeger. Hoe kon het allemaal zo snel mis zijn gegaan? Het antwoord kwam zo'n beetje meteen: door Narovs schietgrage, domme gedrag.

Hij boog zich over Leticia's verwrongen gestalte. Ze lag roerloos met haar gezicht naar beneden. Hij legde een hand op haar hals om haar hartslag te checken. Hij huiverde. Ongelooflijk, het lichaam was nog warm, maar ze was dood, zoals hij al had gevreesd.

Narov verscheen naast hem. Jaeger keek op en staarde haar met vuurspuwende ogen aan. 'Lekker dan. Je hebt net…'

'Kijk nog eens goed,' onderbrak Narov hem op haar karakteristieke kille, effen, emotieloze toon – de toon die Jaeger zo verontrustend vond. 'Van dichtbij.' Ze boog voorover, pakte het haar van de vrouw en trok haar hoofd met een ruk omhoog.

Geen enkel respect, niet eens voor de doden, dacht Jaeger. Maar toen staarde hij naar het grauwe gezicht. Ze was inderdaad een Latina, maar niet Leticia Santos. 'Hoe…' begon hij.

'Ik ben een vrouw,' viel Narov hem in de rede. 'Ik herken de houding van een andere vrouw. Haar manier van bewegen. Die van haar… waren anders dan die van Leticia.'

Even vroeg Jaeger zich af of Narov ook maar een greintje wroeging voelde over het feit dat ze deze onbekende vrouw had gedood, of in ieder geval het schot had gelost waardoor zij haar dood tegemoet was gevallen.

'Nog één ding,' zei Narov. Ze graaide in de binnenzak van het jasje van de vrouw en haalde er een pistool uit, dat ze voor Jaegers gezicht hield. 'Ze was lid van deze bende.'

Jaegers mond viel open. 'Jézus. Dat gedoe op het dak was dus allemaal gespeeld.'

'Inderdaad. Om ons voor de gek te houden.'

'Hoe wist je dat?'

Narov keek hem wezenloos aan. 'Ik zag een bobbel. In de vorm van een pistool. Maar voornamelijk… instinct en intuïtie. Het zesde zintuig van een soldaat.'

Jaeger schudde zijn hoofd om het leeg te maken. 'Maar… waar is Leticia dan?'

Opeens kreeg hij een ingeving en schreeuwde in zijn microfoon: 'Raff!' De grote Maori was in het huis gebleven om de overlevenden in de gaten te houden en op zoek te gaan naar aanwijzingen. 'Raff! Heb je Vladimir?'

'Jazeker.'

'Kan hij praten?'

'Ja. Nog net.'

'Mooi. Breng hem hier.'

Een halve minuut later kwam Raff het gebouw uit met iemand over zijn massieve schouders geslagen. Hij dumpte de man voor Jaegers voeten. 'Vladimir. Dat beweert hij tenminste.'

De bendeleider vertoonde de onmiskenbare tekenen van een Kolokol-1-aanval. Zijn hartslag was gevaarlijk vertraagd, evenals zijn ademhaling, en zijn spieren waren vreemd slap. Zijn huid was klam en zijn mond droog. Hij was net overvallen door duizeligheid, wat betekende dat hij al snel zou gaan braken en stuiptrekken.

Jaeger moest antwoorden hebben, voordat de man onbruikbaar was. Hij haalde een injectiespuit uit zijn borstzak en hield die voor de ogen van de man. 'Luister goed,' zei hij. Zijn stem galmde door de versterker van het masker. 'Je bent getroffen door sarin,' loog hij. 'Weet je iets over zenuwgas? Afschuwelijke manier om te sterven. Je hebt nog maar een paar minuten.'

De ogen van de man rolden van doodsangst. Hij verstond blijkbaar genoeg Engels om de kern van Jaegers boodschap te begrijpen.

Jaeger zwaaide met de injectiespuit. 'Kijk. Het tegengif. Daarmee blijf je leven.'

De man probeerde wanhopig de spuit te pakken, maar Jaeger hield hem net buiten bereik.

'Oké, beantwoord de volgende vraag. Waar is de gijzelaarster, Leticia Santos? Je krijgt de injectie in ruil voor het antwoord. Zo niet, dan ben je dood.'

De man lag nu hevig te kronkelen, er druppelde slijm uit zijn neus en speeksel uit zijn mond. Toch slaagde hij er op de een of andere manier in een trillende hand op te steken en naar het huis te wijzen. 'Kelder. Onder kleed. Daar.'

Jaeger stak de naald in de arm van de man. Kolokol-1 vereist geen tegengif en er zat dan ook een onschuldige zoutoplossing in de spuit. Een paar minuten in de frisse buitenlucht zou genoeg zijn om te overleven, hoewel het hem nog vele weken zou kosten om volledig te herstellen.

Narov en Jaeger gingen naar binnen en Raff bleef Vladimir in de gaten houden. In de kelder zag Jaeger in het schijnsel van zijn zaklamp inderdaad een felgekleurd Latino-achtig kleed op de kale betonnen vloer liggen. Toen hij het kleed opzijschoof, zag hij een stalen luik. Hij trok aan het handvat, maar het gaf geen krimp. Het moest vanbinnen op slot zitten.

Hij diepte een explosief met holle lading op uit zijn rugzak, rolde dat uit om de kleefstrip bloot te leggen en koos toen een plek aan de achterkant van het luik, waar hij de lading langs de kier plakte. 'Zodra het ontploft, gooi je het gas naar binnen,' zei hij.

Narov knikte en maakte een Kolokol-1-granaat klaar.

Ze zochten dekking. Jaeger ontstak het lont en meteen klonk er een scherpe explosie; dikke rook en stukken puin vlogen door de lucht. Het luik was opgeblazen.

Narov gooide de granaat met een boogje in de rokerige ruimte. Jaeger telde de seconden af om te zorgen dat het gas zijn werk kon doen. Toen boog hij zich voorover, leunde met zijn armen op de randen van het gat en liet zich omlaag vallen. Bij het neerkomen zakte hij door zijn knieën om de klap op te vangen en had hij meteen zijn pistool in de aanslag. Hij bekeek de ruimte met de zaklamp die eraan vastzat. Door de dikke gasnevel zag hij twee mannen bewusteloos op de grond liggen.

Narov sprong naast hem en Jaeger scheen met zijn zaklamp over de twee mannen. 'Controleer ze.'

Terwijl Narov dat deed, schoof hij langs de muur naar de achterkant van de ruimte, waar een smalle nis was met daarin een zware houten kist. Met zijn gehandschoende hand probeerde hij het deksel op te tillen, maar dat zat vast. Ze konden hem wat; hij ging nu echt niet naar de sleutel zoeken! Hij spande zijn schouderspieren en trok uit alle macht. Het hout kraakte en het deksel schoot uit de scharnieren. Jaeger gooide het opzij en scheen met zijn lamp in de kist.

Hij zag een grote, vormeloze bundel gewikkeld in een oud laken. Toen hij die optilde, voelde hij duidelijk dat het een mens was, dus hij liet de last voorzichtig op de grond zakken. Hij vouwde het laken opzij en staarde in het gezicht van Leticia Santos.

Ze was buiten bewustzijn en was de afgelopen dagen zo te zien door een hel gegaan. Jaeger moest er niet aan denken wat Vladimir en zijn bendeleden haar hadden aangedaan, maar ze leefde tenminste nog.

Achter hem controleerde Narov het tweede lichaam, om er zeker van te zijn dat de man dood was. Zoals veel van Vladimirs schutters droeg ook deze een kogelvrij vest. Inderdaad geen stelletje om zonder handschoenen aan te pakken.

Maar toen ze het logge lichaam op zijn rug rolde, weerkaatste haar zaklamp op iets wat onder hem op de vloer had gelegen. Het was bolvormig en metalig, ongeveer zo groot als een mannenvuist en de buitenkant bestond uit piepkleine vierkantjes.

'GRANAAT!'

Jaeger draaide zich met een ruk om en had meteen door wat er aan de hand was. De man had een val gezet. Omdat hij dacht dat hij doodging, had hij de pin uit een granaat getrokken en was er vervolgens bovenop gaan liggen om met zijn lichaamsgewicht de clip op zijn plek te houden.

'ZOEK DEKKING!' schreeuwde Jaeger, terwijl hij Leticia optilde en met haar de nis in dook.

Narov negeerde hem volkomen, rolde het lichaam terug op de granaat en wierp zich boven op hem om zichzelf te beschermen tegen de explosie.

De enorme, verschroeiende explosie slingerde Narov de lucht in en Jaeger knalde door de kracht van de klap met zijn hoofd tegen de muur van de nis. Hij voelde een scheut van pijn... en even later werd alles zwart.

10

Jaeger sloeg linksaf en nam de afrit naar Harley Street, een van de meest exclusieve buurten van Londen. Er waren drie weken verstreken sinds hun Cubaanse missie en hij was nog steeds pijnlijk stijf van de verwondingen die hij in de villa had opgelopen. Hij was echter maar even buiten bewustzijn geweest: zijn masker had zijn hoofd voor het ergste behoed.

Narov was degene die de grootste klap had opgevangen. In die afgesloten ruimte was boven op de granaat duiken de enige optie die ze had gehad. Ze had gebruikgemaakt van het lichaam van de man en diens kogelvrije vest om Jaeger de tijd te geven iets van dekking te zoeken voor Leticia.

Jaeger stopte tegenover de Biowell Clinic en zette zijn Triumph Tiger Explorer op een van de vrije parkeerplaatsen voor motoren. Hij kon zich met die motor snel door het verkeer bewegen en vond bijna altijd wel een parkeerplek. Dat was een van de geneugten van het op twee wielen door de stad navigeren. Hij schudde zijn Belstaff-jas uit. De lente hing in de lucht; de platanen langs de straten van Londen schoten in het blad. Als hij in de stad móést zijn, was dit zo'n beetje zijn favoriete tijd van het jaar om dat te doen.

Hij had net het bericht gekregen dat Narov weer bij bewustzijn was en haar eerste maaltijd had gegeten. Sterker nog, de chirurg had zelfs laten doorschemeren dat ze binnenkort het ziekenhuis zou mogen verlaten. Nee, er was geen twijfel over mogelijk: Narov was een taaie.

Het was nogal een uitdaging gebleken om weg te komen van dat

Cubaanse eiland. Toen hij na die ontploffing weer bij bewustzijn was gekomen, had Jaeger zowel Narov als Leticia Santos de kelder uit gesleurd. Vervolgens hadden hij en Raff de twee vrouwen uit het verstikkende gebouw gedragen en zich over het terrein uit de voeten gemaakt.

De aanval was uiteindelijk snel verlopen maar zeer luidruchtig geweest, en Jaeger wist niet of iemand anders op het eiland de schoten en ontploffing had gehoord. De kans was groot dat er alarm was geslagen en daar als de sodemieter wegkomen was hun hoogste prioriteit. Vladimir en zijn bende mochten het allemaal uitleggen aan de Cubaanse autoriteiten.

Ze waren naar het nabijgelegen haventje gegaan, waar de ontvoerders een zeewaardige Zodiac hadden liggen. Ze hadden Narov en Santos aan boord gebracht, de twee krachtige 350 pk-motoren gestart en waren in oostelijke richting naar het Britse gebied van de Turks- en Caicoseilanden gevaren, een tocht van 180 kilometer over open zee. Jaeger kende de gouverneur van de eilanden persoonlijk en hij verwachtte hen.

Zodra ze op open zee waren, hadden Jaeger en Raff Narov gestabiliseerd, haar bloeden gestelpt en haar in de stabiele zijligging gelegd. Met een stapel reddingsvesten hadden ze het haar en Leticia zo comfortabel mogelijk gemaakt achter in de boot. Vervolgens hadden ze alles wat hen in verband kon brengen met de missie – wapens, CBRN-pakken, gasmaskers, explosieven, Kolokol-1-granaten – overboord gegooid. Tegen de tijd dat ze aan land stapten, zou er weinig meer zijn dat hen in verband kon brengen met welke militaire actie dan ook. Ze zagen eruit als vier pleziervaarders die een ongelukje hadden gehad op zee.

Ook op het eiland hadden ze ervoor gezorgd geen sporen achter te laten door de gebruikte Kolokol-1-granaten mee te nemen. Er lagen alleen nog enkele tientallen 9 mm-hulzen. Zelfs hun voetsporen waren gemaskeerd door hun CBRN-overlaarzen. Er hadden weliswaar beveiligingscamera's in de villa gehangen, maar die hadden niets meer opgenomen zodra Raff de stroom had uitgeschakeld. En dan nog, Jaeger geloofde niet dat iemand hen met hun maskers op zou kunnen herkennen.

Het enige wat overbleef waren hun drie parachutes, maar die zouden met de stroming naar open zee drijven. Nee, hoe Jaeger het ook bekeek, zij waren brandschoon.

Terwijl ze over de rustige, nachtelijke zee voeren, had hij even stilgestaan bij het feit dat hij nog leefde, dat ze alle drie nog in leven waren. Toen had hij die warme gloed gevoeld, die gelukzalige roes die je krijgt als je op levensgevaarlijk terrein was geweest en het had overleefd. Je voelde altijd pas écht dat je leefde als het je bijna was afgenomen.

Misschien had hij door die gedachte ongevraagd dat beeld voor ogen gekregen. Van Ruth – met haar donkere haar, groene ogen en fijne, bijna delicate gelaatstrekken had ze iets Keltisch mysterieus – en van Luke, acht jaar oud en toen al het evenbeeld van zijn vader. Luke was nu elf, over een paar maanden werd hij twaalf. Hij was geboren in juli en ze waren er altijd in geslaagd zijn verjaardag op een betoverende plek te vieren, omdat die midden in de zomervakantie viel.

Jaeger had de verjaardagsherinneringen de revue laten passeren: het dragen van de tweejarige Luke over de Giant's Causeway aan de noordoostkust van Noord-Ierland, surfen voor de Portugese kust toen Luke zes was, wandelen door de besneeuwde wildernis van de Mont Blanc toen hij acht was. Daarna was er echter een abrupte leegte… een ijzingwekkend verlies dat nu al drie lange jaren duurde. Elke gemiste verjaardag was een marteling geweest en nog eens twee keer zo zwaar sinds degene die zijn vrouw en zoon had gekidnapt Jaeger op afstand was gaan kwellen met beelden. Hij had via de mail foto's gekregen van een geketende Ruth en Luke, geknield aan de voeten van hun ontvoerders. Hun gezicht was ingevallen, ze hadden roodomrande ogen en zagen er opgejaagd en gekweld uit.

Het besef dat ze nog leefden en ergens onder de meest ellendige en wanhopige toestanden werden vastgehouden, had Jaeger tot de rand van waanzin gedreven. Alleen de zoektocht – de belofte van hun redding – had hem daarvan weerhouden.

Terwijl hij met behulp van een draagbaar gps-apparaat over de inktzwarte zee navigeerde, had Jaeger vervolgens met zijn andere hand een van zijn laarzen uitgetrokken en iets onder de zool uit gehaald, waar hij kort met zijn hoofdlamp overheen scheen. Zijn ogen waren even blijven hangen op de gezichten die hem vanaf de piepkleine, gehavende foto aanstaarden. Hij nam de foto, die was gemaakt tijdens hun laatste gezinsvakantie, een safari in Afrika, overal mee naartoe. Ruth droeg een felgekleurde Keniaanse sarong en naast haar stond een trotse, zongebruinde Luke in een korte broek en een t-shirt met de opdruk SAVE THE RHINO.

Jaeger had een schietgebedje voor hen gedaan; diep in zijn hart wist hij dat ze nog leefden en dat de Cubaanse missie hem een stap dichter bij het vinden van hen had gebracht. Tijdens het doorzoeken van de villa had Raff een iPad en wat harde schijven weggegrist en in zijn rugzak gestopt. Jaeger hoopte dat die essentiële aanwijzingen zouden bevatten.

Zodra de Zodiac aan land was gekomen in Cockburn Town, de hoofdstad van de Turks- en Caicoseilanden, waren er vanuit de residentie van de gouverneur telefoontjes gepleegd en dingen in beweging gezet. Leticia en Narov waren in een privévliegtuig met geavanceerde medische voorzieningen rechtstreeks naar Engeland gevlogen.

De Biowell Clinic was een exclusieve privékliniek. Er werden doorgaans weinig vragen gesteld aan patiënten, wat handig was als je twee jongen vrouwen had die leden aan vergiftigingsverschijnselen van Kolokol-1 en verwondingen als gevolg van granaatscherven. Toen de granaat explodeerde, hadden de scherven zich namelijk door Narovs pak geboord, waardoor zij ook had blootgestaan aan het zenuwgas. De lange tocht in de frisse zeelucht had haar echter goedgedaan.

Jaeger trof Narov aan op haar kamer, leunend tegen een stapel smetteloze kussens. Zonlicht stroomde door het deels openstaande raam naar binnen.

Al met al zag ze er opmerkelijk goed uit. Misschien een beetje gehavend en bleek. Grote wallen onder haar ogen. Hier en daar zat nog verband om de verwondingen van de granaatscherven, maar drie weken na de aanval was ze een eind op weg naar herstel.

Jaeger ging op de stoel naast haar bed zitten. Narov zei niets. 'Hoe voel je je?' vroeg hij.

Ze wierp hem slechts een terloopse blik toe. 'Levend.'

'Dat zegt niet zo veel,' gromde Jaeger.

'Oké, wat dacht je hiervan? Mijn hoofd doet pijn, ik verveel me dood en ik wil hier zo snel mogelijk weg.'

Zonder dat hij het wilde, moest Jaeger glimlachen. Hij bleef zich maar verbazen over hoe onuitstaanbaar deze vrouw kon zijn. Haar effen, uitdrukkingsloze en overdreven formele manier van praten gaf haar woorden een vleugje dreiging mee, hoewel aan haar zelf-opoffering of haar dapperheid niet te twijfelen viel. Door boven op dat lichaam te duiken en de granaat te smoren, had ze hen allemaal gered. Ze dankten hun leven aan Narov.

En Jaeger vond het maar niets om in het krijt te staan bij iemand die zo raadselachtig was.

11

'Volgens de artsen mag je voorlopig nergens heen,' zei Jaeger. 'Ze willen eerst nog wat onderzoeken doen.'

'De artsen kunnen de pot op. Niemand houdt me hier tegen mijn wil vast.'

Hoewel Jaeger zich sterk gedreven voelde om verder te gaan met de zaak, moest Narov wel fit en capabel zijn. 'Geduld is een schone zaak,' zei hij tegen haar. Ze keek hem vragend aan. 'Neem de tijd om beter te worden.' Hij zweeg even. 'En dán gaan we aan de slag.'

Narov snoof. 'Maar we hebben geen tijd. De mensen die het op ons gemunt hadden tijdens de missie in de Amazone hebben gezworen ons te grazen te nemen. Nu zijn ze drie keer zo vastberaden en toch heb ik alle tijd van de wereld om hier een beetje in de watten gelegd te worden?'

'Halfdood heeft niemand wat aan je.'

Ze keek hem woest aan. 'Ik ben springlevend. En de tijd dringt, of ben je dat vergeten? Die papieren die we gevonden hebben. In dat oorlogsvliegtuig. *Aktion Werwolf.* Een blauwdruk voor het *Viertes Reich.*'

Jaeger was het niet vergeten. Aan het eind van hun epische tocht door de Amazone waren ze bij een gigantisch vliegtuig uit de Tweede Wereldoorlog beland. Dat was verborgen in het oerwoud op een geheime landingsbaan. Het bleek dat dat vliegtuig de topwetenschappers van Hitler plus de *Wunderwaffe* van het Reich had vervoerd – hun uitzonderlijk geavanceerde oorlogsmachinerie – naar een plek waar dergelijke angstaanjagende wapens lang nadat de oorlog was afgelopen ontwikkeld konden worden.

Het vinden van het vliegtuig was een schokkende ervaring geweest. Maar Jaeger en zijn team waren pas echt geschokt door de ontdekking dat de geallieerden – voornamelijk Amerika en Engeland – hadden meegeholpen bij die uiterst geheime relocatievluchten van nazi's. In de nadagen van de oorlog hadden de geallieerden deals gesloten met een stel topnazi's door te garanderen dat zij onder hun berechting uit konden komen. Tegen die tijd was Duitsland niet langer de echte vijand: Stalins Rusland wel. Het Westen werd geconfronteerd met een nieuwe dreiging: de opkomst van het communisme en de Koude Oorlog. Volgens het aloude adagium van 'de vijand van mijn vijand is mijn vriend' hadden de geallieerden zich in talloze bochten gewrongen om de belangrijkste architecten van Hitlers Reich een vrijgeleide te geven.

Kort samengevat waren sleutelfiguren en technologie van de nazi's de halve wereld overgevlogen naar geheimhouding en geborgenheid. De Britten en Amerikanen hadden verschillende codenamen voor deze zwarte bladzijde uit de geschiedenis; voor de Britten was dat Operatie Darwin en voor de Amerikanen Operatie Paperclip. De nazi's hadden echter hun eigen codenaam die alle andere met afstand versloeg: Aktion Werwolf, Operatie Weerwolf.

Aktion Werwolf besloeg een termijn van zeventig jaar en was ontworpen als ultieme wraak op de geallieerden. Het was een blauwdruk om het Vierde Reich te laten verrijzen door topnazi's op machtsposities te plaatsen en tegelijkertijd het meest afschrikwekkende Wunderwaffe te optimaliseren.

Dat alles werd onthuld in de documenten die ze uit het vliegtuig in de Amazone hadden gehaald. Tijdens die expeditie was Jaeger er echter achter gekomen dat een andere, schrikbarend machtige groepering ook op zoek was naar dat oorlogsvliegtuig met de bedoeling de inhoud ervan voor altijd te begraven. Vladimir en zijn mensen hadden Jaegers team opgejaagd door de Amazone. Van degenen die ze gevangen hadden genomen, was Leticia Santos gespaard met de bedoeling om Jaeger en diens metgezellen in de val te laten lopen.

Maar toen had Narov voor een meevaller gezorgd door de locatie van Santos' gevangenis te ontdekken.

'Er zit schot in de zaak,' kondigde Jaeger aan. In de loop der tijd had hij geleerd dat hij Narovs kribbigheid maar het beste kon negeren. 'We hebben de codes gekraakt en zijn binnengedrongen in hun laptop, hun harde schijf.' Hij gaf haar een vel papier. Er stonden een paar woorden op gekrabbeld.

Kammler H.
BV222
Katavi
Choma Malaika

'Dat zijn de sleutelwoorden die we uit hun mailwisseling hebben geplukt,' legde Jaeger uit. 'Vladimir – als dat tenminste zijn echte naam is – communiceerde met een hogergeplaatste. Degene die de dienst uitmaakt. Dat kwam regelmatig naar voren in hun communicatie.'

Narov las de tekst een paar keer. 'Interessant.' Haar toon was iets milder geworden. 'Kammler H. Dat is waarschijnlijk SS-generaal Hans Kammler, hoewel we allemaal dachten dat hij allang dood was. En BV222,' vervolgde ze. 'Dat moet de Blohm & Voss BV222 *Wiking* zijn. Een vliegboot uit de Tweede Wereldoorlog; een beest van een machine die zo'n beetje overal kon landen waar water was.'

'Wiking betekent zeker Viking?' vroeg Jaeger.

Narov snoof. 'Heel goed.'

'En de rest?' drong hij aan, zonder in te gaan op de provocatie.

Narov haalde haar schouders op. 'Katavi. Choma Malaika. Dat klinkt bijna Afrikaans.'

'Inderdaad,' beaamde Jaeger.

'En heb je het gecheckt?'

'Jazeker.'

'En?' vroeg ze geïrriteerd.

Jaeger glimlachte. 'Wil je weten wat ik ontdekt heb?'

Narov fronste. Ze wist dat Jaeger haar zat te sarren. 'Hoe zeg je dat... Is de paus katholiek?'

'Choma Malaika is Swahili voor "Brandende engelen"; en Swahili is de taal van Oost-Afrika. Ik heb wat opgepikt toen ik daar een klus had. En dan nog wat. Katavi kun je vertalen als... "de Jager".'

Narov wierp hem een blik toe. De betekenis van die naam ontging haar zeker niet.

Al van kleins af aan geloofde Jaeger in voortekenen. Hij was bijgelovig, helemaal als dingen voor hem persoonlijk ergens op wezen. 'De Jager' was de bijnaam die hij tijdens hun expeditie in de Amazone gekregen had, en dat had hij zeker niet licht opgevat. Een indianenstam uit de Amazone – de Amahuaca – had hen geholpen bij de zoektocht naar dat verborgen vliegtuig. Achteraf bleken die indianen de meest loyale en betrouwbare kameraden geweest te zijn. Een van de zonen van het stamhoofd, Gwaihutiga, had die naam bedacht voor Jaeger nadat hij hem gered had van een bijna wisse dood. En toen Gwaihutiga door toedoen van Vladimir en zijn moordzuchtige bende het leven had gelaten, was de naam hem nog dierbaarder geworden. Jaeger koesterde die.

En nu leek een andere jager op een ander eeuwenoud continent – Afrika – hem te roepen.

12

Narov gebaarde naar de geschreven lijst. 'Die moet naar mijn mensen. Die laatste woorden – Katavi; Choma Malaika – zeggen hun vast nog iets meer.'

'Je hebt veel vertrouwen in hen, in jouw mensen. Veel vertrouwen in hun bekwaamheid.'

'Zij zijn de besten. In elke zin van het woord zijn zij de besten.'

'O ja, dat is waar ook, dat wilde ik je nog vragen. Wie zijn jouw mensen? Ik vind dat ik onderhand weleens recht heb op een verklaring, toch?'

Narov haalde haar schouders op. 'Inderdaad. Om die reden hebben mijn mensen je ook uitgenodigd voor een bezoek.'

'Met het oog op wat, precies?'

'Om gerekruteerd te worden. Je bij ons te voegen. Althans, als je kunt bewijzen dat je er echt… klaar voor bent.'

Jaegers gezicht verhardde. 'Je zei bijna "geschikt", hè?'

'Dat doet er niet toe. Het maakt niet uit wat ik vind. Ik ga daar niet over.'

'En waarom denk je dat ik me bij je wil voegen? Bij hén?'

'Simpel.' Narov keek hem even aan. 'Je vrouw en kind. Op dit moment bieden mijn mensen je de grootste kans die je ooit zult krijgen om hen te vinden.'

Jaeger voelde een steek van verdriet. Drie afschuwelijke jaren: dat was een verdomd lange tijd om te zoeken naar je dierbaren, zeker als alles erop wees dat ze gevangen werden gehouden door een meedogenloze vijand.

Voordat hij een gepast antwoord kon bedenken, voelde hij zijn telefoon trillen. Een nieuw bericht. De arts van Leticia Santos hield hem met sms'jes op de hoogte en hij dacht dat er misschien nieuws was over haar toestand.

Hij wierp een blik op het display van het prepaid mobieltje – die waren vaak het veiligst. Als je de batterij eruit haalde en steeds maar heel even oplaadde om te kijken of je berichten had, waren die nagenoeg niet te traceren. Anders zou je telefoon continu verraden waar je was.

Het bericht was van Raff; normaal gesproken een man van weinig woorden. Jaeger opende het. DRINGEND. KOM NAAR DE GEBRUI-KELIJKE PLEK. EN LEES DIT. Jaeger scrolde naar beneden en klikte op een link. Er verscheen een krantenkop: 'Brandbom in Londen-se montageruimte – vermoedelijk terroristische aanslag.' Eronder stond een foto van een gebouw dat gehuld was in een opbollende rookwolk.

Het beeld raakte Jaeger als een stomp in zijn maag. Hij kende die plek goed. Het was The Joint, de montagekamer waar de laatste hand werd gelegd aan een tv-programma over hun expeditie naar de Amazone. 'O mijn god…' Hij liet het aan Narov zien. 'Het is zover. Ze hebben Dale te grazen genomen.'

Narov staarde er even naar, maar haar uitdrukking verried niet veel. Mike Dale, een jonge Australische cameraman en avonturier, was met hen meegereisd om de expeditie in de Amazone te filmen. 'Ik heb je gewaarschuwd,' zei ze. 'Ik wist dat dit zou gebeuren. Als we hier geen eind aan maken, zullen ze ons allemaal pakken. Zeker na Cuba.'

Jaeger liet de mobiel in zijn zak glijden en pakte zijn Belstaff en helm. 'Ik heb een afspraak met Raff. Blijf waar je bent. Ik kom terug met een update… en een antwoord.'

Hoewel hij erg graag wat rubber wilde verbranden om zijn op-gekropte woede kwijt te raken, dwong Jaeger zichzelf het rustig aan te doen. Zichzelf te pletter rijden was wel het laatste dat hij nu kon gebruiken, zeker nu ze misschien nog een lid van hun team verloren waren.

Jaeger en Dale hadden aanvankelijk een problematische relatie gehad, maar naarmate ze meer weken in het oerwoud doorbrachten, was Jaegers respect en waardering voor het vakmanschap van de cameraman gegroeid en was hij diens gezelschap gaan koesteren. Aan het eind was Dale iemand geworden die hij tot zijn goede vrienden rekende.

Met de 'gebruikelijke plek' bedoelde Raff de Crusting Pipe, een eeuwenoude kroeg in de voormalige kelders van een pand in de Londense binnenstad. Door het gemetselde bogenplafond met gele vlekken van de tabaksrook en de laag zaagsel op de vloer, had het iets van een ontmoetingsplek voor piraten, bandieten en wittenboorden-criminelen; precies het soort tent dus voor types als Raff en Jaeger.

Jaeger parkeerde de motor op het plein met kinderkopjes, baande zich een weg door de mensenmenigte en daalde met twee treden tegelijk de trap af. Hij trof Raff in hun gebruikelijke afgesloten en samenzweerderige hoekje. Er stond een fles wijn op de stokoude, aftandse tafel. In het schijnsel van de kaars ernaast zag Jaeger dat die al halfleeg was.

Zwijgend zette Raff een glas voor Jaeger neer en schonk dat vol. Toen hief hij somber het zijne en dronken ze. Ze hadden allebei genoeg bloedvergieten gezien – en heel wat goede vrienden en me-destrijders verloren – om te weten dat de dood een voortdurende metgezel was. Dat hoorde bij het vak.

'Vertel,' zei Jaeger.

In antwoord daarop schoof Raff een vel papier over de tafel. 'Een samenvatting van een van de agenten. Een bekende van me. Ik heb het ongeveer een uur geleden gekregen.'

Jaeger scande de tekst.

'De aanslag was even na middernacht,' vervolgde Raff. 'The Joint wordt streng beveiligd – dat moet ook wel met al die peperdure apparatuur. Maar die kerel is er blijkbaar in en weer uit gekomen zonder dat er ook maar ergens alarmbellen gingen rinkelen. Hij plaatste een zelfgemaakt explosief in de studio waar Dale en zijn team de laatste hand aan de montage legden, verstopt tussen de rekken met harde schijven.'

Raff nam een grote slok en ging verder: 'De explosie schijnt in gang gezet te zijn doordat iemand de kamer binnenkwam. Hoogstwaarschijnlijk een boobytrap dus. Hoe dan ook, de ontploffing diende twee doelen: ten eerste al het filmmateriaal van de expeditie vernietigen en ten tweede een vijftal stalen harde schijven veranderen in een puinhoop.'

Jaeger stelde de voor de hand liggende vraag: 'Dale?'

Raff schudde zijn hoofd. 'Dale was weg om koffie te halen voor het hele team. Zijn verloofde Hannah was als eerste binnen, samen met een jonge stagiaire.' Er viel een geladen stilte. 'Ze hebben het alle twee niet overleefd.'

Jaeger schudde vol afgrijzen zijn hoofd. In de weken dat Dale aan het monteren was geweest, had Jaeger Hannah redelijk goed leren kennen. Ze waren een paar keer gaan stappen en hij had genoten van haar sprankelende, bezielende gezelschap én dat van de stagiaire Chrissy. Allebei dood. Uit elkaar geknald door een zelfgemaakt explosief. Het was een nachtmerrie. 'Hoe is Dale eronder?' vroeg hij aarzelend.

Raff wierp hem een blik toe. 'Wat denk je? Hij en Hannah zouden in de zomer gaan trouwen. Hij is er kapot van.'

'Zijn er bewakingsbeelden?' vroeg Jaeger.

'Het schijnt dat die gewist zijn. De dader wist wat hij deed. We krijgen toegang tot de schijf en hebben misschien iemand die iets kan terughalen, maar ik zou er maar niet op rekenen.'

Jaeger schonk hun glazen bij. Een tijdlang waren de twee mannen in een somber stilzwijgen gehuld. Uiteindelijk stak Raff zijn hand over de tafel en pakte Jaegers arm. 'Weet je wat dit betekent? De jacht is geopend. Wij op hen. Zij op ons. Het is nu doden of gedood worden. Een andere manier is er niet.'

'Er is één lichtpuntje,' zei Jaeger. 'Narov is terug. Bij bewustzijn. Ze lijkt aardig hersteld. En ook met Santos gaat het de goede kant op. Ik vermoed dat ze er allebei weer bovenop komen.'

Raff gebaarde om nog meer wijn te bestellen. Ze zouden het hoe dan ook op een zuipen zetten. De barman arriveerde met een tweede fles en liet het etiket aan Raff zien, die goedkeurend knikte. Hij trok de kurk eruit en wilde Raff laten proeven, maar die wuifde hem weg. Dit was de Crusting Pipe; hier was de wijn altijd goed. 'Schenk maar gewoon in, Frank. We drinken op afwezige vrienden.' Hij richtte zijn aandacht weer op Jaeger. 'Hoe is het eigenlijk met de ijskoningin?'

'Met Narov? Gespannen. Opvliegend, zoals altijd.' Hij zweeg even. 'Ze heeft me uitgenodigd haar mensen te ontmoeten.' Jaeger wierp een blik op het vel papier op tafel. 'Gezien dit gebeuren denk ik dat we erheen moeten.'

Raff knikte. 'Als zij ons kunnen brengen bij degene die dit gedaan heeft, moeten we allemaal gaan.'

'Narov lijkt het volste vertrouwen in hen te hebben.'

'En jij? Vertrouw je haar? En haar mensen? Geen twijfels meer, zoals je in de Amazone had?'

Jaeger haalde zijn schouders op. 'Ze is moeilijk. Gesloten. Vertrouwt niemand. Maar ik denk dat haar mensen nu de enige optie zijn die we hebben. En we moeten weten wat zij weten.'

Raff gromde. 'Lijkt mij prima.'

'Mooi. Stuur een bericht. Waarschuw iedereen dat er op ons gejaagd wordt. En zeg dat ze zich moeten voorbereiden op een samenkomst – over een tijdstip en locatie beslissen we later.'

'Begrepen.'

'En zeg dat ze moeten opletten. De mensen die dit gedaan hebben… Eén moment van onachtzaamheid en we zijn er allemaal geweest.'

13

De voorjaarsbui was zacht en koel op Jaegers huid. Een vochtige, grijze streling die perfect bij zijn gemoedstoestand paste. Hij stond tussen een stel dennenbomen ver van het speelveld; zijn donkere motorbroek en Belstaff-jas gingen naadloos op in de druipende, klamme omgeving.

Hij hoorde een galmende kreet. 'Houd hem tegen! Ga met hem mee, Alex! Houd hem tegen.'

Het was de stem van een vader die Jaeger niet herkende; hij moest nieuw zijn op school. Maar goed, Jaeger was hier ruim drie jaar niet geweest, dus de meeste gezichten kwamen hem niet bekend voor. En dat zou andersom ook vast zo zijn. Een vreemde, verre gestalte, half verborgen tussen de bomen, die naar een potje schoolrugby stond te kijken waar hij schijnbaar niets te zoeken had; geen kind om aan te moedigen. Een zorgwekkende vreemde. Een grimmig gezicht. Terughoudend. Gekweld. Het was een wonder dat nog niemand de politie had gebeld.

Jaeger hief zijn ogen naar de laaghangende, dreigende bewolking die gehaast voortsnelde en de piepkleine doch vastberaden figuren tartte die aasden op een try, terwijl hun trotse vaders hen aanmoedigden en de zwaarbevochten winst al konden ruiken.

Jaeger vroeg zich af waarom hij hiernaartoe was gekomen. Vermoedelijk omdat hij herinneringen op wilde halen voordat hij aan het volgende hoofdstuk van zijn missie begon: het ontmoeten van Narovs mensen, wie dat dan ook mochten zijn. Hij was hiernaartoe gekomen, naar dit door regen gegeselde sportveld, omdat dit de laatste plek was waar hij zijn zoon gelukkig en vrij had gezien. Hij was hier gekomen in een poging iets van die pure, stralende, onbetaalbare magie te vangen.

Zijn ogen dwaalden over het tafereel en bleven rusten op de logge, maar imposante vorm van Sherborne Abbey. De Saksische kathedraal uit de achtste eeuw werd later een benedictijnenabdij en hield dus al meer dan dertien eeuwen de wacht over deze historische stad en de school waar zijn zoon was gevormd en opgebloeid. Al die educatie en traditie kwamen hier, op het rugbyveld, tot uiting.

'KA MATE! KA MATE! KA ORA! KA ORA!' – *Zal ik sterven? Zal ik sterven? Zal ik overleven? Zal ik overleven?* Jaeger hoorde het nu nog weergalmen in zijn herinnering. Dat iconische strijdlied. Samen met Raff had Jaeger zijn mannetje gestaan in het rugbyteam van de SAS en tegenstanders halfdood geramd. Raff had altijd de haka geleid – de traditionele oorlogsdans van de Maori voorafgaand aan de wedstrijd – terwijl de rest van het team hem onstuitbaar en onbevreesd flankeerde. Er zaten meer dan een paar Maori's bij de SAS, dus het had bijzonder gepast geleken.

De kinderloze, eeuwige vrijgezel Raff had Luke min of meer geadopteerd als zijn surrogaatzoon. Hij was een regelmatige gast op school geworden en een vrijwillige coach van het rugbyteam. Officieel had de school hem geen toestemming gegeven om voorafgaand aan de wedstrijden de haka te doen. Maar officieus hadden de andere coaches een oogje dichtgeknepen, zeker als het de jongens in een overwinningsroes had gebracht. En om die reden galmde een eeuwenoude Maoridans na over de heilige grond van Sherborne.

'KA MATE! KA MATE! KA ORA! KA ORA!'

Jaeger zag dat de tegenstanders de jongens van Sherborne terugdreven. Geen try. Jaeger betwijfelde of hun wedstrijden nog steeds geopend werden door de haka, nu Raff en hij al drie lange jaren afwezig waren.

Net toen hij zich wilde omdraaien om terug te keren naar zijn onopvallend geparkeerde Triumph, voelde hij dat er iemand in zijn buurt was.

'Jézus, William. Ik dacht al dat jij het was. Maar wat...? Godsamme. Dat is lang geleden.' De man stak zijn hand uit. 'Hoe ís het met je?'

Jaeger zou de man overal herkend hebben. Met zijn overgewicht, vooruitstekende tanden, enigszins uitpuilende ogen en grijzende haar in een staartje was Jules Holland bij iedereen beter bekend als de Rattenvanger. Of kortweg de Rat.

De twee mannen schudden elkaar de hand. 'Ik ben... Nou ja, ik ben er.'

Holland grijnsde. 'Dat klinkt niet erg opwindend.' Hij zweeg even. 'Je was gewoon opeens verdwenen. Er was dat internationale rugbytoernooi met kerst, waar jij, Luke en Ruth alomtegenwoordig waren. En tegen het nieuwe jaar... weg. Spoorloos.'

Zijn toon grensde aan gekwetstheid. Jaeger begreep wel waarom. Sommigen snapten niets van hun vriendschap, maar Jaeger was na verloop van tijd gesteld geraakt op de onconventionele, non-conformistische manier van doen van de Rat, en op diens totale gebrek aan pretentie. Bij de Rat wist je altijd waar je aan toe was.

Die kerst was een van de weinige keren geweest dat Jaeger zijn vrouw echt warm had laten lopen voor het rugbygebeuren. Voor die tijd wilde ze nooit naar wedstrijden komen kijken, want ze kon er niet tegen om Luke zo 'in elkaar geramd' te zien worden, zoals zij dat noemde. Jaeger begreep dat wel, maar Luke was als achtjarige al geobsedeerd geweest door de sport. Hij was gezegend met beschermend instinct en een hevige loyaliteit. Gecombineerd met zijn schrikbarende tacklevermogen was hij in de verdediging iemand waar je letterlijk niet omheen kon. En ondanks zijn moeders zorgen droeg hij zijn blauwe plekken en snijwonden als eretekens. Hij leek de uitspraak 'wat me niet breekt, maakt me sterker' een warm hart toe te dragen.

Het kersttoernooi verliep vaak sneller en liep niet uit op de gebruikelijke uitputtingsslag die rugby meestal was. Jaeger was erin geslaagd Ruth naar die eerste wedstrijd te lokken en toen ze haar zoon eenmaal een mooie try had zien scoren, was ze gezwicht. Vanaf die tijd hadden zij en Jaeger langs de kant staan juichen voor Luke en zijn team. Dat waren van die kostbare momenten geweest waarop Jaeger de simpele vreugde van het gezinsleven had gevoeld.

Hij had een van de zwaarste wedstrijden op video vastgelegd, zodat de jongens die konden analyseren om te kijken op welke punten ze zich konden verbeteren. Nu waren dat echter zo'n beetje de laatste beelden die hij had van zijn zoon. Hij had die band dan ook herhaaldelijk afgedraaid in de drie ellendige jaren sinds zijn verdwijning.

14

In een opwelling waren ze die kerst naar het noorden gereden, naar Wales, voor een winterse kampeervakantie. De auto was volgeladen met spullen en cadeaus. Ruth hield van alles wat met de natuur te maken had en was een milieubeschermer in hart en nieren. Haar zoon had al die voorliefdes van haar geërfd. Met zijn drieën deden ze niets liever dan de wildernis in gaan.

Het was echter daar, in de Welshe heuvels, waar Ruth en Luke van hem weggerukt waren. Jaeger, die getraumatiseerd was en gek van verdriet, had alle banden met het leven dat ze eens leidden doorgesneden, en daar behoorden Jules Holland en diens zoon Daniel ook toe.

Daniel, die leed aan asperger – een vorm van autisme – was Lukes boezemvriend. Jaeger kon slechts gissen naar de invloed die het plotselinge verlies van zijn strijdmakker op Daniel gehad moest hebben.

Holland maakte een vaag gebaar in de richting van de wedstrijd. 'Je hebt vast wel gezien dat Dan nog steeds gezegend is met twee platvoeten. Dat heeft hij van zijn vader, een monster met twee linkerhanden bij elke sport. Bij rugby kun je tenminste nog wat aanrotzooien met een beetje vet en spieren.' Hij wierp een blik op zijn buikje. 'Meer het eerste, als het om een zoon van mij gaat.'

'Het spijt me,' zei Jaeger. 'Wat betreft die verdwijning. De stilte. Er zijn dingen gebeurd.' Hij keek om zich heen naar de verregende omgeving. 'Je hebt het misschien wel gehoord.'

'Een beetje.' Holland haalde zijn schouders op. 'Ik heb met je te doen. Je hoeft je niet te verontschuldigen. Je hoeft helemaal niets te zeggen.'

Er viel een stilte tussen hen. Die was allesbehalve gespannen. Het zompige geluid van schoenen op de natte grond en de kreten van ouders onderbraken hun gedachten.

'Hoe is het met Daniel?' vroeg Jaeger uiteindelijk. 'Het is vast zwaar voor hem geweest. Luke verliezen. Die twee waren onafscheidelijk.'

Holland glimlachte. 'Verwante zielen, zo zag ik hen altijd.' Hij wierp een blik op Jaeger. 'Dan heeft een paar nieuwe vrienden gemaakt, maar vraagt nog steeds wanneer Luke terugkomt. Van die dingen.'

Jaeger kreeg een brok in zijn keel. Misschien had hij hier niet naartoe moeten gaan. Hij raakte erdoor van streek. Hij probeerde van onderwerp te veranderen. 'Heb je het druk? Houd je je nog steeds met die duistere praktijken bezig?'

'Ik heb het nog nooit zo druk gehad. Als je eenmaal een bepaalde reputatie hebt opgebouwd, komt Jan en alleman bij je aanbellen. Ik ben nog steeds freelancer. In te huren door de hoogste bieder. Hoe meer bieders, hoe meer mijn uurloon stijgt.'

Holland had zijn reputatie – én zijn bijnaam – te danken aan een ontegenzeglijk onzekere tak van sport: computer- en internetpiraterij. Hij was begonnen in zijn tienerjaren door de schoolsite te hacken en de foto's van docenten die hij niet mocht te vervangen door die van ezels. Vervolgens brak hij in op de website van de examencommissie en gaf zichzelf en zijn schoolkameraden dikke voldoendes.

Als geboren linkse actievoerder en rebel stapte hij na school over op het hacken van tal van criminele organisaties; hij haalde geld van hun bankrekening en maakte dat rechtstreeks over naar hun tegenstanders. Zo had hij bijvoorbeeld enkele miljoenen dollars van de bankrekening van een Braziliaanse maffiabende, die illegaal narcotica en hardhout uit de Amazone verhandelde, gehaald en overgemaakt aan Greenpeace. Natuurlijk had de milieubeweging dat geld niet kunnen houden; ze konden niet openlijk profiteren van uitgerekend datgene waartegen ze streden, laat staan dat het allemaal ook nog eens illegaal was. Maar de resulterende media-aandacht had de maffiabende voor het voetlicht gesleept, waarna het snel met hen was afgelopen. En het was de zoveelste stap richting de naamsbekendheid van de Rattenvanger.

Na elke geslaagde actie liet Holland dezelfde boodschap achter: gehackt door de Rat. En zo waren zijn unieke vaardigheden onder de aandacht gekomen van hen die daar hun beroep van maakten. Toen kwam het moment waarop hij de knoop moest doorhakken: verdergaan en voor de rechtbank verschijnen als gevolg van een veelvoud aan aanklachten voor hacken, of in stilte gaan werken voor de goede zaak. Daarom was hij nu voor tal van inlichtingendiensten een veelgevraagd consultant met een jaloersmakende veiligheidsmachtiging.

'Fijn om te horen,' zei Jaeger tegen hem. 'Ga alleen nooit meer werken voor de slechteriken. De dag waarop de Rat gaat werken voor de verkeerde kant, is het afgelopen met ons.'

Holland streek zijn verwarde haar achterover en snoof. 'Zeg dat wel.' Hij verplaatste zijn blik van het rugbyveld naar Jaeger. 'Weet je, jij en Raff... Jullie waren de enigen die Dan ooit serieus hebben genomen op een sportveld. Jullie hebben hem zelfvertrouwen gegeven. Jullie hebben hem verdomme een kans gegeven. Hij mist jullie nog steeds. Heel erg.'

Jaeger trok een verontschuldigende grijns. 'Het spijt me. Mijn leven was een puinhoop. Lange tijd kon ik er niet eens voor mezelf zijn, als je begrijpt wat ik bedoel.'

Holland wees naar zijn jonge, slungelige zoon, die naar voren stapte voor een scrum. 'Kijk eens goed naar hem, Will. Hij bakt er nog steeds niets van, maar hij spéélt. Hij hoort erbij. Dat is aan jou te danken.' Hij sloeg zijn ogen neer en keek toen weer naar Jaeger. 'Dus, zoals ik al zei, je hoeft je niet te verontschuldigen. In tegendeel, ik sta bij jou in het krijt. Als je ooit van mijn... unieke diensten gebruik wilt maken, hoef je maar een kik te geven.'

Jaeger glimlachte. 'Bedankt. Dat waardeer ik.'

'Ik meen het. Ik laat alles uit mijn handen vallen.' Holland grinnikte. 'En voor jou zou ik zelfs afzien van mijn obsceen hoge uurtarief. Ik doe het voor niets.'

15

'Waar zijn we hier precies?' vroeg Jaeger.

Een paar dagen na zijn bezoek aan de school bevond hij zich in een uitgestrekt betonnen bouwwerk diep weggestopt in het dichtbeboste platteland ten oosten van Berlijn. Het team van zijn Amazone-expeditie zou vanuit verschillende verspreide locaties binnendruppelen en hij was er als eerste. Als ze allemaal gearriveerd waren, zouden ze met zijn zevenen zijn, inclusief Jaeger, Raff en Narov.

Jaegers gids, een grijze man met een keurig getrimde baard, gebaarde naar de matgroene muren. Die waren aan weerszijden ruim drieënhalve meter hoog en de langwerpige, raamloze tunnel was zelfs nog breder. Er zaten massieve stalen deuren in en over het plafond liep een brede pijpleiding. Het gebouw was overduidelijk ontworpen voor militaire doeleinden en de verlaten, galmende gangen hadden iets sinisters waar Jaeger de zenuwen van kreeg.

'De naam van dit complex hangt af van je nationaliteit,' zei de oudere man. 'Als je Duits bent, is dit de bunker Falkenhagen, naar de gelijknamige stad hier vlakbij. Hier, in dit uitgestrekte complex – waarvan het grootste deel onder de grond ligt en dus niet gebombardeerd kon worden – heeft Hitler opdracht gegeven een wapen te ontwerpen om de geallieerden voor eens en voor altijd te verslaan.'

Hij keek Jaeger aan vanonder zijn grijze wenkbrauwen. Zijn trans-Atlantische accent was lastig te plaatsen. Hij kon Brits zijn, maar ook Amerikaans, of een inwoner van welk land in Europa dan ook. Maar op de een of andere manier straalde hij een eenvoudige, fundamentele fatsoenlijkheid en eerlijkheid uit. Hoewel hij hem kalm en vriendelijk aankeek, twijfelde Jaeger er niet aan dat er een staalharde kern achter die blik schuilging. Deze man, die zich als Peter Miles had voorgesteld, was een van de topmensen van Narov, wat betekende dat hij ongetwijfeld net zo'n killerinstinct bezat als zij. 'Heb je weleens gehoord van *N-stoff*?' vroeg Miles.

'Ik ben bang van niet.'

'Je bent niet de enige. Chloortrifluoride is de wetenschappelijke naam. Zie het maar als een kruising tussen napalm en sarin; een angstaanjagend zenuwgas. Het ontbrandde zelfs als het in aanraking kwam met water en tijdens het branden werd je er ook door vergast. Volgens Hitlers *Chemieplan* moest hier elke maand zeshonderd ton van geproduceerd worden.' Hij lachte vriendelijk. 'Gelukkig denderde Stalin met zijn leger het land binnen lang voordat er ook maar een fractie van die hoeveelheid geproduceerd kon worden.'

'En toen?' vroeg Jaeger.

'Na de oorlog werd dit een van de belangrijkste schuilkelders van het Sovjetregime tijdens de Koude Oorlog. Dertig meter onder de grond en omhuld door sarcofagen van ondoordringbaar staal en beton waren de Sovjetleiders veilig voor de nucleaire dreiging.'

Jaeger wierp een blik op het plafond. 'Die leidingen zijn zeker bedoeld voor het binnenbrengen van schone, gefilterde lucht? Wat betekent dat het volledige complex voor de buitenwereld afgesloten kon worden.'

Er verscheen een twinkeling in de ogen van de man. 'Inderdaad. Jong, maar slim, zie ik.'

Jóng. Jaeger grijnsde en er verschenen lachrimpeltjes rond zijn ogen. Hij kon zich niet herinneren wanneer iemand hem voor het laatst zo had genoemd. Hij mocht Peter Miles wel. 'En hoe zijn wij… jullie… hier terechtgekomen?' vroeg hij.

Miles sloeg een hoek om en loodste Jaeger door de zoveelste gang waar geen eind aan leek te komen. 'In 1990 werden Oost- en West-Duitsland herenigd. De Sovjets werden gedwongen dergelijke complexen terug te geven aan de Duitse autoriteiten.' Hij glimlachte. 'Wij kregen het aangeboden door de Duitse regering. Heel discreet, maar voor zo lang we het nodig zouden hebben. Ondanks het nare verleden komt het ons uitstekend van pas. Het is uiterst veilig en heel erg discreet. En bovendien, zoals het gezegde luidt, lieverkoekjes worden hier niet gebakken.'

Jaeger schoot in de lach. Hij kon de bescheidenheid van de man wel waarderen, en zijn manier van uitdrukken al helemaal. 'De Duitse regering die een voormalige nazibunker opoffert? Hoe moet ik me dat voorstellen?'

De oude man haalde zijn schouders op. 'Wij vinden het ergens wel gepast. Het heeft allemaal een zekere ironie. En weet je, als er één land is dat de gruwelijkheden van de oorlog nooit zal vergeten, is het Duitsland wel. Ze worden gedreven en gevoed door schuldbesef – tot op de dag van vandaag.'

'Ik vrees dat ik er nooit echt bij heb stilgestaan,' bekende Jaeger.

'Nou, misschien zou je dat moeten doen,' zei Miles plagerig. 'Als wij ergens veilig zijn, is dat misschien wel in een voormalige nazibunker in Duitsland, waar dit allemaal begonnen is. Maar… ik loop op de zaken vooruit. Dit soort gesprekken kunnen we beter voeren als de rest van je team gearriveerd is.'

Jaeger werd naar zijn spaarzaam ingerichte kamer gebracht. Hij had tijdens de vlucht gegeten en was eerlijk gezegd doodmoe. Na alle gebeurtenissen van de afgelopen drie weken – de missie naar Cuba, de aanslag op de montagekamer en nu de bijeenkomst van zijn team – verlangde hij naar lekker lang slapen in zijn ondergrondse hol.

Peter Miles nam afscheid. Toen de massieve stalen deur dicht was, werd Jaeger zich bewust van een oorverdovende stilte. Zo ver onder de grond en omhuld door dik gewapend beton drong geen enkel geluid door. Het voelde heel buitenaards.

Hij ging liggen en concentreerde zich op zijn ademhaling. Dat was een trucje dat hij in dienst geleerd had. Diep inademen, een paar tellen vasthouden en dan langzaam weer uitademen. En dat steeds weer. Je concentreren op je ademhaling, dan losten al je problemen in je hoofd op.

Het laatste wat hij dacht was dat het hier, onder de grond en in het volkomen duister, voelde alsof hij in zijn eigen graf was gelegd. Maar hij was uitgeput en het duurde niet lang voordat hij in een diepe slaap viel.

16

'ERUIT! UITSTAPPEN! ERUIT!' schreeuwde een stem. 'UITSTAPPEN! OP-SCHIETEN, KLOOTZAK!'

Het portier werd opengerukt en een stel duistere gestalten met bivakmutsen en hun wapen in de aanslag zwermde om de auto. Handen werden naar binnen gestoken en sleurden Jaeger met geweld naar buiten. Peter Miles werd op dezelfde manier van de bestuurdersstoel getrokken.

Na veertien uur aan één stuk te hebben geslapen, was Jaeger met Miles op weg gegaan naar het vliegveld om twee mensen uit zijn team op te halen. Maar toen ze over het smalle slingerende bospad wegreden van Falkenhagen lag er opeens een omgevallen boom over het pad. Miles had de auto tot stilstand gebracht. Even later was een groep mannen met bivakmutsen opgedoken tussen de bomen.

Jaeger werd op de grond gegooid. 'LIGGEN! BLIJF FUCKING LIG-GEN!' Hij voelde dat gespierde armen hem vastpinden. Zijn gezicht werd zo hard in de modder geduwd dat hij geen adem kreeg. Terwijl hij begon te kokhalzen door de stank van verrotte bladeren werd hij bevangen door een toenemende vlaag van paniek. Ze zouden hem laten stikken.

Hij probeerde zijn hoofd op te tillen om naar adem te happen, maar dat leverde slechts een reeks trappen en vuistslagen op. 'LIG-GEN!' schreeuwde de stem. 'Houd dat lelijke klotegezicht van je in de modder!'

Jaeger probeerde zich vloekend los te rukken. Maar ook nu volg-de een spervuur van felle klappen, alleen dit keer van een geweerkolf. Zijn handen werden met zo veel geweld naar achteren gerukt dat het leek of zijn armen uit de kom schoten. Vervolgens werden zijn polsen stevig vastgebonden met gaffer-tape.

Toen werd de kilte in het bos verscheurd door geweervuur. *Pang! Pang! Pang!* De schoten galmden oorverdovend in de schaduw onder het dikke bladerdak. Schoten waarvan Jaegers hart een slag oversloeg. Dit is niet goed. Dit gaat helemaal niet goed, dacht hij.

Het lukte hem zijn hoofd zo ver op te tillen dat hij een snelle blik kon werpen. Hij zag dat Peter Miles erin geslaagd was zich los te rukken en nu slingerend door het bos rende. Er volgden nog meer schoten. Jaeger zag Miles verkrampen, voorovervallen en roerloos op zijn buik blijven liggen. Een van de schutters haastte zich naar hem toe. Hij richtte een pistool op de weerloze man en vuurde drie keer snel achter elkaar.

Jaeger voelde dat hij trilde. Ze hadden Peter Miles, die vriendelijke oude man, koelbloedig geëxecuteerd. Wie zat hier in godsnaam achter?

Even later greep iemand Jaegers haar en trok zijn hoofd achterover. Voordat hij ook maar iets kon zeggen, werd er een strook gaffer-tape over zijn mond geplakt. Vervolgens trokken ze een zwarte stoffen zak over zijn hoofd en bonden die vast rond zijn nek. Het werd pikdonker.

Jaeger werd overeind getrokken en vooruitgeduwd door het kreupelhout. Blindelings strompelend struikelde hij over een gevallen tak en viel hard op de grond.

Woest geschreeuw: 'STA OP! OPSTAAN!'

Hij werd voortgesleurd over een stuk drassige grond; de geur van rottend blad was overweldigend. De geforceerde mars ging maar door, totdat Jaeger totaal gedesoriënteerd was. Uiteindelijk bespeurde hij voor zich een nieuw geluid: het ritmische gebrom van een motor. Ze brachten hem naar een of ander voertuig. Door de zak heen zag hij nog net twee felle lichtvlekken. Koplampen.

Twee mannen grepen hem vast onder zijn oksels en hij werd in de richting van de lampen getild; zijn voeten sleepten nutteloos over de grond. Vervolgens knalde hij met zijn gezicht tegen de neus van het voertuig en schoot er een felle pijn door zijn voorhoofd.

'KNIELEN, KLOOTZAK! OP JE KNIEËN! KNÍÉL!'

Toen hij hier geen gehoor aan gaf, werd hij op zijn knieën geduwd. Hij voelde de koplampen over zijn gezicht strijken; het verblindende licht scheen door de zak heen. Zonder waarschuwing werd die opeens van zijn hoofd getrokken. Hij probeerde zijn ogen af te wenden van het felle licht, maar werd stevig vastgehouden aan zijn haar en kon geen kant op.

'NAAM!' De stem klonk nu vlak naast zijn oor. 'Zeg hoe je heet, klootzak!'

Jaeger kon de spreker niet zien, maar zijn stem klonk buitenlands; een of ander Oost-Europees accent. Heel even schoot de afschuwelijke gedachte door hem heen dat de slachtoffers van hun aanval met Kolokol-1 – Vladimir en zijn bende – hem nu te grazen namen. Maar dat was vast niet zo, want hoe zouden die hem in godsnaam hebben kunnen vinden?

Denk na, Jaeger. Snél.

'NAAM!' schreeuwde de maan weer. 'NÁÁM!'

Jaegers keel was droog van de schrik en de angst. Hij slaagde erin raspend uit te brengen: 'Jaeger.'

De mannen die hem vasthielden, sloegen zijn gezicht tegen de dichtstbijzijnde koplamp en hielden het daar stevig tegenaan gedrukt.

'Voor- en achternaam. Allebei je fucking namen!'

'Will. William Jaeger.' Hij proestte de woorden uit door een mond vol bloed.

'Oké, dat is beter, William Jaeger.' Diezelfde stem, sinister en roofzuchtig, maar nu een fractie kalmer. 'En geef me nu de namen van de rest van je team.'

Jaeger zei niets. Die vraag ging hij echt niet beantwoorden. Hij voelde de woede en agressie toenemen.

'Nog één keer: hoe heten de mensen van je team?'

Ergens vond Jaeger zijn stem terug. 'Ik heb geen idee waar je het over hebt.'

Zijn hoofd werd naar achteren gerukt en ze drukten hem opnieuw met zijn gezicht in de modder, dieper dan de vorige keer. Hij probeerde zijn adem in te houden toen het gevloek en getier weer begon, onderbroken door welgemikte trappen en klappen. Wie zijn belagers ook waren, ze wisten heel goed hoe ze iemand pijn moesten doen.

Eindelijk werd hij overeind gehesen en kreeg hij de zak weer over zijn hoofd. De stem snauwde: 'Dump hem. We hebben niets aan hem als hij niet praat. Jullie weten wat je te doen staat.'

Ze sleepten Jaeger naar wat de achterkant van het voertuig moest zijn. Hij werd opgetild en aan boord gehesen. Handen dwong hem in een zittende houding met gestrekte benen en zijn armen achter zijn rug. Toen was het stil; alleen het geluid van zijn eigen zwoegende ademhaling.

De minuten sleepten zich voort. Jaeger bespeurde – próéfde – de metalige smaak van zijn eigen angst. Uiteindelijk moest hij vanwege de pijn in zijn ledematen proberen van houding te veranderen. *Knal!* Iemand schopte in zijn maag. Er was geen woord gezegd. Hij moest weer in dezelfde houding gaan zitten. Nu wist hij dat hij zich, ondanks de pijnscheuten, niet mocht verroeren. Hij was in een stresshouding gezet die een onophoudelijke en onverdraaglijke pijn opleverde.

Zonder waarschuwing schoot het voertuig opeens naar voren en begon te rijden. Door de onverwachte beweging viel Jaeger voorover. Meteen werd hij tegen zijn hoofd geschopt. Hij sleepte zich weer in de zithouding, maar even later reed de auto door een greppel en viel hij achterover. Weer regende het ellebogen en vuisten, en werd zijn hoofd tegen het koude metaal van het voertuig geramd.

Eindelijk sleurde een van zijn beulen hem weer in de zithouding.

De pijn was overweldigend. Zijn hoofd klopte, zijn longen barstten en hij was nog steeds buiten adem van de klappen. Hij had het gevoel dat zijn hart elk moment uit zijn borstkas kon knallen. Angst en paniek namen bezit van hem.

Jaeger wist dat hij in handen was van professionals. De vraag was: wie waren zij precies? En waar brachten ze hem in godsnaam heen?

17

De rit in de truck leek eeuwig te duren, heen en weer slingerend en hortend en stotend over paden met diepe voren. Hoewel Jaeger veel pijn had, kreeg hij hierdoor wel de tijd om na te denken. Iemand moest hem verraden hebben. Anders had niemand hem in die bunker kunnen vinden, dat was een ding dat zeker was.

Was het Narov? Zo niet, wie had er verder dan nog geweten waar ze hadden afgesproken? Niemand van het team was op de hoogte van de eindbestemming. Ze hadden alleen te horen gekregen dat ze opgehaald zouden worden van het vliegveld.

Maar waarom? Waarom zou Narov hem na alles wat ze samen hadden meegemaakt verlinkt hebben? En aan wie?

Opeens bleef de truck stilstaan. Jaeger hoorde de scharnieren van het achterportier. Hij verstijfde. Handen grepen zijn benen, sleurden hem naar buiten en lieten hem vallen. Hij probeerde zijn val te breken met zijn armen, maar desondanks knalde zijn hoofd tegen de grond. Gódsamme, wat deed dat pijn.

Als een dierlijk karkas werd hij voortgesleept aan zijn voeten; zijn hoofd en bovenlichaam ploegden door de modder. Aan de hand van het licht dat door de zak naar binnen filterde, maakte hij op dat het dag was. Verder was hij alle besef van tijd verloren.

Hij hoorde dat er een deur werd opengerukt, waardoor hij naar binnen werd getrapt. Opeens was het weer donker; een angstaanjagend zwart. Vervolgens hoorde hij het bekende gezoem van een lift en voelde hij de vloer onder zich wegvallen: hij ging met een lift naar beneden. Zodra die weer tot stilstand kwam, sleepten ze Jaeger naar buiten en werd hij door een reeks scherpe bochten geduwd – een of andere gang, vermoedde hij. Toen ging er een deur open, waarachter een golf van oorverdovend lawaai losbarstte. Het was alsof de tv nog aanstond, maar er geen uitzending was: een keihard geruis.

Ze sleepten hem onder zijn oksels achteruit de herriekamer in. Ze maakten zijn handen los en scheurden zijn kleren met zo veel geweld van hem af dat de knopen in het rond sprongen. Uiteindelijk had hij alleen nog zijn boxershort aan; zelfs zijn schoenen waren weg. Ze zetten hem tegenover een muur, waar hij met zijn vingertoppen tegen moest leunen, terwijl ze zijn voeten steeds verder naar achteren schopten, tot hij voor zijn gevoel in een hoek van zestig graden balanceerde op zijn tenen.

Jaren geleden had Jaeger als onderdeel van een selectieprocedure van de SAS een vergelijkbare gesimuleerde *resistance-to-interrogation*-training doorlopen, wat ze in vakkringen 'R21' noemden. Die was bedoeld om je doorzettingsvermogen onder druk te testen en je te leren hoe je moest omgaan met gevangenschap. Dat was een zesendertigurige kwelling geweest, maar toen wist hij wel dat het maar een oefening was. Dit was daarentegen heel echt en angstaanjagend.

Zijn schouderspieren begonnen te branden, zijn vingers te verkrampen en ondertussen dreunde dat oorverdovende geruis in zijn schedel. Hij kon het wel uitschreeuwen van de pijn, maar zijn mond zat nog dichtgeplakt. Hij kon alleen schreeuwen in zijn eigen hoofd.

Uiteindelijk was het de kramp in zijn vingers die hem te veel werd. De pijn sneed door zijn handen, de spieren werden zo hard dat het voelde alsof zijn vingers elk moment konden knappen. Heel even ontspande hij zich en duwde zijn handpalmen tegen de muur. Het was heerlijk om ze even zijn volle gewicht te laten dragen, maar meteen daarna schoot er een vlammende pijn door zijn ruggengraat omhoog.

Jaeger schreeuwde, maar het kwam eruit als een verstikte kreet. Hij was verre van alleen hier; iemand had zojuist een soort elektrode tegen de onderkant van zijn rug gehouden.

Met brute kracht werd hij teruggeschopt in zijn eerdere houding. Er was geen woord gezegd, maar de situatie was overduidelijk: als hij probeerde zich te bewegen of te ontspannen, zouden ze hem weer een stroomstoot geven.

Het duurde niet lang voordat zijn armen en benen onbedaarlijk begonnen te trillen. Precies op het moment dat hij voelde dat hij niet verder kon, werden zijn voeten onder hem vandaan geschopt en zakte hij als voor dood ineen op de grond. Er was echter absoluut geen sprake van enige rust. Handen grepen hem vast alsof hij een bonk vlees was en dwongen hem in dezelfde zithouding als in de auto, maar dit keer met zijn armen gevouwen voor zich. Zijn belagers waren gezichtsloze, zwijgende beulen, maar hun boodschap was helder: beweging stond gelijk aan pijn.

Alles wat Jaeger nu nog tergde, was het oorverdovende geruis. Tijd werd betekenisloos. Als hij het bewustzijn verloor en omviel, zetten ze hem in een nieuwe stresshouding en dat ging zo maar door. Uiteindelijk leek er iets te veranderen. Jaeger voelde dat hij overeind werd gehesen. Ze rukten zijn handen achter zijn rug, boeiden zijn polsen met tape en slingerden hem in de richting van de deur. Weer werd hij over de gangen gesleurd en links en rechts om hoeken geduwd. Hij hoorde een deur opengaan en werd een ruimte in geslingerd.

Ze ramden een scherpe rand in zijn knieholten. Het was een houten stoel die hem dwong te gaan zitten. Zwijgend zat hij voorovergebogen. Waar hij nu ook was, er hing een extra kille sfeer, plus een vage benauwdheid en vochtigheid. In een bepaald opzicht was dit het meest angstaanjagende moment tot nu toe. Jaeger had het doel en de regels van de herriekamer begrepen; ze hadden hem daar net zo lang willen folteren tot hij brak. Maar dit? Deze doodse stilte en het gevoel volkomen alleen te zijn, was ijzingwekkend. Jaeger voelde een steek van angst. Rauwe, diepgewortelde angst. Hij had geen idee waar hij naartoe gebracht was, maar hij had geen goed gevoel over deze plek. Bovendien tastte hij in het duister over de identiteit van zijn belagers en wat ze met hem van plan waren.

Opeens werd hij verblind door fel licht. Ze haalden de zak van zijn hoofd en richtten tegelijkertijd een felle lichtbundel op hem. Langzaam pasten zijn ogen zich aan en begon hij iets te ontwaren. Voor zich zag hij een metalen bureau met een glazen blad. Daarop stond een nietszeggende witte beker van aardewerk. Verder niets: gewoon een beker met een dampende vloeistof erin.

Achter het bureau zat een deftige, bebaarde, kalende man van zo te zien halverwege de zestig. Hij was gekleed in een tot op de draad versleten tweedjasje en een rafelig overhemd. Door die ouderwetse kleding en bril leek hij nog het meest op een uitgebluste universiteitsdocent of een onderbetaalde museumbeheerder. Een vrijgezel die zijn eigen kleren waste, zijn groente te lang kookte en graag vlinders verzamelde. Hij zag er uiterst onopvallend uit. De archetypische grijze muis. En de allerlaatste die Jaeger op dit moment verwacht zou hebben. Hij was uitgegaan van een stelletje kaalgeschoren Oost-Europese schurken met pikhouwelen en honkbalknuppels. Dit bracht hem van zijn stuk.

De grijze man staarde Jaeger aan zonder iets te zeggen. Zijn gezichtsuitdrukking wekte bijna de indruk dat hij… ongeïnteresseerd was, verveeld, dat hij naar een of ander saai museumstuk keek. Hij knikte naar de beker. 'Thee, met melk en één suikerklontje. Een *cuppa*. Dat zeggen jullie toch in Engeland?'

Hij sprak bedaard en met een heel licht buitenlands accent, dat voor Jaeger echter niet te herleiden was. Hij klonk niet agressief of onvriendelijk. Sterker nog, hij wekte de indruk ietwat mat te zijn, alsof hij dit al tig keer gedaan had. 'Een lekkere cuppa. U hebt vast dorst. Neem wat thee.'

In dienst had Jaeger geleerd dat je aangeboden drinken of eten altijd moest aannemen. Dat kon weliswaar vergiftigd zijn, maar waarom zouden ze die moeite doen? Het was veel gemakkelijker om een gevangene dood te knuppelen of te schieten. Hij staarde naar de witte aardewerken beker waaruit stoom in de koude lucht omhoog kringelde.

'Een kopje thee,' herhaalde de man rustig. 'Met één klontje suiker. Neem een slok.'

Jaegers ogen schoten naar het gezicht van de grijze man en weer terug naar de beker. Toen stak hij zijn hand uit en pakte hem. Zo te ruiken was het gewoon hete, zoete thee met melk. Hij bracht de beker bij zijn lippen en begon te drinken.

Er gebeurde niets. Hij begon niet te braken of te stuiptrekken. Hij zette de beker terug op het bureau en het werd weer stil. Snel nam Jaeger de omgeving in zich op. Ze zaten in een volkomen nietszeggend hok zonder ramen. Hij voelde dat de grijze man hem doordringend zat aan te staren en richtte zijn eigen blik naar de grond.

'U hebt het vast koud, hè? Dat kan niet anders. Zou u het niet graag wat warmer willen hebben?'

Jaeger dacht snel na. Wat was dit... een strikvraag? Misschien. Jaeger moest echter tijd zien te winnen. En eerlijk gezegd zat hij hier in zijn boxershort te rillen van de kou. 'Ik heb het weleens warmer gehad, meneer. Ja, meneer... ik heb het koud.'

Ook dat ge-meneer was iets wat er tijdens Jaegers militaire loopbaan was ingeramd: behandel je ontvoerders alsof je hun respect verschuldigd was. De kans bestond namelijk dat je daarvoor beloond werd; het kon hen over de streep halen jou te zien als een medemens. Op dit moment koesterde Jaeger echter weinig hoop. Alles wat hij hier tot nu toe had meegemaakt, was erop gericht geweest hem te reduceren tot het niveau van een weerloos dier.

'Volgens mij zou u het graag warmer hebben,' vervolgde de man. 'Kijk eens naast u! Open de tas. Er zitten droge kleren in.'

Jaeger keek omlaag. Er was een goedkoop ogende sporttas naast zijn stoel verschenen. Hij pakte hem en deed wat hem was opgedragen, hoewel hij ergens vreesde het afgehakte, bloederige hoofd van een van zijn teamgenoten in de tas aan te treffen. Hij zag echter een verbleekte oranje overall, een paar tot op de draad versleten sokken en een paar afgetrapte gympies.

'Dat had u niet verwacht, hè?' zei de man met een vage glimlach op zijn gezicht. 'Eerst een kop lekkere thee. Nu kleren. Kleren om warm te worden. Kleed u aan. Trek ze aan.'

Jaeger stapte in de overall en knoopte die dicht. Vervolgens trok hij de sokken en schoenen aan en ging weer zitten.

'Warmer? Voelt dat beter?'

Jaeger knikte.

'Ik denk dat u het nu wel begrijpt. Ik bezit de macht u te helpen. Ik kan u echt helpen. Maar daar wil ik iets voor terug: u moet míj helpen.' De grijze man liet een indringende stilte vallen. 'Ik wil gewoon weten wanneer uw vrienden zullen arriveren, wie we kunnen verwachten en hoe we hen kunnen herkennen.'

'Die vraag kan ik niet beantwoorden, meneer.' Dat was de standaardreactie die Jaeger geleerd had te geven: ontkennend, maar onder de gegeven omstandigheden zo beleefd en respectvol mogelijk. 'Ik weet ook niet waar u op uit bent,' voegde hij eraan toe, omdat hij wist dat hij tijd moest rekken.

De ondervrager zuchtte, alsof hij die reactie had verwacht. 'Het maakt niet uit. We hebben uw... spullen gevonden. Uw laptop. Uw mobiel. We zullen uw gebruikersnamen en wachtwoorden kraken en dan hebt u binnenkort geen geheimen meer voor ons.'

Jaegers hoofd tolde. Hij wist zeker dat hij geen laptop had meegenomen. En zijn goedkope prepaid toestelletje zou ook geen belangrijke dingen prijsgeven.

'Als u mijn vraag niet kunt beantwoorden, vertel me dan tenminste wat u hier doet. Waarom bent u in mijn land?'

Zijn land? Maar dit was Duitsland. Hij had toch niet zo lang in die auto gezeten dat ze een of andere Oost-Europese grens waren gepasseerd? Door wie was hij in godsnaam gepakt? Een of andere tak van de Duitse geheime dienst? 'Ik begrijp niet wat u bedoelt...'

De man onderbrak hem. 'Wat ontzettend jammer. Ik heb u geholpen, meneer Will Jaeger, maar u doet geen enkele poging mij te helpen. En als u niet kunt helpen, wordt u teruggebracht naar de kamer met herrie en pijn.'

Hij was nog niet uitgesproken of onzichtbare handen trokken de zak weer over Jaegers hoofd. Van schrik sloeg zijn hart een slag over. Toen werd hij overeind gehesen, rondgedraaid en zonder één woord meegesleurd.

18

Jaeger was weer terug in de herriekamer, leunend tegen de stenen muur in die pijnlijke houding. Tijdens de selectie voor de SAS werd een dergelijke ruimte 'de weekmaker' genoemd, omdat daar volwassen mannen zwichtten en zwak werden. Het enige wat hij hoorde was het snerpende geruis dat door de duisternis sneed. Het enige wat hij rook was zijn eigen klamme angst en in zijn keel proefde hij de bittere smaak van gal.

Hij voelde zich lamgeslagen, uitgeput en moederziel alleen, en zijn lichaam had zelden zo'n pijn gedaan. Zijn hoofd bonkte en zijn geest gilde het uit. Hij begon in gedachten songteksten te mompelen. Fragmenten van favoriete nummers uit zijn jeugd. Als hij die liedjes zong, zou hij dat geruis, de pijn en de angst misschien de baas kunnen blijven.

Golven van vermoeidheid overspoelden hem. Hij had zijn grens bijna bereikt en dat wist hij.

De liedjes maakten plaats voor verhalen uit zijn kindertijd. Verhalen over helden die zijn vader vroeger aan hem voorlas. De lotgevallen die hem hadden geïnspireerd en op de been hadden gehouden tijdens de zwaarste beproevingen, zowel als kind als later tijdens zijn militaire loopbaan. Hij herleefde het verhaal van Douglas Mawson, een Australische onderzoeker die uitgehongerd en alleen door een hel ging op Antarctica, maar er desalniettemin in slaagde zichzelf in veiligheid te brengen. Het verhaal van George Mallory, hoogstwaarschijnlijk de eerste die ooit de Mount Everest beklom, een man die zeker wist dat hij zijn leven opofferde om de hoogste top ter wereld te veroveren. Mallory was inderdaad omgekomen op die ijzige hellingen, maar daar had hij zelf voor gekozen.

Jaeger wist dat de mensheid in staat was tot schijnbaar onmogelijke prestaties. Als het lichaam schreeuwde dat het niet meer kon, dwong de geest het vol te houden. Een individu kon ver voorbij zijn grenzen gaan. En dus zou Jaeger hier doorheen kunnen komen, als hij daar maar heilig in geloofde. Op pure wilskracht.

Hij prevelde steeds hetzelfde mantra: blijf alert op een ontsnappingskans. Blijf alert...

Hij verloor alle besef van tijd; had geen idee of het dag of nacht was. Op een gegeven moment werd de zak van zijn hoofd gehaald en een beker tegen zijn lippen gedrukt. Zijn hoofd werd naar achteren gedwongen en ze goten de inhoud in zijn keel. Thee. Dat werd gevolgd door een oudbakken koekje. En nog een, en nog een. Die drukten ze naar binnen waarna ze de zak weer omlaag trokken en hem opnieuw in de houding schoven. Als een beest. Maar ze leken hem in ieder geval in leven te willen houden.

Op een gegeven moment moest zijn hoofd naar beneden gezakt zijn door de slaap. Hij werd meteen ruw wakker gemaakt en in een nieuwe stresshouding geplaatst. Dit keer moest hij knielen in een bak met grind. Naarmate de minuten verstreken, sneden de scherpe, gekartelde steentjes steeds dieper in zijn huid, blokkeerden de bloedtoevoer en veroorzaakten hevige pijnscheuten. Hij leed, maar hij hield zich voor dat hij hier doorheen kon komen. Op wilskracht.

Hoelang duurde dit nu al? Dagen? Twee, of drie, of meer? Het voelde als een eeuwigheid.

Op een gegeven moment hield het geruis opeens op en begon de bizar misplaatste tune van *The Flintstones* door de ruimte te galmen. Jaeger had weleens gehoord over dergelijke technieken; steeds opnieuw de muziek van een bekende tekenfilm draaien om iemand tot waanzin te drijven en diens wil te breken. Het stond bekend als PSYOP, psychologische oorlogsvoering, maar voor Jaeger had het een soort tegenovergesteld effect.

Barney uit *The Flintstones* was een van Lukes lievelingsfiguren geweest toen hij klein was en door dat lied kwamen allerlei herinneringen bovendrijven. Mooie herinneringen waar hij zich aan vast kon klampen, een rots in de woeste branding van zijn ziel. Hij hield zich voor dat dit hem hier gebracht had. Zijn voornaamste motief om hier te zijn, was het vinden van zijn vermiste vrouw en kind. Als hij zich eronder liet krijgen, was zijn missie van de baan en liet hij zijn dierbaren in de steek. Hij zou Ruth en Luke niet in de steek laten. Hij mocht niet opgeven.

Eindelijk zetten ze hem weer in beweging. Hij kon nu amper meer lopen, dus ze moesten hem half door de deur en over de bochtige gang dragen, naar wat volgens hem dezelfde kamer als de vorige keer was. Ze smeten hem op de stoel, rukten de zak van zijn hoofd en baadden hem in het licht.

Voor hem zat de grijze man. Jaeger kon vanaf zijn plek het oude zweet in de kleren van de man ruiken. Hij hield zijn ogen op de grond gericht, terwijl de man het toneelspelletje van het vervelde gestaar weer uitvoerde.

'Helaas hebben we dit keer geen thee,' zei de man schouderophalend. 'Het kan er alleen maar beter op worden als u meewerkt. Ik denk dat u dat nu wel begrijpt. Dus, wilt u dat? Kunt u ons helpen?'

Jaeger probeerde zijn warrige gedachten op een rijtje te zetten. Hij was beduusd en wist niet wat hij moest zeggen. Hoe moest hij precies helpen?

'Ik zou graag willen weten, meneer Jaeger,' zei de man met een opgetrokken wenkbrauw, 'of u bereid bent ons te helpen? Want als dat niet zo is, kunnen we u niet meer gebruiken.'

Jaeger zei geen woord. Hoe verward en uitgeput hij ook was, hij voelde dat dit een valstrik kon zijn.

'Vertel me eens, hoe laat is het? Vertel me hoe laat het is. Dat is toch niet te veel gevraagd? Bent u bereid mij te helpen door me gewoonweg te vertellen hoe laat het is?'

Heel even wilde Jaeger op zijn horloge kijken, maar dat hadden ze vlak na zijn gevangenname afgepakt. Hij had geen idee welke dag het was, laat staan welk tijdstip.

'Hoe laat is het?' vroeg de grijze man nogmaals. 'U kunt me gemakkelijk helpen. Ik wil alleen maar weten hoe laat het is.'

Jaeger wist totaal niet wat hij hierop moest antwoorden.

Opeens schreeuwde een stem in zijn oor: 'GEEF VERDOMME ANTWOORD!'

Een vuist raakte de zijkant van zijn hoofd, waardoor hij van de stoel viel en hard op de grond terecht kwam. Hij had niet eens geweten dat er nog iemand anders in de ruimte was. Door de schrik sloeg zijn hart als een machinegeweer op hol.

Hij ving een glimp op van drie gespierde, kortgeknipte kerels in donkere trainingspakken die hem oppakten. Ze smeten hem terug op zijn stoel en verdwenen weer uit het zicht.

De grijze man bleef uiterst ondoorgrondelijk. Hij gebaarde naar een van de kerels en ze wisselden een paar woorden in een gutturaal klinkende taal die Jaeger niet verstond. Toen haalde de spierbonk een walkietalkie tevoorschijn waarin hij snel iets zei.

De oude man wendde zich weer tot Jaeger. Hij klonk bijna verontschuldigend. 'Dit is allemaal eigenlijk helemaal niet nodig. U zult binnenkort beseffen dat wij niet tegengewerkt moeten worden, omdat we alle kaarten in handen hebben. Ons helpen betekent alleen dat u zichzelf helpt, en ook uw gezin.'

Jaegers hart stond even stil. Wat bedoelde hij in godsnaam… Zijn gezín?

19

Jaeger voelde dat hij moest kotsen. Met pure wilskracht bedwong hij die neiging. Als dit de mensen waren die Ruth en Luke vasthielden, zouden ze hem moeten doden. Anders zou hij ontsnappen en hen stuk voor stuk de keel doorsnijden.

Achter zich hoorde hij met een klik de deur opengaan. Er kwam iemand de kamer binnen die langs Jaeger liep. Vol ongeloof sperde hij zijn ogen open. Hij was hier al bang voor geweest, maar dit moest toch een droom zijn. Hij zou het liefst zijn kop tegen de koude grijze muur rammen om uit deze nachtmerrie wakker te worden.

Irina Narov bleef met haar rug naar hem toe staan. Ze gaf iets over het bureau heen aan de grijze man. Zwijgend draaide ze zich om en haastte zich langs hem heen, maar terwijl ze dat deed, slaagde Jaeger erin om een glimp op te vangen van de verwarring – en de schuld – die in haar ogen brandden.

'Bedankt, Irina,' zei de grijze man bedaard. Hij richtte zijn holle, verveelde blik op Jaeger. 'De lieftallige Irina Narov. Maar u kent haar, natuurlijk.'

Jaeger reageerde niet. Dat had geen enkele zin. Hij bespeurde dat het ergste nog moest komen.

Narov had iets op tafel laten liggen, wat Jaeger vaag bekend voorkwam. De man duwde het naar hem toe. 'Kijk even. U moet dit zien. U moet dit zien om te begrijpen waarom u niets anders kunt dan ons helpen.'

Jaeger stak zijn hand uit, maar wist toen al met ijzingwekkende zekerheid wat er voor hem lag. Het was Lukes t-shirt; het shirt met de tekst SAVE THE RHINO dat hij een paar jaar geleden tijdens hun safari in Oost-Afrika had gekregen. Ze hadden toen met zijn drieën in de maneschijn over de savanne gelopen tussen kuddes giraffen, gnoes en – het best van allemaal – neushoorns, het favoriete dier van het gezin. Dat was magisch geweest; de volmaakte gezinsvakantie. En nu dit.

Jaegers pijnlijke, bebloede vingers pakten het dunne katoen. Hij tilde het shirt op en hield het dicht bij zijn gezicht, terwijl zijn hart in zijn keel klopte. Het leek of dat ging ontploffen. Tranen prikten in zijn ogen. Zij hadden zijn gezin, die moordlustige, genadeloze, gestoorde klootzakken.

'U moet begrijpen dat dit allemaal nergens voor nodig is.' De woorden van de grijze man kliefden door Jaegers martelende gedachten. 'We hebben alleen een paar antwoorden nodig. Zodra u ons die geeft, herenigen we u met uw geliefden. Dat is alles wat ik vraag. Wat is er nu makkelijker?'

Jaeger voelde zijn tanden knarsen. Hij klemde zijn kaken stevig op elkaar. Zijn spieren stonden stijf van de spanning omdat hij vocht tegen de blinde neiging om uit te halen, terug te slaan. Hij wist wat hij daarmee zou bereiken. Zijn handen waren weer geboeid met gaffer-tape en hij voelde de blikken van de mannen achter hem. Hij moest zijn kans afwachten. Vroeg of laat zouden zij een fout maken en dan zou hij toeslaan.

De man spreidde zijn handen uitnodigend. 'Dus, meneer Jaeger, in een poging uw gezin te helpen vraag ik u: wanneer zullen uw vrienden arriveren? Wie kunnen we precies verwachten? En hoe kunnen we hen herkennen?'

Jaeger had het gevoel dat er een oorlog woedde in zijn hoofd. Hij werd innerlijk verscheurd. Moest hij zijn beste vrienden verlinken? Zijn medestrijders verraden? Of de enige kans om Ruth en Luke weer te zien verspelen?

Bekijk het maar, zei hij tegen zichzelf. Narov had hem verraden. Zij stond zogenaamd aan de kant van de engelen, maar dat was allemaal toneelspel geweest. Ze had hem verlinkt zoals nog nooit iemand gedaan had. Wie was er nog te vertrouwen?

Jaegers mond ging open. Op het laatste moment slikte hij de woorden door. Als hij zich door hen liet breken, verraadde hij zijn dierbaren. Hij zou zijn vrouw en kind nooit in de steek laten. Hij moest voet bij stuk houden. 'Ik heb geen idee waar u het over hebt.'

De grijze man trok beide wenkbrauwen op. Zo dicht had Jaeger hem nog niet in de buurt van welke spontane reactie dan ook zien komen. Hij was duidelijk verbaasd. 'Ik ben een redelijke, geduldige man,' zei hij zuchtend. 'Ik zal u nog een kans geven. Ik zal uw gezín nog een kans geven.' Een stilte. 'Vertel me, wanneer zullen uw vrienden arriveren? Wie kunnen we precies verwachten? En hoe kunnen we hen herkennen?'

'Ik kan die vraag niet…'

'Luister, als u niet meewerkt, wordt het allemaal erg lastig voor u. Voor uw gezin. Dus het is erg simpel. Geef me de antwoorden. Wanneer arriveren uw vrienden? Wie zijn het precies? Hoe herkennen we ze?'

'Ik kan niet…'

De grijze man knipte met zijn vingers. Hij wierp een blik in de richting van zijn mannen. 'Genoeg. Het is afgelopen. Breng hem weg.'

De zwarte zak werd over Jaegers hoofd getrokken. Ze sloegen zijn kin tegen zijn borst en rukten zijn armen bij elkaar. Even later werd hij als een lappenpop de kamer uit gesleurd.

20

Achter het glazen gedeelte huiverde Narov. Vol afgrijzen keek ze toe hoe Jaeger de kamer uit werd gesleept. De doorkijkspiegel bood haar een volmaakt zicht op de gebeurtenissen.

'Je vindt dit niet leuk, hè?' Het was Peter Miles.

'Nee,' mompelde Narov. 'Ik dacht dat het noodzakelijk was, maar... Moeten we hiermee doorgaan? Tot het bittere eind?'

De oude man spreidde zijn handen. 'Jij bent degene die tegen ons gezegd heeft dat hij op de proef gesteld moest worden. Die blokkade die hij heeft met betrekking tot zijn vrouw en zoon... die uiterste wanhoop, dat schuldgevoel. Dat kan een man ertoe drijven iets te overwegen wat hij normaal gesproken nooit zou doen. Liefde is een sterke emotie en de liefde voor een kind is misschien wel het sterkst.'

Narov liet zich onderuitzakken op haar stoel.

'Het duurt niet al te lang meer,' zei Peter Miles. 'De grootste beproeving... die heeft hij zonder twijfel doorstaan. Als dat niet gebeurd was, zou hij zich niet bij ons mogen aansluiten.'

Narov knikte afwezig, ze werd in beslag genomen door sombere gedachten.

Er werd op de deur geklopt. Een veel oudere, gerimpelde man kwam binnen. Hij plantte zijn wandelstok stevig op de grond. Zijn blik was getekend door bezorgdheid. Hij was zo te zien in de negentig, maar de kraalogen onder zijn dikke, borstelige wenkbrauwen waren alert. 'Jullie zijn hier wel klaar, toch?'

Peter Miles masseerde uitgeput zijn voorhoofd. 'Bijna. Godzijdank. Nog heel even, dan weten we het zeker.'

'Maar was dit allemaal echt noodzakelijk?' wilde de oude man weten. 'Ik bedoel, vergeet niet wie zijn grootvader was.'

Miles wierp een blik op Narov. 'Irina leek te denken van wel. Vergeet niet dat zij samen met hem in uiterst stressvolle situaties heeft verkeerd – in het heetst van de strijd – en gezien heeft dat hij soms lijkt te bezwijken onder de zenuwen.'

De ogen van de oude man spuwden vuur. 'Hij heeft al zo veel meegemaakt! Hij lijkt dan misschien te bezwijken, maar dat zal hij nooit echt doen. Nooit! Hij is mijn neef, en een Jaeger.'

'Dat weet ik,' zei Miles sussend. 'Maar ik denk dat je wel begrijpt wat ik bedoel.'

De oude man schudde zijn hoofd. 'Niemand zou alles wat hij de afgelopen jaren voor zijn kiezen heeft gehad mogen doormaken.'

'En we weten niet wat voor effect dat op de lange termijn op hem heeft. Vandaar Narovs zorgen. Vandaar de huidige… procedures.'

De oude man wierp een blik op Narov. Die was verrassend genoeg vriendelijk.

'Sorry, oom Joe,' mompelde ze. 'Misschien is mijn angst misplaatst. Ongegrond.'

De uitdrukking van de oude man werd milder. 'Hij komt uit een goed nest, liefje.'

Narov keek de man met de grijze haren aan. 'Hij heeft geen enkele misstap begaan, oom. Hij heeft niemand in de steek gelaten, de hele beproeving niet. Ik ben bang dat ik me vergist heb.'

'We zullen het wel zien,' zei de oude man nogmaals. 'En misschien heeft Peter gelijk. Misschien kunnen we beter absolute zekerheid hebben.' Hij draaide zich om en wilde vertrekken, maar bleef in de deuropening staan. 'Maar beloof me één ding: vertel het hem niet als hij de laatste horde niet haalt. Laat hem hier vertrekken zonder dat hij er ooit achter komt dat wij hem op de proef gesteld hebben en dat hij… ons heeft teleurgesteld.' Toen verliet hij de kamer met een laatste opmerking. 'Na alles wat hij heeft meegemaakt, zou dat besef… hem breken.'

21

Jaeger verwachtte teruggesleept te worden naar de herriekamer. In plaats daarvan moest hij een stukje naar links lopen en werd toen abrupt tot staan gebracht. Er hing hier een andere geur: ontsmettingsmiddel en de onmiskenbare stank van verschaalde urine.

'Toilet,' blafte zijn bewaker. 'Gebruik het toilet.'

Vanaf het moment dat deze beproeving was begonnen, was Jaeger gedwongen geweest te pissen waar hij stond of hurkte. Nu knoopte hij zijn overall los met zijn gebonden handen, leunde tegen de muur en plaste in de richting van het urinoir. De zwarte zak zat nog over zijn hoofd, dus hij moest wel.

Opeens klonk er samenzweerderig gefluister. 'Je ziet eruit zoals ik me voel, man. Wat een klootzakken, hè?' Het klonk dichtbij, alsof de man vlak naast hem stond. Het klonk ook vriendelijk, bijna betrouwbaar. 'Ik ben Dave. Dave Horricks. Ben je alle besef van tijd kwijt? Ja, ik ook. Er lijkt geen eind aan te komen, hè?'

Jaeger gaf geen antwoord. Hij bespeurde een valstrik. Het zoveelste psychologische spelletje. Hij knoopte zijn overall dicht.

'Ik heb gehoord dat ze je gezin hebben, man. Hier in de buurt. Als je iets wilt zeggen… Ik kan zorgen dat het bij hen komt.'

Het kostte al Jaegers wilskracht om te blijven zwijgen. Maar stel dat er echt een kans was om een bericht over te brengen aan Ruth en Luke?

'Snel man, de bewaker komt zo terug. Vertel me wat ik tegen hen moet zeggen – je vrouw en je kind. En als je een bericht voor je vrienden hebt, dan kan ik dat ook regelen. Hoeveel zijn het er? Schiet op.'

Jaeger boog zich in de richting van de man, alsof hij iets in zijn oor wilde fluisteren. Hij voelde dat de kerel dichterbij kwam. 'Luister goed, Dave,' zei hij schor. 'Krijg de klere.'

Meteen daarna kreeg hij een beuk tegen zijn hoofd, werd hij met een ruk omgedraaid en het urinoir uit gesleurd. Na een paar bochten hoorde hij een deur opengaan. Hij werd weer een kamer in geschoven en op een stoel neergezet. De zak werd opgetild en het licht overspoelde hem.

Voor hem zaten twee mensen.

Hij kon er met zijn verstand nauwelijks bij.

Het waren Takavesi Raffara en de jeugdige Mike Dale, hoewel het lange haar van laatstgenoemde nu warrig was en er donkere kringen om zijn ogen zaten – ongetwijfeld het gevolg van het recente verlies dat hij had geleden.

Raff forceerde een glimlach. 'Man, je ziet eruit alsof je door een verdomde vrachtwagen bent overreden. Ik heb je weleens erger gezien, na een nacht doorhalen in de Crusting Pipe waar we de All Blacks die van jullie in de pan zagen hakken, maar toch…'

Jaeger zei niets.

'Luister, maat,' probeerde Raff nogmaals. Hij besefte dat hij met humor nergens zou komen. 'Luister naar me. Je bent door niemand gevangengenomen. Je bent nog steeds in de Falkenhagen-bunker. De gasten die je in de truck hebben gegooid… Die hebben rondjes gereden.'

Jaeger bleef zwijgen. Als hij zijn handen los kon maken, zou hij hen allebei vermoorden.

Raff zuchtte. 'Maat, je moet echt luisteren. Ik wil hier niet zijn. En dat geldt ook voor Dale. Wij zijn niet bij deze shit betrokken. We hoorden pas wat ze gedaan hadden toen we hier kwamen. Ze vroegen ons hier te gaan zitten, zodat wij de eersten waren die je zou zien. Dat vroegen ze, omdat ze vermoedden dat je ons vertrouwde. Geloof me, het is voorbij, maat. Het is afgelopen.'

Jaeger schudde zijn hoofd. Waarom zou hij deze klootzakken in hemelsnaam geloven… iémand geloven?

'Ik ben het. Raff. Ik probeer je niet voor de gek te houden. Het is over. Afgelopen.'

Weer schudde Jaeger zijn hoofd. Ze konden de klere krijgen!

Er viel een stilte.

Mike Dale boog zich voorover en zette zijn ellebogen op het bureau. Met een klap besefte Jaeger dat hij eruitzag als een hoopje ellende. Zelfs tijdens de vreselijkste momenten in de Amazone had Dale er bij lange na niet zo uitgezien als nu. Hij keek Jaeger met vermoeide, dikke ogen aan. 'Zoals je waarschijnlijk wel ziet, slaap ik al een tijd niet. Ik heb net de liefde van mijn leven verloren. Denk je nou echt dat ik jou hier in de zeik zou nemen, als ik net Hannah ben kwijtgeraakt? Denk je dat ik daartoe in staat ben?'

Jaeger huiverde en fluisterde nauwelijks hoorbaar: 'Op dit moment denk ik dat iedereen zo'n beetje tot alles in staat is.' Hij had geen idee wat of wie hij nog kon geloven.

Achter hem werd zachtjes op de deur geklopt. Raff en Dale wisselden een blik. Wat nu weer?

Ongevraagd zwaaide de deur open en er kwam een oude, ietwat voorovergebogen man binnen met een wandelstok stevig in zijn hand. Hij bleef naast Jaeger staan en legde een gerimpelde hand op diens schouder. De oude man kromp ineen toen hij zag hoe gehavend en bebloed de man op de stoel was. 'Will, mijn jongen. Ik hoop dat je het niet erg vindt dat een oude man zich mengt in deze… procedure?'

Jaeger staarde hem aan door gezwollen, bloeddoorlopen ogen. 'Oom Joe?' zei hij ongelovig. 'Oom Joe?'

'Ik ben het echt, mijn jongen. Ik ben hier. En je vrienden hebben je ongetwijfeld al verteld dat het afgelopen is. Het is echt voorbij. Niet dat er ook maar iets van dit alles echt nodig is geweest.'

Jaeger stak zijn gebonden handen omhoog en pakte de arm van de oude man stevig vast.

Oom Joe kneep in zijn schouder. 'Het is voorbij, mijn jongen. Geloof me. Maar nu begint het echte werk.'

22

De president snoof waarderend de lucht op. Lente in Washington. Binnenkort zouden de kersenbomen gaan bloeien. Dan waren de straten van de stad in roze bloesems gehuld en was hun doordringende geur overal te ruiken. Het was de favoriete tijd van het jaar van president Joseph Byrne; het moment waarop de gure winterse kou aan de oostkust plaatsmaakte voor de lange, milde zomermaanden. Maar voor degenen die de geschiedenis kenden, belichaamden die kersenbomen natuurlijk ook een duistere waarheid.

Het meest voorkomend was een soort die de Yoshinokers heette; afstammelingen van een kleine drieduizend jonge boompjes uit Japan die in het begin van de vorige eeuw naar de VS waren verscheept als symbool voor eeuwige vriendschap. In 1927 organiseerde de stad zijn eerste Cherry Blossom Festival en dat kreeg al snel een vaste plek op de kalender van Washington DC.

Maar toen in 1942 Japanse oorlogsvliegtuigen en masse neerdaalden op Pearl Harbor kwam er een eind aan dat festival. Helaas was de Japanse belofte van vriendschap niet zo eeuwig gebleken als in eerste instantie werd gesuggereerd. Drie jaar lang bleven de VS en Japan verwikkeld in een verbitterde strijd, maar na de oorlog sloten de twee naties weer vriendschap. Algemene nood maakte vijanden inderdaad tot vrienden. In 1947 werd het Cherry Blossom Festival weer in ere hersteld en de rest, zoals de president graag zei, was geschiedenis.

Hij wendde zich tot de twee mannen naast zich en gebaarde naar het schitterende uitzicht. In de verre boomtoppen die het dichtst bij het Tidal Bassin stonden, lichtte het eerste zweempje roze op. 'Een mooi gezicht, heren. Elk jaar ben ik bang dat de bloesems het laten afweten, maar elk jaar stellen ze me in het ongelijk.'

Daniel Brooks, het hoofd van de CIA, maakte een aantal obligate opmerkingen. Hij wist dat de president hen hier niet had ontboden om van het uitzicht te genieten, hoe schitterend dat ook was. Hij zou het liefst meteen ter zake komen.

Naast hem beschermde het plaatsvervangend hoofd van de dienst, Hank Kammler, zijn ogen tegen het zonlicht. Aan hun lichaamstaal was overduidelijk te zien dat de twee CIA-mannen elkaar niet konden luchten of zien. Met uitzondering van dit soort bijeenkomsten deden ze hun best om zo min mogelijk in elkaars gezelschap door te brengen. Het feit dat Hank Kammler was voorgedragen om Brooks op te volgen zodra deze gedwongen werd zich terug te trekken, bezorgde de oudere man de zenuwen. Hij kon zich geen slechtere kandidaat bedenken om leiding te geven aan de machtigste inlichtingendienst van de wereld.

Het probleem was dat de president om de een of andere onverklaarbare reden loyaal was aan Kammler, vertrouwen stelde in diens dubieuze talenten. Brooks begreep er niets van. Kammler leek Byrne op een raadselachtige manier in zijn macht te hebben.

'Maar nu aan het werk, heren.' De president gebaarde naar een stel leunstoelen. 'Het schijnt dat er wat problemen zijn in wat ik graag onze achtertuin noem. Zuid-Amerika. Brazilië. De Amazone, om precies te zijn.'

'Waar gaat het om, meneer de president?' vroeg Brooks.

'Twee maanden geleden zijn er zeven personen gedood in de Amazone. Verschillende nationaliteiten, maar voornamelijk Brazilianen; er was geen Amerikaans staatsburger bij.' Byrne spreidde zijn handen. 'Waarom baart ons dat zorgen? Nou, de Brazilianen leken ervan overtuigd dat de moordenaars Amerikanen waren, of in ieder geval werden aangestuurd door een Amerikaanse organisatie. Als ik een ontmoeting heb met de Braziliaanse president en hiernaar gevraagd word, wil ik wel graag weten waar hij het in hemelsnaam over heeft.'

De president liet een geladen stilte vallen. 'Die zeven personen maakten deel uit van een internationale expeditie met als doel een oorlogsvliegtuig uit de Tweede Wereldoorlog te bergen. Het schijnt dat ze werden aangevallen door een onbekende strijdmacht toen ze dicht bij hun doel waren. Door de samenstelling van die gewapende groep is dit op mijn bureau beland.' Byrne keek de twee CIA-mannen aan. 'Die groep had de beschikking over substantiële middelen; middelen waarover alleen Amerikaanse organisaties kunnen beschikken. Dat beweert de Braziliaanse president tenminste. Zo hadden ze bijvoorbeeld Predators, Black Hawks en een nogal indrukwekkende reeks ander wapentuig.

Dus, heren, zegt dit jullie iets? Zou het kunnen dat dit het werk van een Amerikaanse organisatie is, zoals de Brazilianen suggereren?'

'Het behoort tot de mogelijkheden, meneer de president,' zei Brooks schouderophalend. 'Maar laat ik het zo zeggen: het is niet iets waar ik weet van heb. Ik kan het natrekken en dan kunnen we over achtenveertig uur weer samenkomen, maar op dit moment zegt het me niets. Ik kan echter niet voor mijn collega spreken.' Hij draaide zich naar de man naast hem.

'Nou, meneer, toevallig weet ik daar wel iets van.' Kammler wierp een vernietigende blik naar Brooks. 'Ik reken het tot mijn taak om dat te weten. Dat oorlogsvliegtuig maakte deel uit van een project dat indertijd onder verschillende codenamen bekendstond. Het gaat erom, meneer de president, dat het toen topgeheim was en dat het nu voor ons van het uiterste belang is om dat zo te houden.'

De president fronste. 'Ga verder. Ik luister.'

'Dit is een verkiezingsjaar, meneer. Zoals altijd is het cruciaal om ons te verzekeren van de steun van de Joodse lobby. In 1945 vervoerde dat oorlogsvliegtuig een aantal van de meest vooraanstaande nazi's naar een geheime plek in Zuid-Amerika. Maar het belangrijkste voor u, meneer de president, is om te weten dat het ook geladen was met oorlogsbuit. En uiteraard bestond een groot deel daarvan uit Joods goud.'

De president haalde zijn schouders op. 'Ik snap de reden tot bezorgdheid niet. Dat verhaal over het geroofde Joodse goud is al jaren bekend.'

'Jawel, meneer, dat is zo. Maar wat niet bekend is, is dat wij, de Amerikaanse regering, deze specifieke relocatievlucht mogelijk hebben gemaakt. In het uiterste geheim, uiteraard.' Kammler wierp een slinkse blik in de richting van de president. 'En ik zou u met alle respect willen aanraden dat het uiterst geheim blijft.'

De president slaakte een diepe zucht. 'Een afspraak met de spreekwoordelijke duivel. Dat zou gênant kunnen zijn in een verkiezingsjaar – is dat wat je probeert te zeggen?'

'Ja, meneer, inderdaad. Zeer gênant en zeer schadelijk. Het is niet gebeurd tijdens uw regeerperiode. Het gebeurde aan het eind van de lente van 1945, maar dat betekent nog niet dat de media er niet bovenop zouden springen.'

De president keek van Kammler naar Brooks. 'Dan? Wat vind jij hiervan?'

Er verscheen een frons op het voorhoofd van de CIA-baas. 'Nou, meneer, het is niet de eerste keer dat ik, voor zover het mijn plaatsvervanger betreft, in het duister tast. Als het waar is… Tja, dan zou het zeker gênant kunnen zijn. Maar aan de andere kant zou het ook de grootst mogelijke flauwekul kunnen zijn.'

Kammler verstijfde. Er leek iets in hem te breken. 'Ik zou toch denken dat jij het tot je taak zou rekenen om op de hoogte te zijn van alles wat er gebeurt binnen de dienst!'

Brooks ontplofte. 'Dus het was wél gerelateerd aan de CIA! Het was wél een zaak van de inlichtingendienst! Die verdomde Brazilianen hebben je dus op heterdaad betrapt!'

'Heren, alsjeblieft.' De president gebaarde met opgeheven handen om stilte. 'Ik zit met een zeer halsstarrige Braziliaanse ambassadeur die antwoorden eist. Momenteel is het een private bilaterale kwestie, maar er is geen garantie dat dat zo blijft.' Hij keek Brooks en Kammler aan. 'En als je gelijk hebt en dit inderdaad een door de Amerikanen mogelijk gemaakte geheime nazi-operatie met Joods goud is... Tja, dat wekt geen goede indruk.'

Brooks zweeg. Hoe verschrikkelijk hij het ook vond, de president én Kammler hadden gelijk. Als de media hier lucht van kregen, zou dat nou niet bepaald de allerbeste springplank zijn voor de herverkiezing van de president. En hoewel hij wist dat Byrne zwak was, was hij op dit moment zo'n beetje de beste kandidaat die ze hadden.

De president richtte zich nu rechtstreeks tot Kammler. 'Als er, zoals de Brazilianen beweren, inderdaad sprake is van Amerikaanse betrokkenheid, zou dat behoorlijk uit de hand kunnen lopen. Is dat zo, Hank? Is dit gebeurd in opdracht van mensen die onder ons bevel of bestuur staan?'

'Nou kijk, meneer. Uw voorganger heeft een EXORD getekend,' zei Kammler bij wijze van antwoord. 'Een *Presidential Executive Order*. Daarmee gaf hij groen licht aan de organisatie van bepaalde operaties zonder dat daar officiële toestemming voor nodig was. Met andere woorden, zonder presidentieel toezicht. In sommige situaties is het nu eenmaal beter voor u om niets te weten. Dan kunt u altijd ontkennen als het... uit de hand loopt.'

President Byrne keek zorgelijk. 'Dat begrijp ik, Hank. Daar weet ik alles van. Maar nu vraag ik je mij zo volledig mogelijk te briefen.'

Kammler kreeg een verbeten trek op zijn gezicht. 'Laat ik het zo zeggen, meneer: soms kunnen dingen niet geheim blijven tenzij er een dienst is die ernaar streeft die geheimhouding te garanderen.'

Byrne masseerde zijn slapen. 'Vergis je niet, Hank. Als de vingerafdrukken van de dienst hierop staan, kunnen we beter zo vroeg mogelijk op de hoogte zijn van het ergste. Ik moet weten hoe groot de kans is dat er iets uitlekt.'

'Het was geen zaak van de CIA, meneer.' Kammlers ogen schoten vuur naar Brooks. 'Dat kan ik u absoluut verzekeren. Maar ik ben blij dat u de dringende noodzaak tot geheimhouding inziet. Ik wil er graag op wijzen dat dat in ons áller belang is.'

'Ik zal de Brazilianen laten weten dat wij er niets mee te maken hadden,' meldde president Byrne opgelucht. 'En Hank, ik ben het eens met de noodzaak tot geheimhouding.' Hij wierp een blik op Brooks. 'Dat zijn we allemaal. Echt.'

Vijf minuten later werd Brooks door zijn chauffeur weggereden bij het Witte Huis. Hij had zich verontschuldigd bij de president – zijn volle agenda liet geen lunch toe. Kammler was uiteraard wel gebleven. Die engerd zou nooit een kans om te roddelen afslaan.

Brooks' chauffeur reed de uitvalsweg naar het zuiden op. Brooks pakte zijn mobiel en toetste een nummer. 'Bucky? Ja, met Brooks. Dat is inderdaad al een tijdje geleden. Hoe is het?' Hij luisterde naar het antwoord en schoot in de lach. 'Je hebt me door: ik bel niet zomaar. Wat zou je ervan denken om even je pensioen af te breken? Ben je het niet zat om steentjes in de Chesapeake Bay te gooien? Ja? Perfect. Wat dacht je ervan als ik nu naar je toe kom? Dan haal jij Nancy over een pan *clam chowder* voor me te maken en gaan jij en ik een lekker potje ouwehoeren.'

Hij keek uit het raam naar de kersenbloesems. Kammler en zijn geheime operaties; die kerel was op zijn zachtst gezegd een ongeleid projectiel. Hij en zijn mensen gingen hun perken ver te buiten. Hoe dieper Brooks groef, hoe meer hij leek te ontdekken over Kammler. Maar soms moest je gewoon net zo lang graven tot de je waarheid vond. En soms was die waarheid heel lelijk.

23

Het ondoordringbare bos rond Falkenhagen gaf het complex iets lugubers. Het was echt zo'n plek waar niemand je ooit zou horen schreeuwen.

'Hoelang heb ik daar gezeten?' vroeg Jaeger. Hij stond buiten de bunker en probeerde weer wat leven in zijn handen te masseren. Hij was doodmoe en snakte naar frisse lucht. Hij was ook woedend. Ziedend.

Raff keek op zijn horloge. 'Het is nu 8 maart, zeven uur 's ochtends. Je hebt er tweeënzeventig uur gezeten.'

Drie dagen. De klootzakken. 'Wiens idee was dit eigenlijk?' vroeg Jaeger.

Raff stond op het punt te antwoorden toen oom Joe naast hen opdook. 'Kan ik je even onder vier ogen spreken, mijn jongen?' Hij pakte Jaeger vriendelijk doch stevig bij de arm. 'Sommige dingen kunnen beter uitgelegd worden door familieleden.'

Na het vroegtijdige overlijden van Jaegers opa twintig jaar geleden had oudoom Joe de rol van ere-grootvader op zich genomen. Hij had zelf geen kinderen en had een ongewoon hechte band gekregen met Jaeger, en vervolgens met Ruth en Luke. Ze waren regelmatige zomergasten geweest in de hut van oom Joe in het afgelegen Buccleugh Fell aan de Schotse grens. Na de ontvoering van zijn gezinsleden had Jaeger oom Joe weinig gezien, maar desondanks waren ze nog steeds zeer close. Oom Joe en Jaegers opa hadden samen gediend in de eerste jaren van de SAS en Jaeger was gefascineerd door hun wapenfeiten.

De oude man loodste hem naar een plek waar de bomen een stukje plat beton overschaduwden, ongetwijfeld het dak van een van de talloze ondergrondse gebouwen. Misschien zelfs wel de kamer waar Jaeger was ondervraagd.

'Je wilt weten wie hier verantwoordelijk voor is,' begon oom Joe, 'en natuurlijk heb je alle recht op antwoorden.'

'Ik kan het wel raden,' zei Jaeger nors. 'Narov. Zij heeft haar rol met verve gespeeld. Aan alles was duidelijk dat zij hier de hand in heeft gehad.'

Oom Joe schudde vriendelijk zijn hoofd. 'Eigenlijk stond zij niet echt te springen. En na een tijdje heeft ze geprobeerd er een eind aan te maken.' Hij zweeg even. 'Weet je, ik denk… Nee, ik ben ervan overtuigd dat Irina een zwak voor je heeft.'

Jaeger negeerde de plagende toon. 'Maar wie dan?'

'Je hebt Peter Miles ontmoet, toch? Hij speelt een veel belangrijkere rol in dit gebeuren dan je zou verwachten.'

Jaegers ogen schoten vuur. 'Wat wilde hij verdomme bewijzen?'

'Hij was bang dat het verlies van je gezin jou ietwat instabiel had gemaakt, dat je door het trauma en het schuldgevoel zou kunnen breken. Hij wilde je koste wat kost testen. Om te bewijzen dat zijn angst – en die van Narov – al dan niet terecht was.'

'En wat geeft hem – hén – dat recht?' brieste Jaeger.

'Eerlijk gezegd denk ik dat hij er alle recht op had.' Oom Joe zweeg even. 'Heb je weleens gehoord van het Tsjechische kindertransport? In 1938 slaagde de Britse effectenmakelaar Nicholas Winton erin honderden Joodse kinderen te redden door ze met een trein uit het bezette Tsjecho-Slowakije naar Nederland te laten reizen en vervolgens per boot verder naar Groot-Brittannië. In die tijd heette Peter Miles niet zo. Hij was een elfjarige jongen met de Duits-Joodse naam Pieter Friedman.

Pieter had een oudere broer, Oscar, die hij verafgoodde. Maar alleen kinderen van zestien jaar en jonger mochten reizen met Wintons treinen. Pieter heeft het gehaald. Zijn broer niet. En dat geldt ook voor zijn vader, zijn moeder, zijn tantes, ooms en grootouders. Ze zijn allemaal vermoord in de vernietigingskampen. Pieter heeft het als enige van zijn familie overleefd en tot op de dag van vandaag is hij ervan overtuigd dat zijn leven een wonder is, een geschenk van God.' Oom Joe schraapte zijn keel. 'Dus je snapt dat als er iemand is die weet hoe het voelt om familieleden te verliezen, Peter dat is. Hij weet dat je eraan kapot kunt gaan. Wat het met je hoofd kan doen.'

Jaegers woede leek ietwat getemperd. Zo'n verhaal werkte enorm relativerend. 'En, ben ik geslaagd?' vroeg hij bedeesd. 'Heb ik bewezen dat hun angst onterecht was? Het is allemaal zo wazig. Ik kan me amper herinneren wat er gebeurd is.'

'Of je geslaagd bent?' Oom Joe pakte hem vast en omhelsde hem. 'Jazeker, mijn jongen. Natuurlijk. Met vlag en wimpel, zoals ik hun van tevoren al had gezegd.' Hij slikte even. 'Er zijn maar weinig mensen die dit allemaal zouden kunnen verdragen. Het is nu wel duidelijk waarom jij leiding moet gaan geven aan wat er nu gaat gebeuren.'

Jaeger wierp hem een blik toe. 'Nog één ding. Dat T-shirt. Lukes shirt. Waar kwam dat vandaan?'

Het gezicht van de oude man betrok. 'God mag weten dat mensen dingen hebben gedaan die ze beter niet hadden kunnen doen. In jouw huis in Wardour staat een klerenkast, die vol zit met de kleren van jouw gezin, naar ik aanneem in afwachting van hun terugkeer.'

Weer laaide Jaegers woede op. 'Hebben ze bij me ingebroken?'

De oude man zuchtte. 'Ja. Extreme tijden rechtvaardigen geen extreme maatregelen, maar misschien kun je je hand over je hart strijken en het hun vergeven.'

Jaeger haalde zijn schouders op. Dat zou nog wel even duren.

'Luke en Ruth komen terug,' fluisterde oom Joe met een intensiteit die grensde aan gewelddadigheid. 'Eis dat T-shirt terug, Will. Leg het weer netjes in je kast.' Met verbazingwekkende kracht pakte hij Jaegers arm vast. 'Ruth en Luke komen echt weer thuis.'

24

Peter Miles – ooit Pieter Friedman – stond voor hen in de voormalige commandobunker van de Sovjets in het Falkenhagen-complex.
Dat vormde een curieus decor voor de ophanden zijnde briefing.

De bunker was massief en lag ongelooflijk diep onder de grond;
om er te komen had Jaeger zes lange trappen af moeten dalen. Onder het hoge, koepelvormige dak waren kriskras massieve stalen
balken aangebracht, als een of ander gigantisch vogelnest dat diep
in de aarde verzonken was.

Links en rechts stonden vergrendelde stalen ladders die leidden
naar verzonken luiken in de muren. Waar die naartoe leidden was
voor iedereen een raadsel, want buiten de belangrijkste ruimtes lag
een doolhof van tunnels, leidingen, verticale schachten, buizen en
pijpen, plus rijen enorme stalen cilinders – waarschijnlijk waar de
voorraad N-stoff van de nazi's was geproduceerd.

De grote, galmende ruimte bevatte maar weinig geneugten. Jaeger en zijn team zaten op goedkope plastic stoelen in een halve cirkel
rond een kale houten tafel. Raff en Dale waren er, samen met de rest
van Jaegers Amazoneteam. Hij nam hen stuk voor stuk op.

Het dichtst bij zat Lewis Alonzo, een Afro-Amerikaan en voormalig Navy SEAL. Tijdens hun expeditie in de Amazone had Jaeger
zich een oordeel over de man kunnen vormen. Hij speelde graag de
rol van grote, gespierde en onverwoestbare domkop, maar feitelijk
was zijn intelligentie bijna net zo indrukwekkend als zijn fysieke verschijning. Kort samengevat combineerde Alonzo de lichaamsbouw
van Mike Tyson met het uiterlijk en de bijtende humor van Will

Smith. Hij was bovendien goudeerlijk, onverschrokken en bezat een groot hart. Jaeger vertrouwde hem.

Daarnaast zat de verhoudingsgewijs nietige Hiro Kamishi, een voormalig lid van de Japanse commando's: de Tokusha Sakusen Gun. Kamishi was een soort moderne samoerai; een nobele krijger. Een man doorkneed in de mystieke krijgskunst van het Oosten, van Bushido. Hij en Jaeger hadden tijdens hun verblijf in de Amazone ontdekt dat ze een grote affiniteit met elkaar hadden.

Nummer drie was Joe James, een beer van een vent en aantoonbaar de meest onvergetelijke uit Jaegers voormalige Amazoneteam. Met zijn lange, warrige haar en grote baard zag hij eruit als een kruising tussen een dakloze en een Hell's Angel, maar in werkelijkheid was hij een voormalig lid van de Nieuw-Zeelandse SAS – misschien wel de taaiste en meest vermaarde tak van de Special Air Services-familie. De geboren woudloper en spoorzoeker was deels Maori, waardoor hij een natuurlijke kompaan was van Takavesi Raffara. Na ontelbare SAS-missies had James er erg veel moeite mee gehad om in het reine te komen met al die kameraden die hij gaandeweg was verloren. Jaeger had in de loop der jaren echter geleerd om nooit op het uiterlijk af te gaan. Niemand wist zo van aanpakken als hij. Net zo belangrijk: hij bezat een ongeëvenaarde mentaliteit om 'outside the box' te denken. Jaeger had veel respect voor zijn manier van werken.

En dan was Irina Narov er natuurlijk nog, hoewel Jaeger haar amper gesproken had na zijn zware beproeving. In de tussenliggende vierentwintig uur had Jaeger zich grotendeels neergelegd bij wat er gebeurd was, door het te beschouwen als een klassiek geval van R21; leren bestand te zijn tegen ondervragingen. Elke SAS-kandidaat werd hieraan onderworpen als onderdeel van de moordende selectieprocedure en die ging gepaard met veel van wat Jaeger hier had moeten doorstaan: shock, verrassing, desoriëntatie en gruwelijke psychologische spelletjes.

Tijdens de dagenlange gesimuleerde fysieke en psychologische beproevingen werd nauwlettend in de gaten gehouden of ze enige neiging vertoonden te breken of hun mede-rekruten te verlinken. Als ze een van de vragen die op hen werden afgevuurd beantwoordden – antwoorden die hun missie konden verraden – werden ze uit de selectieprocedure gezet. Vandaar het antwoord dat erin werd geramd als een levensreddend mantra: *Ik kan die vraag niet beantwoorden, meneer.*

Hier op Falkenhagen was het opeens uit de lucht komen vallen en werd het zo genadeloos uitgevoerd dat het niet één keer bij Jaeger was opgekomen dat het misschien wel een gemeen spelletje kon zijn. En aangezien Narov een glansrol had vertolkt, was hij ervan overtuigd geweest dat hij slachtoffer was geworden van ultiem verraad. Hij was belazerd, gefolterd en tot het uiterste gedreven, maar hij leefde nog en hij was één stap dichter bij het vinden van Ruth en Luke. En op dit moment was dat alles wat ertoe deed.

'Heren, Irina, bedankt voor jullie komst.' Peter Miles' welkomstwoord bracht Jaegers aandacht terug naar het heden. De oudere man keek om zich heen naar het betonnen en stalen bouwwerk. 'De reden dat we samenzijn, is voor een groot deel terug te herleiden op deze plek. Op de gruwelijke geschiedenis ervan.'

Hij richtte zijn aandacht volledig op zijn toehoorders. Jaeger had die doordringende blik nog niet eerder in de ogen van de man gezien. Die eiste alle aandacht.

'Duitsland. Voorjaar 1945,' zei hij. 'Het vaderland was overmeesterd door de geallieerden, het Duitse verzet brokkelde in rap tempo af. Veel sleutelfiguren van de nazi's waren al in geallieerde handen.

De hoogste bevelvoerders waren tijdens een operatie met de codenaam Dustbin naar een detentiecentrum in de buurt van Frankfurt gebracht. Daar probeerden ze glashard te ontkennen dat het Reich ooit massavernietigingswapens had gehad of die hadden willen gebruiken om de oorlog te winnen. Maar een van de gevangenen sloeg uiteindelijk door en vertelde iets wat niemand in eerste instantie geloofde, namelijk dat de nazi's drie zeer giftige chemische middelen hadden ontwikkeld: de zenuwgassen tabun en sarin, en de legendarische *Kampfstoff* – gifgas – die N-stoff werd genoemd. Hij onthulde tevens alles over Hitlers Chemieplan: diens project om duizenden tonnen gifgas te produceren om de geallieerden te verpletteren. Het bizarre was dat dit volkomen onbekend was bij de geallieerden en we dientengevolge dus ook niet beschikten over middelen daartegen.

Hoe heeft het allemaal zo ver kunnen komen? Ten eerste omdat, zoals jullie allen hebben gezien, dit Falkenhagen-complex diep onder de grond ligt. Vanuit de lucht is het min of meer onzichtbaar. En juist op plekken als deze werden de meest gevaarlijke gassen geproduceerd. Ten tweede omdat Hitler zijn programma voor chemische wapens uitbesteedde aan een gewoon burgerbedrijf: het gigantische concern IG Farben, geleid door ene Otto Ambros.'

Miles drukte op een toets van zijn laptop en op de muur van de commandobunker werd een foto geprojecteerd. Daarop stond een man van middelbare leeftijd met warrig blond haar en vreemde lachende, vosachtige ogen. Je voelde meteen dat hij iets geslepens had.

'Ambros,' meldde Miles. 'Hij was het meesterbrein achter de bouw van deze moordfabrieken. Het zou een volkomen ontmoedigende opdracht zijn geweest, ware het niet dat de nazi's over een schijnbaar onuitputtelijke voorraad slavenarbeiders beschikten. Ondergrondse faciliteiten als Falkenhagen werden gebouwd door de miljoenen mensen die de nazi's naar concentratiekampen stuurden. En ook de gevaarlijke productielijnen waren bemand door kampbewoners – die waren allemaal toch al ten dode opgeschreven.'

Miles liet zijn woorden onheilspellend in de lucht hangen. Jaeger schoof ongemakkelijk heen en weer op zijn stoel. Hij had het gevoel dat er een onbekende, spookachtige verschijning de ruimte was binnengeslopen die met ijskoude vingers zijn snel kloppende hart vastpakte.

25

'Er zijn enorme voorraden chemische wapens gevonden door de geallieerden,' vervolgde Miles, 'ook op deze plek, Falkenhagen. Er was zelfs sprake van een langeafstandswapen – de V4, opvolger van de V2-raket – die zenuwgassen kon droppen boven Washington en New York.

Het overheersende gevoel was dat we de oorlog op ons tandvlees hadden gewonnen. Voor sommigen leek het zinnig om de expertise van de naziwetenschappers te gebruiken ter voorbereiding van de aanstaande oorlog met de Russen – de Koude Oorlog. De meeste nazibedenkers van v-wapens werden verscheept naar de VS om raketten te ontwerpen tegen de Russische dreiging.

Maar toen lieten de Russen hun bommetje vallen. Halverwege de Processen van Neurenberg riepen ze een zogenoemde supergetuige op: brigadegeneraal Walter Schreiber van de medische dienst van de Wehrmacht. Schreiber verklaarde dat een nauwelijks bekende SS-arts genaamd Kurt Blome een ultrageheim naziproject had geleid met de focus op biologische oorlogsvoering.'

Miles kneep zijn ogen samen. 'Zoals jullie allemaal weten, zijn biologische wapens de ultieme massavernietigers. Een atoombom op New York kan iedereen in de stad doden. Een raket met sarin eveneens. Maar een enkele raket met pestbacteriën zou alle inwoners van de VS kunnen doden om de simpele reden dat een ziektekiem zichzelf verspreidt. Eenmaal afgeleverd vermenigvuldigt het zich in de menselijke gastheer en verspreidt zich, zodat iedereen eraan gaat. Hitlers biologische-wapensprogramma kreeg de codenaam *Blitz-*

ableiter – Bliksemafleider. Het vond plaats onder de dekmantel van een programma voor kankeronderzoek om het verborgen te houden voor de geallieerden. De geproduceerde stoffen zouden op bevel van de Führer gebruikt worden om de eindzege te behalen. Maar de meest schokkende onthulling van Schreiber was misschien wel dat Kurt Blome aan het eind van de oorlog door de Amerikanen werd gerekruteerd om zijn biologische-wapensprogramma opnieuw te starten, alleen nu voor het Westen.

Tijdens de oorlog had Blome een angstaanjagende reeks giffen ontwikkeld: op basis van pest, tyfus, cholera, miltvuur enzovoort. Hij had nauw samengewerkt met de Japanse Eenheid 731, die verantwoordelijk was voor de dood van een half miljoen Chinezen door...'

'Eenheid 731 is een schandvlek op onze geschiedenis,' viel een kalme stem hem in de rede. Het was Hiro Kamishi, het Japanse lid van Jaegers team. 'Onze regering heeft nooit echt spijt betuigd. Mensen moesten zelf maar proberen in het reine te komen met hun slachtoffers.'

Voor zover Jaeger Kamishi kende, zou het hem niet verbazen als hij precies dat had gedaan: contact leggen met de slachtoffers van Eenheid 731 om rust te vinden.

'Blome was de onbetwiste grootmeester van biologische oorlogsvoering.' Miles keek zijn publiek met glanzende ogen aan. 'Maar er waren bepaalde dingen die hij nóóit zou onthullen, zelfs niet aan de Amerikanen. De wapens van Blitzableiter werden om één simpele reden nooit ingezet tegen de geallieerden: de nazi's waren een supermiddel aan het perfectioneren waarmee ze echt de hele wereld zouden kunnen veroveren. Hitler had opdracht gegeven dat inzetbaar te maken, maar de pure snelheid van de geallieerde opmars had iedereen verrast. Blome en zijn team waren verslagen, maar alleen door de tijd.'

Miles' blik gleed naar de man op een stoel die een dunne wandelstok vasthield. 'Ik wil nu graag het woord geven aan iemand die daar daadwerkelijk bij is geweest. In 1945 was ik nog maar een jongetje van achttien. Joe Jaeger kan beter vertellen over deze donkerste periode in de geschiedenis.'

Toen Miles oom Joe overeind ging helpen, voelde Jaeger dat zijn hart sneller ging kloppen. Diep vanbinnen wist hij dat het lot hem hiernaartoe had gebracht, naar dit moment. Hij moest een vrouw en kind redden, maar zo te horen stond er veel meer op het spel dan alleen hun levens.

Oom Joe stapte naar voren en leunde zwaar op zijn stok. 'Ik zal u allen moeten vragen geduld met me te hebben, want ik durf te wedden dat ik drie keer zo oud ben als sommigen van jullie hier.' Hij keek bedachtzaam rond. 'Tja, waar zal ik beginnen? Bij Operatie Loyton, denk ik.'

Zijn ogen bleven rusten op Jaeger. 'Het grootste deel van de oorlog heb ik samen met de vader van deze jongeman gediend bij de SAS. Het zal u niet verbazen dat die man, Ted Jaeger, mijn broer was. Aan het eind van 1944 werden we op een missie met de codenaam Loyton naar het noordoosten van Frankrijk gestuurd. Het doel was simpel. Hitler had zijn strijdkrachten bevolen een laatste stelling in te nemen, om een eind te maken aan de geallieerde opmars. Wij moesten dat dwarsbomen.

We landden er met parachutes en veroorzaakten flink wat ravage en chaos achter de vijandelijke linies; we bliezen spoorwegen op en doodden de hoogste bevelvoerende nazi's. Maar op zijn beurt maakte de vijand ongenadig jacht op ons. Aan het eind van de missie waren eenendertig mannen van onze groep gevangengenomen. We wilden koste wat kost weten wat er met hen gebeurd was. Alleen was de SAS kort na de oorlog ontbonden, omdat niemand dacht dat we nog nodig waren. Nou, wij dachten daar anders over. En het was niet voor het eerst dat we de bevelen niet opvolgden.

We richtten buiten alle kanalen om een eenheid op die onze vermiste mannen moest opsporen. We kwamen er al snel achter dat ze op gruwelijke wijze gemarteld en vermoord waren door de nazi's die hen gevangen hadden genomen. En dus gingen we achter die moordenaars aan. We gaven onszelf een indrukwekkende naam: SAS War Crimes Investigation Team – het SAS-onderzoeksteam naar oorlogsmisdaden – maar informeel waren we bekend als de Geheime Jagers.'

Joe Jaeger glimlachte melancholiek. 'Het is verbazingwekkend wat je allemaal voor elkaar kunt krijgen met een beetje bluf. Omdat we geen pogingen deden ons te verstoppen, nam iedereen aan dat we betrouwbaar waren. Dat waren we niet. In feite waren we een niet-erkende, illegale groep die deed wat in onze ogen rechtvaardig was, ongeacht de gevolgen. Zo ging dat in die tijd. En het was een prima tijd.'

De oude man leek even overmand te worden door emoties, maar hij vermande zich en ging verder. 'In de jaren die volgden hebben we die nazimoordenaars stuk voor stuk opgespoord. Tijdens die operatie kwamen we erachter dat een aantal van onze mannen terecht was gekomen in een gruwelijk oord: een concentratiekamp dat Natzweiler heette.'

Even dwaalde de blik van oom Joe naar Irina Narov. Jaeger wist al dat ze een bijzondere band hadden. Dat was een van de vele dingen die Narov hem maar eens moest uitleggen.

'Natzweiler bezat een gaskamer,' ging oom Joe verder. 'Maar er werden vooral naziwapens getest op levende mensen: de kampbewoners. Aan het hoofd daarvan stond een SS-arts. Zijn naam was August Hirt. Wij besloten dat we maar eens met hem moesten gaan praten.

Hirt was verdwenen, maar er waren maar weinig mensen die zich voor de Geheime Jagers verborgen konden houden. We ontdekten dat ook hij in het geheim voor de Amerikanen werkte. Tijdens de oorlog had hij zenuwgas getest op onschuldige vrouwen en kinderen, maar de Amerikanen waren maar al te bereid hem in bescherming te nemen en we wisten dat ze hem nooit zouden laten berechten. Gezien de omstandigheden namen we een eenzijdige beslissing: Hirt moest dood. Maar toen hij besefte wat we van plan waren, deed hij een buitengewoon voorstel: de grootste geheimen van de nazi's in ruil voor zijn leven.'

De oude man haalde zijn schouders op. 'Hirt deed ons de plannen van de nazi's voor *die weltverheerende Plage* uit de doeken. Hij beweerde dat die middels een volkomen nieuwe ziektekiem tot stand zou komen. Niemand scheen te weten waar dat middel vandaan kwam, maar het had een zeer hoge mortaliteit. Toen Hirt het in Natzweiler testte, bleek het in 99,999 procent van de gevallen fataal te zijn. Geen enkel mens scheen er een natuurlijke weerstand tegen te hebben. Het was bijna alsof het middel niet van deze wereld was, of in ieder geval niet in die tijd.

Voordat we hem doodden – want geloof me, we zouden hem nooit in leven hebben gelaten – gaf Hirt ons de naam van het middel, die door Hitler zelf was bedacht.' De gekwelde blik van oom Joe bleef rusten op Jaeger. 'Het heette het *Gottvirus*.'

26

Oom Joe vroeg om een glas water. Peter Miles gaf hem er een. Verder verroerde niemand zich. Iedereen in die galmende bunker was gegrepen door zijn verhaal.

'We meldden onze ontdekking aan onze hogergeplaatsten, maar er was weinig belangstelling voor. Wat hadden we nou eigenlijk? De naam van een dodelijk virus, maar verder...' Oom Joe haalde berustend zijn schouders op. 'Er was vrede. De mensen waren de oorlog beu. Geleidelijk raakte het hele gebeuren in de vergetelheid. Twintig jaar lang dacht niemand eraan. Maar toen... Marburg.'

Hij staarde in de verte, ging even helemaal op in zijn herinneringen. 'In het midden van Duitsland ligt het kleine, mooie stadje Marburg. In het voorjaar van 1967 brak er op onverklaarbare wijze een ziekte uit in het laboratorium van de Marburgse onderneming Behringwerke. Eenendertig laboratoriummedewerkers raakten besmet. Zeven van hen stierven. Op de een of andere manier was er een nieuw en onbekend virus uitgebroken, dat het Marburgvirus werd genoemd. Het behoorde tot de familie van de filovirussen, vanwege de draadachtige structuur. Zoiets was nog nooit eerder gezien.'

Oom Joe dronk zijn glas water leeg. 'Het virus was schijnbaar in het laboratorium beland via een lading apen uit Afrika. Dat was althans het officiële verhaal. Er werden onderzoekers naar Afrika gestuurd om de bron van het virus op te sporen. Ze zochten naar de plek waar het van nature voorkwam. Die konden ze niet vinden. En dat niet alleen, ze konden ook de natuurlijke gastheer niet vinden:

het dier dat het normaal gesproken bij zich draagt. Kortom: in het Afrikaanse regenwoud waar de apen vandaan waren gekomen, was geen spoor van het virus te vinden.

Apen worden overal ter wereld gebruikt als proefdieren,' ging hij verder. 'Bijvoorbeeld om nieuwe medicijnen op uit te proberen. Maar ze worden ook gebruikt om biologische en chemische wapens te testen, om de simpele reden dat als een aap eraan sterft de kans groot is dat het ook voor de mens fataal is.'

Weer bleef de blik van oom Joe op Jaeger rusten. 'Jouw opa, brigadier Ted Jaeger, begon het uit te zoeken. Het werk van de Geheime Jagers ging voor velen van ons namelijk gewoon door. Het leverde een ijzingwekkend plaatje op. Het bleek dat het laboratorium van Behringwerke tijdens de oorlog deel uitmaakte van IG Farben – Otto Ambros' rijk dat was gewijd aan massavernietiging. Bovendien was in 1967 de belangrijkste wetenschapper in dat lab niemand minder dan Kurt Blome. Hitlers voormalige grootmeester van biologische oorlogsvoering.'

Met vuur in zijn ogen bekeek oom Joe zijn publiek. 'In het begin van de jaren zestig was Blome ingehuurd door een man van wie we dachten dat die allang dood was: voormalig SS-generaal Hans Kammler. Kammler was een van de machtigste mannen in het Reich geweest, en een van Hitlers grootste vertrouwelingen. Maar aan het eind van de oorlog was hij van de aardbodem verdwenen. Jarenlang heeft Ted Jaeger achter deze man aangezeten. Uiteindelijk ontdekte hij dat Kammler was gerekruteerd door een onder de CIA vallende inlichtingendienst die belast was met het bespioneren van de Russen.

Vanwege zijn roemruchte bekendheid liet de CIA Kammler opereren onder verschillende valse namen: Harold Krauthammer, Hal Kramer en Horace König bijvoorbeeld. In de jaren zestig had hij zich omhooggewerkt naar een zeer hoge functie binnen de CIA en nam hij Blome in dienst voor zijn geheime missie.'

Oom Joe zweeg even en er streek een sombere blik over zijn

verweerde gelaatstrekken. 'Bij een inbraak in de Marburgse woning van Kurt Blome vonden we zijn privépapieren. Zijn dagboek leverde een uiterst bizar verhaal op; in elke andere context zou het ongeloofwaardig zijn geweest. Maar goed, daardoor begonnen veel dingen voor ons op hun plek te vallen. Hun weerzinwekkende plek.

In de zomer van 1943 had de Führer Blome opgedragen zich op slechts één ziektekiem te concentreren. Die was al dodelijk geweest. Twee mannen, beide SS-luitenant, waren gestorven als gevolg van blootstelling daaraan. Ze waren op een uiterst gruwelijke manier aan hun einde gekomen. Hun lichaam was van binnenuit gaan ontbinden; lever, nieren, longen rotten weg, terwijl het lichaam van buiten gewoon doorleefde. Dik, zwart bloed dat naar buiten stroomde, maakte uiteindelijk een eind aan hun leven: de restanten van hun verteerde, vloeibaar geworden organen. Ze hadden een zombieachtige uitdrukking op hun gezicht; hun hersenen waren tegen de tijd dat de dood hen inhaalde tot moes vermalen.'

De oude man keek zijn publiek aan. 'Nu vragen jullie je wellicht af hoe die twee SS-luitenants aan die ziektekiem kwamen? Ze werkten allebei voor een studiegezelschap van de SS dat liefhebberde in oude geschiedenis. Vergeet niet dat Hitler er de gestoorde ideologie op na hield dat de 'ware Duitsers' afstamden van een mythisch noords ras dat lang en blond was en blauwe ogen had. Gek als je bedenkt dat Hitler zelf een kleine man met zwart haar en bruine ogen was.'

Oom Joe schudde geërgerd zijn hoofd. 'Die twee SS-luitenants – een amateurarcheoloog en een mythejager – hadden de opdracht gekregen te "bewijzen" dat het zogenoemde arische meesterras al sinds mensenheugenis wereldheerschappij had bezeten. Het hoeft geen betoog dat hun missie gedoemd was te mislukken, maar al doende waren ze op de een of andere manier gestuit op het Gott-virus.

Blome had de opdracht gekregen deze mysterieuze ziektekiem te isoleren en te kweken. Dat deed hij en hij bleek uitermate vernietigend. Hij was volmaakt, een door God gegeven ziektekiem. Het ultieme Gottvirus. Hij schreef erover in zijn dagboek: "Het is alsof deze ziektekiem niet op deze wereld is ontstaan, of dan toch in ieder geval afkomstig is uit de verre prehistorie, lang voordat de moderne mens op aarde was."'

Oom Joe bracht zichzelf tot bedaren. 'Voor de lancering van het Gottvirus diende aan twee voorwaarden te worden voldaan. Ten eerste hadden de nazi's een tegengif nodig: een vaccin dat op grote schaal geproduceerd kon worden om de Duitse bevolking te vrijwaren. Ten tweede moesten ze de manier van besmetten veranderen, van overdracht via lichaamsvloeistoffen naar verspreiding door de lucht. Het moest zich gedragen als het griepvirus: één keer niezen en het bezwijken van een bevolkingsgroep was een kwestie van dagen.

Blome werkte koortsachtig. Het was een race tegen de klok. Gelukkig voor ons verloor hij die. Zijn laboratorium werd door de geallieerden in beslag genomen voordat hij een vaccin had geperfectioneerd én de manier van besmetten had aangepast. Het Gottvirus was bestempeld als *Kriegsentscheidend*, de hoogste geheimhoudingscategorie die de nazi's hanteerden. Aan het eind van de oorlog was SS-generaal Hans Kammler vastbesloten dat dit het grootste geheim van het Reich moest blijven.'

Oom Joe leunde zwaar op de wandelstok; een oude soldaat die aan het eind van een lang verhaal kwam. 'En daar houdt het verhaal zo'n beetje op. Blomes dagboek maakte duidelijk dat hij en Kammler het Gottvirus in veiligheid hadden gebracht om het aan het eind van de jaren zestig verder te gaan ontwikkelen. Nog één ding: in zijn dagboek herhaalde Blome steeds dezelfde zin. *Jedem das Seine*. Dat herhaalde hij telkens weer: Jedem das Seine… Vrij vertaald betekent dat zoiets als "Ieder krijgt wat hij verdient".' Hij liet zijn ogen door de ruimte dwalen. De uitdrukking daarin had Jaeger zelden of nooit bij zijn oom gezien: angst.

27

'Uitstekend werk – die klus in Londen. Ik begrijp dat er weinig over is gebleven. En geen spoor van wie er verantwoordelijk voor was.'

Hank Kammler richtte deze opmerking op een monster van een man die naast hem op de bank zat. Met zijn kaalgeschoren kop, sikje en afschrikwekkend litteken tot aan zijn bonkige schouders straalde Steve Jones een en al dreiging uit.

Hij en Kammler bevonden zich in West Potomac Park in Washington. Overal om hen heen stonden de kersenbomen in volle bloei, maar de blik op het gehavende gezicht van de grote man vormde daar een schrijnend contrast mee. Jones, die jonger was dan Kammler – misschien wel de helft van diens drieënzestig jaar – had een ijskoude uitdrukking en de blik van een dode.

'Londen?' snoof Jones. 'Dat had ik met mijn ogen dicht kunnen doen. Maar wat gebeurt er nu?'

Voor zover het Kammler betrof waren Jones' angstaanjagende uiterlijk en killerinstinct nuttig, maar hij twijfelde nog steeds of hij de man genoeg vertrouwde om hem lid van zijn team te maken. Hij vermoedde dat Jones zo'n man was die je beter achter slot en grendel kon houden en alleen in tijden van oorlog losliet… of om een montagekamer in Londen op te blazen. 'Waarom haat je hem eigenlijk zo?'

'Wie?' vroeg Jones. 'Jaeger?'

'Ja. William Edward Jaeger. Waar komt die allesverterende haat vandaan?'

Jones boog zich voorover en leunde met zijn ellebogen op zijn knieën. 'Omdat ik goed ben in haten. Dat is alles.'

Kammler tilde zijn gezicht omhoog, genoot van de warme voorjaarszon op zijn huid. 'Toch zou ik graag willen weten waarom. Dat zou me helpen jou... in mijn vertrouwenskring op te nemen.'

'Laat ik het zo zeggen,' antwoordde Jones nors. 'Als u niet had gezegd dat ik hem in leven moest laten, zou Jaeger nu dood zijn. Ik zou hem gedood hebben toen ik zijn vrouw en kind bij hem wegrukte. U had het me moeten laten afmaken toen ik de kans had.'

'Misschien. Maar ik vind het leuker om hem zo lang mogelijk te kwellen.' Kammler glimlachte. 'Wraak is, zoals ze zeggen, het best als die zoet is... En met zijn gezin in handen beschik ik over alle middelen om wraak te nemen. Langzaam. Pijnlijk. O zo bevredigend.'

De grote man lachte wreed. 'Dat snap ik.'

'Dus terug naar mijn vraag: vanwaar die allesverterende haat?'

Jones richtte zijn blik op Kammler. Het was alsof hij in de ogen van een man keek die geen ziel had. 'Wilt u dat echt weten?'

'Ja. Het zou nuttig zijn.' Kammler zweeg even. 'Ik heb zo'n beetje alle vertrouwen verloren in mijn... Oost-Europese krachten. Zij waren belast met een van mijn zaken op een eilandje voor de kust van Cuba. Een paar weken geleden heeft Jaeger daar hard toegeslagen. Hij was met een groepje van drie, mijn mensen waren met zijn dertigen. Je begrijpt vast waarom ik mijn vertrouwen in hen verloren ben, waarom ik jou wellicht wat vaker zou willen gebruiken.'

'Amateurs.'

Kammler knikte. 'Dat was ook mijn conclusie. Maar die haat voor Jaeger. Waarom?'

De blik van de grote man keerde naar binnen. 'Een paar jaar geleden zat ik in de selectie van de SAS. En dat gold ook voor ene kapitein William Jaeger van de Royal Marines. Hij zag dat ik mijn voorraden aanvulde en voelde zich geroepen zijn misplaatste moraal los te laten op mijn privézaken.

Ik ging als een speer in de selectie. Niemand kon me iets doen. Toen kwam de laatste test. Uithoudingsvermogen. Vierenzestig kilometer over kletsnatte bergen. Bij de op één na laatste controlepost werd ik apart genomen door de leiding en gefouilleerd. En ik wist dat Jaeger me erbij had gelapt.'

'Dat lijkt mij niet genoeg voor een levenslange haat,' merkte Kammler op. 'Over wat voor voorraden hebben we het?'

'Pilletjes – van die dingen die sporters slikken om hun snelheid en uithoudingsvermogen te vergroten. De SAS beweert lateraal denken aan te moedigen. Een onafhankelijke, outside-the-boxmentaliteit te waarderen. Wat een flauwekul. Als dat geen lateraal denken was, dan weet ik het niet meer. Ze hebben me niet alleen uit de selectie gezet, maar me ook aangegeven bij mijn eenheid, wat betekende dat ik voorgoed het leger uit moest.'

Kammler hield zijn hoofd scheef. 'Ben je betrapt op het slikken van prestatieverhogende middelen? En Jaeger was degene die je verlinkt heeft?'

'Zeker weten. Hij is een vuile rat.' Jones zweeg even. 'Ooit geprobeerd een baan te krijgen met een strafblad waarop staat dat je wegens drugs het leger uit bent gegooid? Ik zal u vertellen: ik haat ratten en Jaeger is de meest zelfingenomen en vuilste van het hele stelletje.'

'Dan is het maar goed dat wij elkaar zijn tegengekomen.' Kammler liet zijn ogen dwalen langs de rijen kersenbloesems. 'Ik denk dat ik misschien wel werk voor je heb, meneer Jones. In Afrika. Bij een bepaald bedrijf dat ik daar aan het opstarten ben.'

'Waar in Afrika? In principe vind ik het daar verschrikkelijk.'

'Ik heb een wildpark in Oost-Afrika. Groot wild is mijn passie, maar de plaatselijke bewoners slachten mijn beesten in een hartverscheurend hoog tempo af. Vooral de olifanten, voor het ivoor. En ook de neushoorns. Een gram hoorn is nu meer waard dan goud. Ik ben op zoek naar een man die daar voor mij de boel behoedzaam in de gaten houdt.'

'Behoedzaam is nou niet bepaald mijn ding,' antwoordde Jones. Hij balde zijn massieve, knokige handen tot vuisten als kanonskogels. 'Deze gebruiken wel. Of eigenlijk liever een mes, wat plastic explosieven en een Glock. Doden om te leven, leven om te doden.'

'O, daar is vast een grote behoefte aan op de plek waar je naartoe gaat. Ik ben op zoek naar een spion, een bewaker en hoogstwaarschijnlijk een moordenaar ineen. Dus wat denk je?'

'In dat geval – en als het goed betaalt – doe ik het.'

Kammler stond op. Hij stak zijn hand niet uit naar Steve Jones; hij was nou niet bepaald gesteld op de man. Na zijn vaders verhalen uit de oorlogsjaren over de Engelsen vertrouwde hij niet één Brit. Hitler had zij aan zij willen vechten met de Engelsen tijdens de oorlog, een deal willen sluiten zodra Frankrijk was gevallen om een front te vormen tegen de gezamenlijke vijand: Rusland en het communisme. Maar die koppige Engelsen hadden dat geweigerd. Onder Churchills blinde, halsstarrige leiderschap hadden ze gewoon niet willen snappen dat Rusland vroeg of laat de vijand zou worden van alle vrijdenkende mensen. Zonder de Engelsen – en hun Schotse en Welshe metgezellen – zou Hitlers Reich gezegevierd hebben en dan was de rest geschiedenis geweest.

In plaats daarvan wemelde het een jaar of zeventig later van abnormale en onaangepaste mensen op de wereld: socialisten, homoseksuelen, joden, gehandicapten, moslims en allerlei vreemdelingen. Kammler kon die types wel schieten. En toch hadden deze Untermenschen zich een weg gebaand naar de hoogste regionen van de maatschappij. En het was aan Kammler – en een paar rechtgeaarde mannen als hij – om een eind te maken aan al die onzin.

Nee, Hank Kammler zou niet zo snel zijn vertrouwen stellen in welke Engelsman dan ook. Maar als hij Jones kon gebruiken, dan zou hij dat doen. En wat dat betreft besloot hij hem een extra kluif toe te werpen. 'Als het allemaal goed gaat, kun je misschien eindelijk afrekenen met Jaeger. Dan kun je je wraaklust voor eens en voor altijd botvieren.'

Voor het eerst sinds ze waren gaan praten, verscheen er een glimlach op het gezicht van Steve Jones, hoewel zijn blik uiterst kil bleef. 'In dat geval ben ik zeker uw man.'

Kammler wilde weglopen, maar Jones stak zijn hand uit om hem tegen te houden. 'Eén vraag. Waarom haat ú hem?'

Kammler fronste. 'Ik ben degene die hier de vragen stelt, meneer Jones.'

Jones liet zich echter niet zo snel afschrikken. 'Ik heb u verteld wat mijn reden is. Het lijkt me dat ik dus ook recht heb om die van u te horen.'

Kammler lachte minzaam. 'Als je het dan per se wilt weten: ik haat Jaeger omdat zijn grootvader mijn vader heeft vermoord.'

28

Ze hadden de Falkenhagen-briefing onderbroken om te eten en uit te rusten, maar Jaeger was nooit iemand geweest die lang op bed bleef liggen. De nachten waarin hij de afgelopen zes jaar van een zeven uur lange, ononderbroken nachtrust had genoten, waren op de vingers van één hand te tellen. En door alles wat oom Joe hun verteld had, stond zijn hoofd nu op springen.

Ze kwamen weer samen in de bunker en Peter Miles pakte de draad op. 'We denken nu dat de uitbraak in Marburg in 1967 het gevolg was van Blomes poging om het Gottvirus op apen te testen. We denken dat hij erin geslaagd was het virus via de lucht overdraagbaar te maken – vandaar dat de laboranten besmet raakten – maar daarmee had hij de potentie ervan enorm teruggebracht.

Wij hielden Blome nauwlettend in de gaten,' ging Miles verder. 'Hij had verschillende medewerkers; voormalige nazi's die al onder de Führer met hem hadden samengewerkt. Maar na de uitbraak in Marburg liepen zij het risico geïdentificeerd te worden. Ze hadden behoefte aan een afgelegen plek om hun dodelijke cocktails te brouwen, een plek waar ze nooit gevonden konden worden.

Tien jaar lang verloren we hen uit het oog,' zei Miles na een korte pauze. 'Toen, in 1976, maakte de wereld kennis met een nieuwe gruwel: ebola. Dat was het tweede geslacht van de filovirussen. Ook daarvan zei men dat het werd overgebracht door apen en op de een of andere manier was overgesprongen op mensen. Net als Marburg ontstond het in Afrika, in de buurt van de rivier Ebola. Vandaar de naam.'

Miles' ogen zochten Jaeger en boorden zich in hem. 'Om zeker te zijn van de potentie van een middel, dien je het te testen op mensen. Wij zijn niet identiek aan primaten. Een ziektekiem die een aap doodt, hoeft nog niet fataal te zijn voor een mens. Wij denken dat ebola opzettelijk is losgelaten door Blome om het te testen op mensen. Het bleek een mortaliteit van negentig procent te hebben. Negen van de tien besmette personen overleed eraan. Het was dus dodelijk, maar niet het oorspronkelijke Gottvirus. Blome en zijn team kwamen echter wel duidelijk dichter in de buurt. Wij namen aan dat ze ergens in Afrika werkten, maar dat is een uitgestrekt continent met veel niet in kaart gebrachte plekken.' Miles spreidde zijn handen. 'En daar zijn we zo'n beetje op een dood spoor beland.'

'Waarom hebben jullie Kammler niet verhoord?' vroeg Jaeger. 'Je had hem naar een plek als deze kunnen brengen om erachter te komen wat hij wist.'

'Twee redenen. Ten eerste had hij een reële machtspositie verworven binnen de CIA, net als veel voormalige nazi's in het Amerikaanse leger en de inlichtingendiensten. En ten tweede kon jouw grootvader niets anders doen dan hem doden. Kammler had vernomen dat hij belangstelling had voor het Gottvirus. De jacht was geopend. Er was een gevecht van leven op dood. Kammler verloor dat, gelukkig.'

'Dus daarom zijn zij weer achter mijn opa aan gegaan?' zei Jaeger.

'Inderdaad,' beaamde Miles. 'Officieel was het zelfmoord, maar wij zijn er altijd van overtuigd geweest dat brigadier Ted Jaeger is vermoord door de volgelingen van Kammler.'

Jaeger knikte. 'Hij zou zichzelf nooit van kant maken. Hij had veel te veel om voor te leven.'

Toen Jaeger zeventien was, werd zijn opa dood gevonden in zijn auto, met een tuinslang door het raampje. Het oordeel luidde dat hij zichzelf vergast had vanwege de traumatische oorlogsjaren, maar bijna niemand in de familie geloofde dat.

'Als je op een dood spoor bent beland, is het vaak zinvol om achter de geldstroom aan te gaan,' ging Miles verder. 'Dus we begonnen dat spoor te volgen en één pad leidde ons inderdaad naar Afrika. Naast het nazidom beweerde voormalig SS-generaal Kammler nog één andere passie in zijn leven te hebben: wilde dieren beschermen. Op een bepaald moment had hij een gigantisch wildpark verworven, waarschijnlijk met geld dat door de nazi's tijdens de oorlog was geplunderd.'

Weer keek Miles Jaeger aan. 'Nadat jouw grootvader generaal Kammler had gedood, erfde diens zoon, Hank Kammler, dat park. Wij vreesden dat hij daar het geheime werk van zijn vader voortzette. Jarenlang hielden we de plek in de gaten om te kijken of er tekenen waren van een verborgen laboratorium. We vonden niets. Helemaal niets.'

Miles' blik dwaalde door het publiek en bleef even rusten op Irina Narov. 'En toen kregen we berichten over het verdwenen vliegtuig uit de Tweede Wereldoorlog in de Amazone. Zodra we hoorden wat voor type dat was, wisten we dat het een vliegtuig moest zijn waarmee nazi's aan het eind van de oorlog naar een veiliger plek werden gebracht. En dus voegde mevrouw Narov zich bij ons Amazoneteam, in de hoop dat dat oorlogsvliegtuig een aanwijzing bevatte die ons op het spoor van het Gottvirus zou brengen.

En het bevatte inderdaad aanwijzingen. Maar bijna nog belangrijker was dat jullie zoektocht de vijand uit zijn schuilplaats verdreef; ze werden gedwongen hun kaarten op tafel te leggen. Wij vermoeden dat de strijdkracht die het op jullie gemunt had – die het nog steeds op jullie gemunt heeft – onder het bevel staat van Hank Kammler, de zoon van SS-generaal Kammler. Hij is momenteel plaatsvervangend hoofd van de CIA en we vrezen dat hij zijn vaders missie heeft geërfd: het tot leven wekken van het Gottvirus.'

Miles zweeg even. 'Dat was wat we tot voor een paar weken geleden wisten. Daarna hebben jullie Leticia Santos bevrijd, die werd vastgehouden door Kammlers mensen. Daarbij hebben jullie ook de computers van haar ontvoerders te pakken gekregen.' Met een klik en een flits toverde Miles een beeld op de muur van de bunker.

Kammler H.
BV222
Katavi
Choma Malaika

'Sleutelwoorden die uit de e-mails zijn gehaald van de ontvoerders-bende op het Cubaanse eiland,' zei hij. 'We hebben de mailwisseling geanalyseerd en we denken dat die gevoerd wordt door de baas van de ontvoerdersbende – Vladimir – en Hank Kammler zelf.

Miles wuifde met een hand naar de afbeelding. 'Ik zal beginnen met het derde woord op de lijst. Tussen de documenten die jullie hebben gevonden in dat oorlogsvliegtuig in de Amazone zat er een die melding maakte van een nazivlucht naar een plek die Katavi heette. Kammlers wildpark bevindt zich op de westelijke rafelran-den van het Afrikaanse land Tanzania, in de buurt van een meer met de naam Katavi.

De vraag is dus: waarom zou een vlucht om nazi's in veiligheid te brengen koers zetten naar een watervlakte? Kijk even naar dat twee-de woord op de lijst: BV222. Tijdens de oorlog hadden de nazi's een geheim onderzoekscentrum voor watervliegtuigen in Travemünde, aan de Duitse kust. Daar ontwikkelden ze de Blohm & Voss BV222, het grootste vliegtuig dat tijdens de oorlog dienstdeed.

Wij denken nu dat het volgende gebeurd is. Aan het eind van de oorlog was Tanzania, dat toen nog Tanganyika heette, een Britse kolonie. Kammler beloofde de Britten een schat aan nazigeheimen in ruil voor hun bescherming. Dus gaven ze het groene licht voor een vlucht naar een uiterst veilige plek – het Katavimeer – met een BV222. SS-generaal Hans Kammler zat op die vlucht, alsmede zijn dierbare virus. Dat was óf bevroren, óf gedehydreerd in een soort poedervorm. Een geheim dat hij natuurlijk nooit zou onthullen aan de geallieerden.

Toen de Britten Oost-Afrika dekoloniseerden, verloor Kammler zijn sponsors – vandaar zijn besluit om een groot stuk land rond het Katavimeer te verwerven. En daar vestigde hij zijn laboratorium; een plek om het Gottvirus in het geheim te ontwikkelen.

Uiteraard beschikken we niet over bewijs dat dit laboratorium bestaat,' vervolgde Miles. 'Als het zo is, dan heeft het een uitstekende dekmantel. Hank Kammler runt een bonafide wildpark. Alle toeters en bellen zijn er: parkwachters, een top natuurbeschermingsteam, luxueuze vakantieverblijven plus een landingsbaan voor invliegende cliënten. Maar de onderste regel van ons lijstje biedt een laatste aanwijzing.

Choma Malaika is Swahili, de taal van Oost-Afrika. Het betekent "brandende engelen". Nu ligt er in Kammlers reservaat toevallig een Burning Angels Peak in de Mbizi Mountains, ten zuiden van het Katavimeer. Die bergketen is dichtbebost en bijna volledig ongerept.'

Miles liet een nieuwe afbeelding verschijnen. Daarop stond een rafelige bergrug die uittorende boven de savanne. 'Natuurlijk kan het bestaan van die sleutelwoorden in de e-mailwisseling en het bestaan van een berg met dezelfde naam gewoon een bizar toeval zijn, maar jouw grootvader heeft me geleerd nooit in toeval te geloven.' Hij wees naar de afbeelding. 'Als Kammler beschikt over een laboratorium voor biologische oorlogsvoering, dan is dat volgens ons diep onder deze berg verborgen.'

29

Peter Miles beëindigde zijn briefing met de oproep voor een brain-stormsessie, om gebruik te maken van de enorme militaire expertise die in de bunker verzameld was.

'Stomme vraag misschien,' begon Lewis Alonzo, 'maar wat is het ergste dat kan gebeuren?'

Miles keek hem spottend aan. 'Het doemscenario? Als we te maken krijgen met een gek?'

Alonzo schonk hem zijn kenmerkende glimlach. 'Ja, een echte idioot. Een randdebiel. Houd je niet in; vertel het ons gewoon.'

'We vrezen dat we te maken hebben met een ziektekiem die zo'n beetje niemand kan overleven,' antwoordde Miles somber. 'Maar alleen als Kammler en zijn mensen hebben uitgevogeld hoe ze het tot wapen moeten transformeren. Dat is het doemscenario: een wereldwijde verspreiding van het virus met voldoende simultane uitbraken om niet één regering de tijd te geven een tegengif te ontwikkelen. Het zou een ongeëvenaard dodelijke pandemie worden. Een wereldschokkende... Een wereldvernietigende gebeurtenis.' Hij zweeg even om het belang van die woorden te laten bezinken. 'Maar wat Kammler en zijn makkers van plán zijn ermee te doen... Dat is een totaal andere vraag. Een dergelijk middel zou uiteraard onbetaalbaar zijn. Zouden ze het verkopen aan de hoogste bieder? Of wereldleiders op de een of andere manier proberen te chanteren? Dat weten we gewoon niet.'

'Een paar jaar geleden hebben we een paar cruciale oorlogs-scenario's gespeeld,' merkte Alonzo op. 'Met de toppers van de

Amerikaanse inlichtingendienst. Zij maakten een lijstje van de drie grootste bedreigingen van de wereldvrede. Met stip op één stond een terreurgroep die de beschikking kreeg over een volledig functionerend massavernietigingswapen. Er zijn drie manieren waarop ze dat zouden kunnen doen. Eén: een kernwapen kopen bij een schurkenstaat, hoogstwaarschijnlijk een voormalig Oostblokland dat naar de verdoemenis is gegaan. Twee: een chemisch wapen onderscheppen dat van het ene land naar het andere wordt vervoerd, dus bijvoorbeeld sarin uit Syrië dat op weg is om gedumpt te worden. Drie: de noodzakelijke technologie bemachtigen om hun eigen kern- of chemische wapen te produceren.' Hij wierp een blik op Peter Miles. 'Die gasten wisten heel goed waar ze het over hadden, maar niemand is begonnen over een of andere gestoorde klootzak die een kant-en-klaar biologisch wapen aanbood aan de hoogste bieder.'

Miles knikte. 'Logisch. De echte uitdaging zit hem in het afleveren. Als je ervan uitgaat dat ze een via de lucht overdraagbare versie geperfectioneerd hebben, kun je gemakkelijk aan boord stappen van een vliegtuig en in het rond wapperen met een zakdoek die scheutig bestrooid is met een poedervorm van het virus. En vergeet niet dat honderd miljoen gekristalliseerde virussen – dat is de bevolking van Engeland en Spanje samen – niet groter zijn dan een speldenprik.

Als onze man zijn zakdoek eenmaal heeft uitgeschud, kan hij erop rekenen dat de airco van het vliegtuig de rest doet. Tegen het eind van de vlucht – laten we zeggen dat het om een Airbus A380 gaat – heb je zo'n vijfhonderd besmette mensen. Het mooie is dat niemand van hen dat in de gaten heeft. Uren later stappen ze uit op Londen Heathrow. Grote luchthaven vol met mensen. Ze stappen op bussen, treinen of metro's en verspreiden het virus via hun ademhaling. Sommigen hebben een aansluiting naar New York, Rio, Moskou, Tokio, Sydney of Berlijn. Binnen achtenveertig uur heeft het virus zich verspreid over alle steden, landen en continenten... En dat, meneer Alonzo, is uw doemscenario.'

'Wat is de incubatietijd? Hoelang duurt het voor mensen beseffen dat er iets mis is?'

'Dat weten we niet. Maar als het vergelijkbaar is met ebola, duurt het drie weken.'

Alonzo floot. 'Dat is echt fucking heftig. Een afschrikwekkender middel is er niet.'

'Precies.' Peter Miles glimlachte. 'Maar er zit één addertje onder het gras. Weet je nog de man die aan boord ging van de Airbus A380 en wapperde met een zakdoek met honderd miljoen virussen? Dat moet me er wel eentje zijn, want bij het besmetten van de mensen in het vliegtuig, besmet hij ook zichzelf.' Hij zweeg even. 'Maar bepaalde terreurgroepen beschikken natuurlijk over een overvloed aan jonge mannen die bereid zijn te sterven voor de zaak.'

'Islamitische Staat, Al Qaida, AQIM, Boko Haram,' somde Jaeger de gebruikelijke namen op. 'En er zijn nog veel meer gestoorde gelijkgestemden.'

Miles knikte. 'Daarom zijn we ook bang dat Kammler het middel aan de hoogste bieder verkoopt. Sommige van die groeperingen hebben een praktisch onuitputtelijke krijgskas en ze beschikken al helemaal over de middelen – de suïcidale menselijke middelen – om het middel af te leveren.'

Een nieuwe stem roerde zich. 'Er is echter één probleem. Dat verhaal heeft een zwakke plek.' Het was Narov. 'Niemand verkoopt zo'n middel aan iemand zonder over het tegengif te beschikken. Anders zouden ze hun eigen doodvonnis tekenen. En als je het tegengif hebt, zou de man met de zakdoek immuun zijn. Hij zou het overleven.'

'Misschien,' gaf Miles toe. 'Maar zou jij die persoon willen zijn? Zou jij afhankelijk willen zijn van een vaccin dat naar alle waarschijnlijkheid alleen maar getest is op muizen, ratten of apen? En waar moet Kammler de mensen vandaan halen op wie hij die vaccins kan testen?' Bij het uitspreken van die laatste zin schoten zijn ogen naar Jaeger, alsof hij als een magneet naar hem toe getrokken werd. Bijna schuldbewust. Wat was er toch met dat testen op levende mensen waardoor de man zijn aandacht automatisch op hem richtte? Die gewoonte begon Jaeger serieus op de zenuwen te werken.

30

Jaeger zou Miles later wel vragen naar dat testen op mensen. 'Oké, laten we spijkers met koppen slaan,' zei hij. 'Wat Kammler ook van plan is te doen met zijn Gottvirus, dat wildpark in Katavi is de meest waarschijnlijke locatie om dat te pakken te krijgen, toch?'

'Dat lijkt ons ook,' bevestigde Miles.

'Dus wat is het plan?'

Miles wierp een blik op oom Joe. 'We staan open voor alle suggesties.'

'Waarom gaan we niet gewoon naar de autoriteiten?' opperde Alonzo. 'Sturen we SEAL Team Six om Kammler een schop onder zijn kont te verkopen?'

Miles spreidde zijn handen. 'We beschikken over verleidelijke aanwijzingen, maar we hebben nog niets wat op bewijs lijkt. Bovendien is er niemand die we voor honderd procent kunnen vertrouwen. Ze zijn tot in de hoogste regionen geïnfiltreerd. Het hoofd van de CIA, Dan Brooks, heeft contact met ons gezocht en dat is een prima kerel. Maar hij heeft zijn twijfels, zelfs als het gaat om zijn eigen president. Kortom, we kunnen alleen op ons eigen netwerk rekenen.'

'Uit wie bestaat dat netwerk precies?' wilde Jaeger weten. 'Wie zijn die "wij" naar wie je steeds verwijst?'

'De Geheime Jagers,' antwoordde Miles. 'Zoals ze na de Tweede Wereldoorlog zijn opgericht en tot op de dag van vandaag in stand zijn gehouden.' Hij gebaarde in de richting van oom Joe. 'Helaas is Joe Jaeger nog de enige overlevende van de oorspronkelijke groep.

We zijn gezegend dat hij nog steeds onder ons is. Anderen hebben de teugels overgenomen. Irina Narov is er een van.' Hij glimlachte. 'En we hopen vandaag op zes nieuwe rekruten hier.'

'Hoe zit het met de bekostiging? Back-up? Dekking van bovenaf?' drong Jaeger aan.

Peter Miles trok een grimas. 'Goede vragen… Jullie hebben vast allemaal gehoord over de goudtrein van de nazi's die onlangs ontdekt is door een stelletje schatgravers onder een Poolse berg. Nou, er waren veel meer van zulke treinen, het grootste deel was gevuld met plunderingen uit de Berlijnse Reichsbank.'

'Hitlers schat?' vroeg Jaeger.

'De schat voor zijn duizendjarige Reich. Aan het eind van de oorlog was de waarde ervan torenhoog. Terwijl in Berlijn chaos uitbrak, werd het goud in treinen geladen en verdween als sneeuw voor de zon. Eén zo'n trein kwam onder de aandacht van de Geheime Jagers. Een groot deel van de lading bestond uit illegaal verworven buit, maar eenmaal gesmolten is goud niet meer te achterhalen. Het leek ons het beste om het in handen te houden, als werkkapitaal.' Hij haalde zijn schouders op. 'Lieverkoekjes worden niet gebakken.

En wat betreft dekking van bovenaf: dat is grotendeels geregeld. De Geheime Jagers vielen oorspronkelijk onder het ministerie van Economische Oorlogsvoering dat Churchill had opgericht om zijn ultrageheime eenheid te leiden. Aan het eind van de oorlog zou die opgeheven zijn, maar feitelijk bestaat er nog steeds een kleine uitvoerende tak die opereert vanuit een onopvallend herenhuis op Londens Eaton Square. Zij zijn onze weldoeners. Ze overzien en steunen onze activiteiten.'

'Je zei toch dat de Duitse regering je deze plek had geleend?'

'De mensen op Eaton Square zijn geweldige netwerkers. Uiteraard alleen op de hoogste niveaus.'

'Maar wie zijn jullie nou precies?' drong Jaeger aan. 'Wie zijn de Geheime Jagers? Aantallen? Leiding? Uitvoerders?'

'We zijn allemaal vrijwilligers. We worden alleen opgeroepen als we nodig zijn. Ik zal je een praktijkvoorbeeld geven. De R21-mensen – zelfs de man die jou ondervraagd heeft – maken allemaal deel uit van ons netwerk. Wij hebben hen opgeroepen, zij hebben hun rol gespeeld. Nu zijn ze weer weg, totdat we hen weer nodig hebben. Zelfs deze plek is alleen operationeel als wij dat zijn. De rest van de tijd ligt het in de mottenballen.'

'Oké, stel dat we meedoen,' zei Jaeger. 'Wat gebeurt er dan?'

Miles liet met een klik een dia verschijnen met een luchtopname van de berg Burning Angels. 'Choma Malaika vanuit de lucht. Het maakt deel uit van Kammlers wildreservaat, maar is streng verboden gebied. Het is bedoeld als een beschermd fokgebied voor olifanten en neushoorns, waar alleen leidinggevend personeel mag komen. Alle indringers worden meteen doodgeschoten.

Ons gaat het erom wat er ónder de berg ligt. Daar ligt een enorm grottenstelsel dat van oorsprong door water is uitgesleten, maar meer recentelijk is vergroot door dieren. Alle grote zoogdieren schijnen zout nodig te hebben. Olifanten gaan de grotten binnen en gutsen dat met hun slagtanden los. Zo hebben ze de grotten tot mammoetproporties uitgehakt.

Je ziet dat de geologische hoofdstructuur een caldera is – een ingestorte vulkaan. Rond de gigantische krater op de plek waar de vulkaan zichzelf heeft opgeblazen, is een rafelige ring van wanden overgebleven. De kom van de krater is meestal gevuld met water en vormt zo een ondiep meer. De grotten liggen voorbij dat water en bevinden zich allemaal binnen Kammlers "shoot to kill"-gebied. We hebben geen enkel bewijs dat er iets gruwelijks verborgen is in die grotten, dus moeten we naar binnen gaan om dat te vinden. En daar komen jullie om de hoek kijken. Jullie zijn tenslotte de professionals.'

Jaeger bekeek de luchtfoto een tijdje. 'Die kraterwand is zo te zien ongeveer achthonderd meter hoog. We zouden met een HALO-sprong in de krater kunnen komen, zodat de parachutes achter de wanden verborgen blijven. Dan kunnen we ongezien landen en de grotten in gaan... Het probleem is dat ze ons ook niet mogen zien als we er eenmaal zijn. Ze hebben vast bewegingsmelders bij de ingang van de grotten geplaatst. Als het aan mij lag, zou ik videobewaking, infraroodcamera's, bewegingsmelders, struikeldraden – het hele zootje aanleggen. Dat is het probleem met grotten: er is maar één route naar binnen, wat betekent dat die gemakkelijk beveiligd kan worden.'

'Dus het is simpel,' zei een derde stem. 'We gaan naar binnen in de wetenschap dat we gezien worden. We laten ons vangen in het web van de spin. Dan is de kans in ieder geval groot dat ze ons onthullen wat ze daar doen.'

Jaeger keek de spreker aan: Narov. 'Geweldig. Eén probleem. Hoe komen we er weer uit?'

Narov schudde smalend haar hoofd. 'Door te vechten. We gaan zwaarbewapend naar binnen. Als we gevonden hebben waarnaar we op zoek waren, schieten we ons een weg naar buiten.'

'Of we gaan schietend ten onder.' Jaeger schudde zijn hoofd. 'Nee, er moet een betere manier zijn...' Hij wierp een steelse blik op Narov en zijn mondhoeken krulden tot een gemeen lachje. 'Zal ik je eens wat zeggen? Ik denk dat ik iets bedacht heb. En weet je wat nog meer? Je zult het geweldig vinden.'

31

'Dit is een echt wildreservaat, toch?' vroeg Jaeger. 'Ik bedoel, compleet met safaritochten, wildkijkhutten en noem maar op?'

Peter Miles knikte. 'Inderdaad. De Katavi Lodge is een vijfsterrenaccomodatie.'

'Oké, stel je hebt daar geboekt, maar je bent een beetje van het padje, loopt met je hoofd in de wolken. Op weg naar die lodge besluit je de Burning Angels Peak te beklimmen, gewoon omdat die er is. Het hoogste punt van de kraterrand ligt buiten de grenzen van het reservaat – de "shoot to kill"-zone – toch?'

'Ja, dat is zo,' bevestigde Miles.

'Dus je rijdt naar de lodge en ziet opeens die prachtige bergtop. Je hebt tijd over en je denkt: waarom niet? Het is een steile klim, maar als je op de top bent gekomen, zie je een rotswand die loodrecht afdaalt in een krater. En je ziet de opening van een grot: donker, geheimzinnig en verleidelijk. Je weet niet dat het verboden terrein is. Waarom zou je? Je besluit te abseilen om de boel te gaan verkennen. Zo gaan we de grotten in; dan hebben we in ieder geval een goede smoes.'

'Hoezo dan?' wilde Narov weten.

'Je loopt met je hoofd in de wolken, weet je nog. Dat is cruciaal. Dan ben je namelijk geen geharde soldaat als wij.' Jaeger schudde zijn hoofd. 'Een pasgetrouwd stel. Een rijk, welvarend echtpaar dat net getrouwd is – het soort mensen dat op huwelijksreis gaat naar vijfsterrenaccomodaties.' Jaeger keek van Narov naar James en weer terug. 'Dat zijn jullie. De heer en mevrouw Bert Groves met een goedgevulde portemonnee en een beetje van de wereld van verliefdheid.'

Narov staarde naar de kolossale, bebaarde gestalte van Joe James. 'Hij en ik? Waarom wij?'

'Jij, omdat wij geen van allen een safarilodge met een andere kerel delen,' antwoordde Jaeger. 'En James, omdat hij met een afgeschoren baard en geknipt haar perfect is.'

James glimlachte hoofdschuddend. 'En wat ga jij dan doen als de lieftallige Irina en ik de zonsondergang bewonderen?'

'Dan zit ik vlak achter jullie,' antwoordde Jaeger, 'met de wapens en de back-up.'

James krabde in zijn enorme baard. 'Een probleempje, afgezien van het afscheren van deze… Denk je dat ik met mijn handen van Irina kan afblijven? Ik bedoel, hoe graag ik ook…'

'Kop dicht, Osama bin Loser,' viel Irina hem in de rede. 'Ik kan heel goed voor mezelf zorgen.'

James haalde goedmoedig zijn schouders op. 'Maar serieus, er is wel een probleem. Kamishi, Alonzo en ik… We hebben cutane leishmaniasis opgelopen, een parasitaire huidinfectie, en mogen geen inspannende dingen doen. En ik vermoed dat dit inspannend wordt.'

James maakte geen grapje over de ziekte. Aan het eind van hun Amazone-expeditie hadden Alonzo, Kamishi en hij weken vastgezeten in het oerwoud. Tijdens hun ontsnapping door de vijandelijke linies waren ze levend opgegeten door zandvliegen: tropische vliegen ter grootte van een speldenknop. De vliegen hadden hun larven onder de huid van de mannen gelegd, zodat die zich tegoed konden doen aan levend vlees. De beten waren open, etterende zweren geworden. De enige behandeling was een reeks injecties met Pentostam, een zeer giftig middel. Na een injectie was het alsof er zuur door je aderen heen brandde. Pentostam was zo schadelijk dat het je hart en ademhalingssysteem kon verzwakken, vandaar het verbod op inspannende fysieke arbeid.

'Raff is er ook nog,' zei Jaeger.

James schudde zijn hoofd. 'Met alle respect, maar dit is niets voor Raff. Sorry hoor, maar dat haar en die tattoos… Daar trapt niemand in. En dus,' zei hij met een blik op Jaeger, 'blijf jij als enige over.'

Jaeger wierp een blik op Narov. Ze leek niet in het minst van haar stuk gebracht door dit voorstel. Dat verbaasde hem niet heel erg. Ze leek nauwelijks intuïtief aan te voelen hoe mensen, en dan met name mannen en vrouwen, al dan niet met elkaar moesten omgaan. 'Maar stel nou dat Kammlers mensen ons herkennen? We hebben redenen om aan te nemen dat ze in ieder geval van mij foto's hebben,' wierp hij tegen. Dat was de belangrijkste reden dat hij het zelf niet had voorgesteld.

'Twee opties,' zei Peter Miles. 'Maar laat ik eerst zeggen dat dit plan me wel bevalt. De extreme optie is plastische chirurgie. De iets minder extreme optie is jullie uiterlijk zo veel mogelijk veranderen zonder onder het mes te hoeven. Wat we ook kiezen, we beschikken over mensen die het kunnen.'

'Plastische chirurgie?' vroeg Jaeger vol ongeloof.

'Zo ongebruikelijk is dat niet. Juffrouw Narov heeft het al twee keer gedaan, telkens als wij vermoedden dat degenen achter wie ze aan zat, wisten hoe ze eruitzag. Sterker nog, de Geheime Jagers hebben wat dat betreft een lange geschiedenis.'

Jaeger hief zijn handen ten hemel. 'Oké, luister, kunnen we dit gewoon doen zonder een facelift?'

'Dat kan, en in dat geval word jij blond,' kondigde Miles aan. 'En voor de zekerheid wordt je vrouw een beeldschone brunette.'

'Wat dacht je van een vurige roodharige?' stelde James voor. 'Dat past veel beter bij haar temperament.'

'Rot toch op, Osama,' siste Narov.

'Nee, nee. Een blonde en een brunette.' Peter Miles glimlachte. 'Geloof me, dat is perfect.'

Nu dat in kannen en kruiken was, werd de briefing afgebroken. Ze waren allemaal moe. Jaeger werd vreemd ongedurig en geïrriteerd van dat opgesloten zitten zo diep onder de grond. Hij verlangde naar frisse lucht en wat zon op zijn gezicht. Maar hij moest nog één ding doen. Hij bleef een beetje dralen toen de ruimte leegliep en benaderde toen Miles, die zijn computerspullen stond in te pakken. 'Kunnen we even onder vier ogen praten?'

'Natuurlijk.' De oudere man keek om zich heen. 'We zijn volgens mij wel zo'n beetje alleen.'

'Ik vraag me af,' zei Jaeger, 'waarom je steeds zo'n nadruk legt op menselijke proefpersonen? Je lijkt te denken dat dat voor mij persoonlijk relevant is.'

'Ach, dat… Ik ben niet zo goed in het verbergen van dingen als ze me dwarszitten…' Miles zette zijn laptop weer aan. 'Ik zal je even iets laten zien.'

Hij klikte op een bestand en er verscheen een foto. Daarop stond een kaalgeschoren man in een zwart-wit gestreept kamppak, geleund tegen een eenvoudige betegelde muur. Zijn ogen waren dichtgeknepen, zijn voorhoofd hevig gefronst en zijn mond geopend in een stille schreeuw. Miles keek naar Jaeger. 'De gaskamer in Natzweiler. De nazi's legden hun gifgasexperimenten, net als veel andere zaken, tot in detail vast. Er zijn vierduizend van zulke foto's. Sommige zijn nog veel weerzinwekkender, met daarop vrouwen en kinderen met wie experimenten werden uitgevoerd.'

Jaeger had het misselijkmakende voorgevoel waar Miles naartoe wilde. 'Vertel het nou maar gewoon. Ik moet het weten.'

De oudere man trok wit weg. 'Ik vind het verschrikkelijk om dit te zeggen. En vergeet niet dat dit slechts vermoedens zijn… Maar volgens mij heeft Hank Kammler jouw vrouw en kind gepakt. Hij houdt hen vast. Hij – of zijn mensen – heeft je bewijs gestuurd dat ze nog in leven zijn, of nog niet zo lang geleden in ieder geval waren.'

Een paar weken geleden had Jaeger een e-mail gekregen met een bijlage. Toen hij die opende, zag hij een knielende Ruth en Luke met de voorpagina van een krant: het bewijs dat ze op die datum nog leefden. Dat hoorde allemaal bij de poging Jaeger te folteren en te breken.

'Hij houdt hen ergens vast en uiteindelijk zal hij zijn Gottvirus willen testen op levende mensen om onomstotelijk te bewijzen...' Miles stokte. Zijn ogen stonden dof van ellende. Hij maakte zijn zin niet af, maar dat hoefde voor Jaeger ook niet. Hij keek Jaeger onderzoekend aan. 'Nogmaals mijn verontschuldigingen voor het feit dat wij het nodig vonden je op de proef te stellen.'

Jaeger gaf geen antwoord. Dat was wel het laatste waar hij nu aan dacht.

32

Jaeger zette zich af met zijn schoenen en dwong zijn lichaam de ruimte in; de zwaartekracht mocht de rest doen. Het touw suisde door het zekeringsapparaat, terwijl hij in een abseil omlaag schoot en de bodem van de krater met de seconde dichterbij kwam.

Zo'n vijftien meter onder hem hing Narov aan haar klimspullen: een D-vormige karabijnhaak die was vastgeklikt aan een wigvormig stuk metaal dat in een passende spleet in de rotswand was geramd en waaraan een sterke stalen lus was bevestigd. Goed gezekerd wachtte ze tot Jaeger bij haar was, waarna ze aan het volgende deel van de afdaling zou beginnen.

De achthonderd meter bijna loodrechte rotswand die de binnenkant van de Burning Angels-krater vormde, vereiste een stuk of veertien afzonderlijke abseils aan een stuk touw van zestig meter; zo'n beetje de maximale lengte die je bij je kon dragen.

Zo'n drie etmalen eerder was Jaeger met stomheid geslagen geweest. Het verhaal van Peter Miles had weinig aan de verbeelding overgelaten. Het ging niet meer alleen om Ruth en Luke. Het was heel goed mogelijk dat het voortbestaan van de gehele mensheid op het spel stond.

Narov en hij waren als een echtpaar op huwelijksreis clubclass rechtstreeks naar de belangrijkste internationale luchthaven hier gevlogen, waarna ze een fourwheeldrive hadden gehuurd en in westelijke richting door de zonovergoten Afrikaanse bush waren gereden. Na een rit van achttien uur waren ze aangekomen bij de Burning Angels Peak, hadden hun auto vergrendeld en waren begonnen aan hun heroïsche klimtocht.

Jaegers schoenen maakten weer contact en hij zette zich hard af van de rotswand. Maar terwijl hij dat deed, braken grote stukken steen af en stortten naar beneden... naar de plek waar Narov hing.

'Stenen!' schreeuwde Jaeger. 'Kijk uit!'

Narov had geen tijd om omhoog te kijken. Jaeger zag dat ze in plaats daarvan met haar blote vingers de wand vastgreep en zich met moeite tegen het zondoorbakken gesteente platdrukte. Ze zag er in die gigantische krater op de een of andere manier klein en kwetsbaar uit en Jaeger hield zijn adem in toen de minilawine omlaag denderde.

Op het laatste moment kaatsten de keien tegen de smalle rand vlak boven haar, waardoor ze afbogen en haar op een paar centimeter misten. Eén steen op haar hoofd en haar schedel was opengespleten; vanuit hier had Jaeger haar nooit snel in een ziekenhuis kunnen krijgen.

Hij liet het laatste stuk touw door zijn vingers suizen en kwam naast haar tot stilstand.

Ze wierp hem een blik toe. 'Er is hier genoeg wat ons dood wil hebben, dus daar heb ik jou niet voor nodig.'

Ze leek niets te mankeren. Was niet eens geschrokken. Jaeger klikte zich vast en gaf het touw aan haar. 'Jij bent. O, en kijk uit met die stenen. Sommige zitten een beetje los.' Hij wist maar al te goed dat Narov niet goed overweg kon met zijn jennende humor. Doorgaans probeerde ze hem te negeren, waardoor het allemaal nog veel grappiger werd.

Ze fronste. '*Schwachkopf.*'

In de Amazone was hij erachter gekomen dat ze dol was op dat Duitse scheldwoord. Hij nam aan dat ze dat had opgepikt tijdens haar werk bij de Geheime Jagers.

Terwijl Narov zich voorbereidde, tuurde Jaeger naar het westen over de dampende krater. Daar zag hij een massieve, boogvormige ingang in de kraterwand. Daardoor kon het meer ten westen daarvan naar binnen stromen tijdens hevige regen en het vloedwaterpeil in de krater verhogen. En dat maakte deze plek zo levensgevaarlijk.

Het Tanganyikameer, het grootste zoetwatermeer ter wereld, strekte zich van hier honderden kilometers uit naar het noorden. Door de geïsoleerde ligging en de hoge ouderdom – het meer was zo'n twintig miljoen jaar oud – had zich een uniek ecosysteem kunnen ontwikkelen. Tot de bewoners behoorden gigantische krokodillen, enorme krabben en kolossale nijlpaarden. De weelderige bossen langs het meer huisvestten kuddes wilde olifanten. En met de komst van de regen werd een groot deel van die levende have de krater van Burning Angels in gespoeld.

Tussen Jaeger en die imposante boogpoort lag een van de grootste waterpoelen van de caldera. Vanwege de weelderige vegetatie in de krater kon hij die amper zien, maar hij kon hem wel degelijk horen. Het gesnuif en geknor van de nijlpaarden droeg ver in de warme, vochtige lucht. Er had zich daar een kudde van zo'n honderd dieren verzameld die de waterpoel het modderbad der modderbaden maakten. Ondertussen brandde de meedogenloze Afrikaanse zon en begon de waterpoel te krimpen, waardoor de kolossale beesten naar elkaar toe gedwongen werden en gepikeerd raakten.

Er was geen twijfel over mogelijk: daar moesten ze met een zo groot mogelijke boog omheen. Een ook de stroompjes die de modderpoelen verbonden, dienden vermeden te worden. Die herbergden krokodillen en die ene ontmoeting van Narov en Jaeger met zo'n moordlustig reptiel in de Amazone was meer dan genoeg geweest. Ze zouden zich zo veel mogelijk moeten beperken tot droge grond. Maar zelfs daar loerde gevaar.

33

Twintig minuten na het aanzwengelen van de steenlawine dreunden Jaegers onverwoestbare Salewa-schoenen op de vruchtbare, zwarte vulkanische kraterbodem. Hij wipte nog een paar keer op en neer aan het touw, maar stond toen met beide benen op de grond.

Strikt genomen hadden ze beter een statisch touw kunnen gebruiken; een touw zonder enige elasticiteit. Maar als je per ongeluk valt, kun je beter een elastisch touw hebben dat je val breekt, net zoals bij bungeejumpen. Een val is echter nog steeds een val, en die doet pijn.

Jaeger maakte zichzelf los, trok het touw uit het laatste abseilpunt boven zich en liet het naast zich op de grond vallen. Vervolgens rolde hij het op en slingerde het over zijn schouder. Hij nam even de tijd om een koers te bepalen. Het terrein dat voor hem lag leek haast buitenaards en verschilde enorm van de klim hiernaartoe.

Toen Narov en hij de berg hadden beklommen, was de grond opmerkelijk rul en verraderlijk gebleken. Door seizoensgebonden hevige regenval was die uitgespoeld tot een rasterwerk van diepe geulen. De klim naar de top was een taai, desoriënterend geploeter in de brandende zon geweest. Op tal van plekken hadden ze gezwoegd in de schaduw van een ravijn, zonder zicht en middelen om te navigeren. Het was bijna onmogelijk geweest om houvast te vinden op het droge, korrelige oppervlak en bij elke stap gleden ze weer een stukje terug.

Jaeger werd echter door één gedachte voortgedreven: Ruth en Luke, die gevangenzaten in de grotten onder hem en wie het afschuwelijke lot boven het hoofd hing dat Peter Miles had laten doorschemeren. Dat gesprek was nog maar een paar dagen oud en dat beeld – dat afschrikwekkende spookbeeld – stond op Jaegers netvlies gebrand. Als er ergens onder deze berg een verborgen laboratorium voor biologische oorlogsvoering zat – met Jaegers gezinsleden daarin opgesloten voor de laatste test – zou er een aanval van Jaegers complete team nodig zijn om dat te neutraliseren.

De huidige missie was een poging om op welke manier dan ook te bewijzen dat dat inderdaad zo was. Voorlopig was de rest van het team – Raff, James, Kamishi, Alonzo en Dale – achtergebleven in Falkenhagen om voorbereidingen te treffen. Ze bekeken de opties voor de komende aanval en verzamelden de wapens en andere spullen die daarbij nodig waren.

Jaeger werd gedreven door het brandende verlangen zijn dierbaren te vinden en Kammler tegen te houden, maar tegelijkertijd wist hij hoe belangrijk het was om je gedegen voor te bereiden op wat er komen ging. Als ze dat niet deden, zouden ze de eerste slag verliezen, voordat ze ook maar enige kans maakten om deze oorlog te winnen.

Tijdens zijn diensttijd was een van zijn favoriete spreuken die met de vijf P's geweest: *Proper Planning Prevents Poor Performance*. Simpel gezegd: voorkomen is beter dan genezen. Het team in Falkenhagen was druk bezig om ervoor te zorgen dat als ze Kammlers lab vonden, ze volledig voorbereid zouden zijn en niet konden falen.

Jaeger zelf had zich dubbel opgelucht gevoeld toen ze de avond ervoor het hoogste punt van de kraterrand hadden bereikt. Eén stap dichterbij. Eén stap dichter bij de schimmige waarheid. Links en rechts van hem strekte de rafelige rand zich uit. Ooit had hier magma gestroomd en hadden er vuurrode vlammen gewoed, maar nu was het een ruwe, grijze, scherpe scheidslijn met een door de zon geblakerd en winderig profiel.

Ze hadden er hun kamp opgeslagen – of eigenlijk op een stenen richel een paar meter onder de rand. Die harde, kille, ongastvrije plek hadden ze alleen kunnen bereiken door ernaar te abseilen, wat betekende dat ze gevrijwaard waren van aanvallen van wilde dieren. En die waren hier in overvloed, in het hol van Hank Kammler. Afgezien van voor de hand liggende roofdieren als leeuwen, luipaarden en hyena's, had je de imposante kafferbuffel en natuurlijk de nijlpaarden, die jaarlijks meer mensen doodden dan welke carnivoor ook. Het oersterke en voor zijn omvang verrassend snelle nijlpaard beschermde zijn jongen fanatiek en was het op één na gevaarlijkste dier in Afrika. En door de slinkende hoeveelheid water in het Katavimeer zaten ze nu hutjemutje te stressen.

Als je te veel ratten in een kooi stopte, gingen die uiteindelijk elkaar opvreten. Als je te veel nijlpaarden in een waterpoel zette, kreeg je uiteindelijk de ultieme strijd der zwaargewichten. En als je daar als mens per ongeluk middenin belandde, eindigde je als bloederige brij onder de poten van razende nijlpaarden.

Jaeger was op de richel wakker geworden met een adembenemend uitzicht: de hele bodem van de caldera was bedekt met een zee van pluizige witte wolken. Verlicht door een roze ochtendzon hadden die haast sterk genoeg geleken om er zo op te stappen en van de ene kant van de krater naar de andere te lopen. De laaghangende mist werd veroorzaakt door de weelderige begroeiing waarmee de krater voor een groot deel bekleed was. En nu hij zich te midden daarvan bevond, benamen het uitzicht, plus de geuren en geluiden, Jaeger de adem.

Nu het touw was opgerold, konden Jaeger en Narov op weg. Maar hun komst had alle alarmbellen al aan het rinkelen gebracht. Een zwerm flamingo's steeg op van een nabijgelegen meer, als een groot, roze vliegend tapijt. Hun nasale gegak weerkaatste tegen de kraterwanden. Het was een imposant gezicht; er moesten hier wel duizenden vogelsoorten zijn, die allemaal werden aangetrokken door het mineraalrijke vulkaanwater.

Hier en daar zag Jaeger een geiser stomend water hoog de lucht in spuwen. Hij namen even de tijd om de koers te bepalen en gebaarde toen naar Narov dat ze hem moest volgen. Ze trokken door het buitenaardse landschap en wezen elkaar af en toe de richting die ze moesten nemen. Instinctief begrepen ze elkaars stilzwijgen. Het leek wel of de wereld hier had stilgestaan; je kreeg bijna het gevoel dat hier eigenlijk geen mensen mochten komen. Vandaar hun wens om er doodstil doorheen te sluipen, onzichtbaar voor alles wat hen als prooi zou kunnen zien.

34

Jaegers schoenen braken door een korst opgedroogde modder. Hij bleef staan voor de waterpoel. Die was ondiep – te ondiep voor krokodillen – en glashelder. Het zag er drinkbaar uit en door het lopen onder de brandende zon voelde zijn keel als schuurpapier. Maar toen hij er snel een vingertop indompelde en daar met zijn tong langs streek, werd zijn vermoeden bevestigd: dit water was dodelijk. Omdat het van diep onder de grond kwam, waar het door het magma bijna tot het kookpunt was verhit, voelde het nog steeds warm aan. Maar het was vooral zó zout dat hij er bijna van ging kokhalzen.

Verspreid over de bodem van de krater lagen nog meer van zulke stomende vulkanische bronnen waaruit giftige gassen opborrelden. Op plekken waar de zon het zoute water had verdampt, was het tot een dunne laag zout gekristalliseerd, waardoor de bizarre indruk werd gewekt dat de grond hier, zo dicht bij de evenaar, bevroren was.

Jaeger wierp een blik op Narov. 'Zout,' fluisterde hij. 'Niet te drinken, maar in de grotten moet meer dan genoeg water zijn.' Het was verzengend heet. Ze moesten blijven drinken.

Ze knikte. 'Laten we verdergaan.'

Toen Jaeger in de warme, zilte poel stapte, kraakte de witte korst onder zijn modderschoenen. Voor hen lag een groepje baobabs, de lievelingsbomen van Jaeger. Hun massieve stammen waren zilvergrijs en glad, en deden hem denken aan de flanken van een imposante olifant.

Hij liep eropaf en passeerde er een met een stam die zo dik was dat hij er met zijn volledige team in een kring omheen paste. Vanuit die massieve basis liep de boom bol en statig uit in een borstelige bladerkroon.

Een paar jaar geleden had Jaeger voor het eerst een baobab gezien, en wel op een zeer gedenkwaardige wijze. Op weg naar de safari die hij met Ruth en Luke zou maken, hadden ze een bezoek gebracht aan de Sunland Big Baobab in de Zuid-Afrikaanse provincie Limpopo, die beroemd was vanwege zijn stamomtrek van zevenenveertig meter en hoge ouderdom.

Als baobabs een paar honderd jaar oud zijn, hollen ze van nature uit. De binnenkant van de Sunland Baobab was zo groot dat er een café in gebouwd was. Jaeger, Ruth en Luke hadden daar koude kokosmelk met een rietje gedronken en het gevoel gehad dat ze een hobbitgezin waren. Jaeger was toen als Gollem achter Luke aan gegaan, terwijl hij met schorre stem almaar *my precious* zei. Ruth had Luke zelfs haar trouwring geleend om het geheel nog authentieker te maken. Het was betoverend en hilarisch geweest, en – achteraf gezien – hartverscheurend.

En nu stond hier een bosje baobabs de wacht te houden voor de donkere, gapende muil van Kammlers hol: zijn koninkrijk in de berg. Jaeger geloofde in voortekenen: de baobabs stonden hier niet zomaar. Ze zeiden tegen hem dat hij op het juiste spoor was.

Hij knielde voor een stuk of tien vruchten die van de boom waren gevallen. Ze waren zachtgeel en leken op de modderige bodem wel dinosauruseieren. 'De baobab wordt hier ook wel de omgekeerde boom genoemd,' fluisterde hij tegen Narov. 'Het is alsof hij door een reuzenvuist uit de grond is getrokken en andersom is teruggezet.' Hij wist dat uit de tijd dat hij als soldaat in Afrika had doorgebracht; in die tijd had hij ook iets opgepikt van de lokale taal. 'De vrucht is rijk aan antioxidanten, vitamine C, kalium en calcium. Het is de meest voedzame vrucht op aarde.'

Hij stopte verschillende vruchten in zijn rugzak en drong er bij Narov op aan dat ook te doen. Ze hadden weliswaar rantsoenen meegenomen, maar in het leger had hij geleerd om de kans op vers voedsel altijd aan te grijpen, als tegenhanger van het gedroogde spul dat ze bij zich hadden. Dat was geweldig qua duurzaamheid en gewicht, maar niet om de ingewanden op gang te houden.

Opeens hoorde hij een scherp gekraak in het bosje baobabs. Jaeger keek om zich heen. Narov was al net zo alert; haar ogen doorzochten het kreupelhout en ze stak haar neus in de lucht. Daar hoorden ze het weer. Het leek uit een groepje stinkhoutbomen te komen, die zo werden genoemd vanwege de stank die vrijkwam als er in de stam of een tak gehakt werd. Jaeger herkende het geluid nu: een kudde olifanten die al lopende boomschors afscheurde en de sappigste, meest bladerrijke takken afrukte.

Hij had wel verwacht dat ze hier olifanten zouden tegenkomen. De grotten waren in de loop der jaren enorm uitgehold door de kuddes. Niemand wist zeker of het de koele schaduw of het zout was dat de dieren oorspronkelijk naar de grotten had geleid. Hoe dan ook, ze hadden er een gewoonte van gemaakt om soms dagen aaneen ondergronds door te brengen. Staand slapen werd afgewisseld met het uithollen van de wanden van de grot, waarbij ze hun enorme slagtanden als breekijzers gebruikten. Dan stopten ze het afgebroken gesteente met hun slurf in hun bek en vermaalden dat tussen hun tanden, waardoor het zout vrijkwam dat was opgeslagen in het eeuwenoude sediment.

Jaeger vermoedde dat de kudde nu ook op weg was naar de ingang van de grot, en dat betekende dat Narov en hij moesten voortmaken om daar eerder te zijn.

Ze keken elkaar aan. 'Kom, we gaan.'

Ze renden een laatste stukje gras over dat in de schaduw van de kraterwand groeide en stopten op een donkere plek. De rotswand doemde dreigend voor hen op; de gapende grotingang was ruim twintig meter breed. Even later schoten ze, met de kudde olifanten op de hielen, de grot in.

Jaeger nam even de tijd om om zich heen te kijken. De beste plek voor bewegingsmelders was de vernauwing in de grotopening, maar die zouden zonder camera's nauwelijks nut hebben. Er bestonden tal van zulke apparaten, maar de eenvoudigste hadden zo'n beetje de vorm en de grootte van een hagelpatroon. De sets die ze in het Britse leger gebruikten, hadden acht sensoren plus een draagbare zender/ontvanger, die eruitzag als een kleine radio. De sensoren werden vlak onder de grond begraven en zouden elke seismische activiteit binnen een straal van twintig meter bespeuren, waarna ze een bericht doorstuurden naar de ontvanger.

Voor een ingang van ruim twintig meter breed zou je genoeg hebben aan een set van acht sensoren. Maar gezien de hoeveelheid wilde dieren die hier in- en uitliep, zou iemand die deze plek in de gaten hield een videocamera en bijbehorende stroomvoorziening nodig hebben om te controleren of de beweging werd veroorzaakt door een vijandelijke indringer, dan wel een kudde op zout beluste olifanten. Onder de grond zouden die sensoren nagenoeg onvindbaar zijn, dus richtte Jaeger zich op verborgen camera's en bijbehorende antennes of kabels. Hij kon zo gauw niets vinden, maar dat zei niets. In zijn diensttijd was hij beveiligingscamera's vermomd als rotsen en hondendrollen tegengekomen, om maar eens wat te noemen.

Narov en hij gingen verder; het voorportaal van de grot leek een gigantisch kathedraalachtig bouwsel. Ze bevonden zich nu in het schemergebied, de laatste vegen grijs voordat de duisternis zich onafgebroken zou uitstrekken tot in de krochten van de berg. Ze haalden hun Petzl-hoofdlampen tevoorschijn. Het had geen zin om hier nachtkijkers te gebruiken, want die hadden omgevingslicht van de maan of de sterren nodig om te kunnen functioneren. Waar zij naartoe gingen, zou helemaal geen licht zijn. Alleen duisternis.

Ze hadden infraroodapparatuur mee kunnen nemen, maar die was zwaar en log, en ze moesten snel en zo licht mogelijk kunnen opereren. Bovendien wilden ze, als ze gepakt werden, niet iets bij zich hebben wat afbreuk zou doen aan hun vermomming van avontuurlijke toeristen.

Jaeger trok zijn Petzl over zijn hoofd en draaide met zijn gehandschoende hand aan de glazen lens. Een blauwachtig licht uit de dubbele xenonlampen speelde als een lasershow door de spelonkachtige ruimte en bleef hangen op een dikke laag van iets wat leek op droge mest. Hij bukte om het beter te kunnen bekijken.

De hele bodem van de grot was bedekt met olifantenuitwerpselen, doorspekt met uitgekauwde stukken steen. Het getuigde van de pure brute kracht van de dieren. Zij bezaten de macht om de wanden van de grot te vermorzelen en tot stof te vermalen.

De kudde denderde nu achter hen naar binnen. Vluchten kon niet meer.

35

Jaeger stak zijn hand naar achteren en klopte op zijn broekriem om te controleren of de hoekige bobbel daar nog zat.

Ze hadden er lang en breed over gediscussieerd of ze gewapend naar binnen moesten gaan en zo ja, met wat. Aan de ene kant paste het dragen van wapens nou niet bepaald bij een stel op huwelijksreis, maar aan de andere kant zou het abseilen naar een plek als deze zonder enige vorm van bescherming potentiële zelfmoord zijn. Hoe langer ze erover gepraat hadden, hoe meer ze tot de conclusie waren gekomen dat het gewoon raar zou zijn om helemaal geen wapens mee te nemen. Dit was tenslotte de van bloed doordrenkte Afrikaanse wildernis. Niemand waagde zich in een dergelijk gebied zonder middelen om zichzelf te beschermen. Uiteindelijk hadden ze besloten ieder een P228 mee te nemen, plus wat magazijnen. Geen dempers, natuurlijk, want die waren voorbehouden aan professionele killers.

Gerustgesteld dat zijn pistool tijdens die lange tocht op zijn plek was blijven zitten, wierp Jaeger een blik op Narov. Ook zij had gekeken of haar wapen er nog zat. Hoewel het de bedoeling was dat ze zich gedroegen als een pasgetrouwd stel, was het moeilijk om van vastgeroeste gewoonten af te komen. De drills waren er in de loop der jaren meedogenloos in gehamerd en ze konden echt niet opeens stoppen met elitestrijders zijn.

Jaeger was zeven jaar geleden vertrokken uit het leger. Dat had hij deels gedaan om een reisbureau genaamd Enduro Adventures op te richten, een zaak die hij min of meer in de steek had gelaten toen Luke en Ruth waren verdwenen. Dat had op zijn beurt geleid tot de huidige missie; om zijn gezin en zijn leven terug te krijgen.

Het werd nog donkerder en er galmde een laag, schor gesnuif door de omsloten ruimte. De olifanten drongen achter hen de grot binnen. Dat was het zetje dat Jaeger en Narov nodig hadden om in beweging te komen.

Jaeger gaf Narov het teken hem na te doen, bukte zich, pakte een handvol olifantenmest en wreef die over de pijpen van zijn lange broek. Vervolgens smeerde hij het uit over zijn t-shirt, het onbedekte deel van zijn armen, hals en benen. Toen tilde hij zijn shirt op en smeerde zijn buik en rug ermee in. Het laatste restje wreef hij door zijn onlangs blond geverfde haar.

De mest rook in de verte naar verschaalde urine en gefermenteerde bladeren, maar dat was het wel zo'n beetje. Voor een olifant – die zijn omgeving hoofdzakelijk definieerde aan de hand van zijn reukvermogen – zou Jaeger waarschijnlijk gewoon een doorsnee dikhuid lijken, een soortgenoot. Dat hoopte hij tenminste.

Jaeger had dit trucje geleerd op de hellingen van de Kilimanjaro, de hoogste berg van Afrika. Hij was daar op survivaltraining geweest met een legendarische man uit het Regiment, die had uitgelegd dat je door een kudde kafferbuffels kon lopen als je je eerst van top tot teen door verse buffelstront rolde. Hij had dat onomstotelijk bewezen door alle mannen in de groep, inclusief Jaeger, precies dat te laten doen.

Olifanten konden, net als kafferbuffels, van veraf niet goed zien. Het licht van de hoofdlampen van Jaeger en Narov zou hen waarschijnlijk niet deren. Voedsel, roofdieren, wijkplaatsen en gevaar bespeurden ze met hun neusgaten, die zich aan het eind van hun slurf bevonden. Het reukvermogen van olifanten was zo goed ontwikkeld dat ze een waterbron tot op negentien kilometer konden lokaliseren.

Ook beschikten ze over een scherp gehoor; ze pikten veel meer op dan het menselijk oor. Kortom, als Jaeger en Narov de geur van een olifant overnamen en zich zo stil mogelijk hielden, kwam de kudde er misschien niet eens achter dat ze hier waren.

Ze liepen verder over een platte, dikke plak opgedroogde mest. Hier en daar waren de oude uitwerpselen besmeurd met donkergroene vlekken, alsof iemand met verf had staan smijten in de grot. Jaeger vermoedde dat het vleermuizenmest was.

Hij keek omhoog, waardoor de twee lichtstralen op zijn hoofd over het hoge plafond streken. En ja hoor, daar hingen zwermen skeletachtige zwarte gestalten op hun kop. Vleermuizen. Vleerhonden, om precies te zijn. Duizenden en duizenden. Vastgeklauwd aan het plafond en met hun benige vleugels als een mantel om zich heen geslagen. Groen slijm – de verteerde vruchten die ze hadden gegeten – besmeurde de wanden. Lekker dan, zei Jaeger tegen zichzelf. Ze gingen dus een grot binnen die van boven tot onder onder de stront zat.

In het schijnsel van Jaegers hoofdlamp schoten twee oranje ogen open: een wakker geworden vleerhond. Naast hem werden ook andere gestoord in hun rust, en er ging een golf van irritatie door de ondersteboven hangende dieren.

In tegenstelling tot de meeste vleermuizen, gebruiken vleerhonden – ook wel vliegende honden genoemd – geen echolocatie, omdat ze niet op jacht hoeven. In plaats daarvan hebben ze relatief grote, bolvormige ogen, waarmee ze in het schemerlicht van het grottenstelsel hun weg kunnen vinden. Vandaar dat ze aangetrokken worden tot licht.

De eerste vleerhond stortte zich naar beneden; hij zag Jaegers lichtstraal ongetwijfeld aan voor een straal zonlicht die door de ingang van de grot naar binnen viel. Daarna stortte ook de rest zich op hem neer.

36

Bam! Bam! Bam! Bam! Jaeger voelde de eerste vleerhonden tegen zijn hoofd knallen. Het plafond was meer dan dertig meter hoog en van die afstand hadden de beesten minuscuul geleken. Van dichtbij waren het echter monsters.

Ze hadden een spanwijdte tot bijna twee meter en wogen wel een kilo. Als zo'n gewicht met hoge snelheid tegen je aan knalde, deed dat pijn. Met hun uitpuilende, angstaanjagende ogen en glimmende rijen tandjes in smalle, knoestige schedels zagen ze er demonisch uit.

Jaeger werd tegen de grond geslagen, terwijl er nog meer spookverschijningen uit de hoogte neerdaalden. Hij bracht zijn hand naar zijn hoofd om dat te beschermen én de lamp uit te zetten. Zodra het licht gedoofd was, vlogen de vleerhonden naar het zonlicht dat door de ingang de grot in sijpelde. Een grote mannetjesolifant die de kudde leidde, trompetterde en wapperde boos met zijn oren toen ze als een grote donkere onweerswolk langs hem heen schoten. Hij was duidelijk net zo gecharmeerd van de vliegende honden als Jaeger.

'*Megachiroptera*,' fluisterde Narov.

Jaeger schudde walgend zijn hoofd. 'Absoluut niet mijn lievelingsdier!'

Narov lachte zacht. 'Ze vertrouwen op hun gezichtsvermogen en neus om voedsel te vinden. Normaal gesproken zijn dat vruchten. Vandaag dachten ze blijkbaar dat jij dat was.' Ze snoof demonstratief. 'Hoewel me dat verbaast, want je stinkt een uur in de wind, Blondie.'

'Ha, ha,' mokte Jaeger. 'Nee, jíj ruikt lekker.'

Blondie. Die bijnaam was onvermijdelijk. Zelfs zijn wenkbrauwen en wimpers waren lichtblond geverfd en het had hem verbaasd hoe anders hij er daardoor uit was gaan zien. Het was een verbazingwekkend effectieve vermomming.

Ze veegden het vuil van zich af en gingen zwijgend verder. Boven hen stierf het laatste spookachtige gefluister van de vleerhonden weg. Het enige andere geluid kwam nu van achteren: het gestage gedreun van een honderdtal naar binnen lopende olifanten dat de grond liet trillen.

Aan een kant van de spelonk was een donker, sloom voortkabbelend beekje. Ze klommen over een reeks richels, waardoor ze een paar meter boven dat stroompje uitkwamen. Daarna beklommen ze een heuvel en zagen een verbijsterend tafereel voor zich.

Het beekje kwam uit in een enorme watervlakte; een groot meer onder de berg. De straal van Jaegers lamp kwam niet eens aan de overkant ervan. Maar nog wonderbaarlijker waren de bizarre formaties die oprezen uit het water; het leek wel een stilgezet beeld van een tekenfilm.

Jaeger staarde er met open ogen naar en besefte toen pas wat dit was: een versteend oerwoud. Rafelige skeletachtige figuren van gigantische palmbomen die in bizarre hoeken uit het water staken werden afgewisseld met een aaneengesloten rij boomstammen als de pilaren van een Romeinse tempel. Dit moest ooit een weelderig begroeid prehistorisch bos zijn geweest dat na een vulkaanuitbarsting was begraven onder de as en in de loop van duizenden jaren versteend. Zo hadden zich de meest fantastische mineralen gevormd. Een schitterend roodachtig opaal met fluorescerende blauwe en groene strepen. Malachiet, een edelsteen met adembenemende, kopergroene kronkels, en gladde, glinsterende, inktzwarte vuursteen.

Jaeger had in zijn diensttijd veel van de wereld gezien en de meest afgelegen plekken bezocht die de planeet te bieden had, maar toch kon de natuur hem nog altijd verbazen en onthutsen, hoewel dat zelden meer gebeurde zoals nu. Hier, op deze plek waar hij verwacht had alleen maar duisternis en rottigheid tegen te komen, waren ze tegen een pracht en praal aan gelopen die het verstand te boven ging. Hij wendde zich tot Narov. 'Laat ik je nooit horen klagen over de plek van onze huwelijksreis.'

Ze kon niet anders dan daarom lachen.

Het meer moest bijna driehonderd meter breed zijn en naar de lengte ervan kon je slechts gissen. Langs de zuidelijke oever liep een richel; dat was duidelijk de route die ze zouden moeten volgen.

Terwijl ze verdergingen, schoot Jaeger opeens iets te binnen. Als ergens daar verderop Kammlers afschuwelijke 'moordlaboratorium' lag, was daar vanaf deze kant weinig van te zien. Sterker nog, er was hier geen enkel teken van menselijke aanwezigheid. Geen voetafdrukken. Geen paden die door mensen waren gebruikt. Geen enkel teken dat erop wees dat hier voertuigen waren gepasseerd. Maar het grottenstelsel was duidelijk gigantisch, dus er waren vast andere ingangen, andere door water uitgesleten gangen die leidden naar andere spelonken.

Door de richel werden ze gedwongen dicht langs de wand van de grot te lopen. Die glinsterde verleidelijk. Het gesteente was doorspekt met kwartskristallen die blauwwit gloeiden in het lamplicht. De randen ervan waren scherp als scheermesjes. Spinnen hadden er webben tussen gesponnen, waardoor de hele wand bedekt leek met een dunne laag witte zijde.

De webben barstten van de dode dieren. Dikke zwarte motten, gigantische vlinders in schitterende kleuren, oranjegeel gestreepte hoornaars ter grootte van een pink; allemaal verstrikt en gemummificeerd in de draden. Overal waar Jaeger keek, zag hij spinnen aan een feestmaal.

Water betekende leven, hield Jaeger zichzelf voor. Het meer trok vast allerlei soorten beesten. Hier lagen de jagers – de spinnen – geduldig op de loer om toe te slaan. En dat gold ook voor veel andere roofdieren. Die gedachte hield hij vast, terwijl ze verder de grot in gingen.

37

Jaeger verdubbelde zijn waakzaamheid. Hij had niet verwacht dat er zo diep in de grot van Burning Angels zo veel dieren waren.

Naast de fonkelende kristallen en glanzende webben was er nog iets anders, wat in rare hoeken uit de wanden naar voren stak. Het waren de versteende botten van dieren die dit prehistorische – en nu gefossiliseerde – oerwoud hadden bewoond: gigantische bepantserde krokodillen, kolossale beesten die de eeuwenoude voorouders van olifanten waren geweest, plus de zwaarwichtige voorganger van het nijlpaard.

De richel werd smaller: Jaeger en Narov moesten nu bijna tegen de wand aan lopen. Opeens stuitten ze op een smalle spleet tussen de richel en de wand. Jaeger keek erin. Er zát daar iets…

Hij boog zich er verder naartoe. De warrige, beknelde geelbruine massa leek op het vlees en de botten van iets wat ooit geleefd had. De huid was gemummificeerd tot een soort leer.

Jaeger voelde Narov achter zijn schouder. 'Olifantenjong,' fluisterde ze, terwijl ze in de spleet tuurde. 'Ze gebruiken de punt van hun slurf om op de tast hun weg te vinden in het donker en kunnen dus per ongeluk in zo'n spleet vallen.'

'Jawel, maar zie je die littekens?' Jaeger richtte zijn lamp op een bot dat er zwaargehavend uitzag. 'Dat is door iets anders gedaan. Iets groots en sterks. Een of andere vleeseter.'

Narov knikte. Ergens in deze grot zaten vleeseters. Even scheen ze met haar lamp over het meer achter hen. 'Kijk,' fluisterde ze. 'Ze komen eraan.'

Jaeger wierp een blik over zijn schouder. De rij olifanten liep het water in. Naarmate het meer dieper werd, verdwenen de kleinste dieren onder water. Die staken hun slurf boven water uit en gebruikten hem als een snorkel.

Narov draaide zich om en bekeek het pad dat Jaeger en zij hadden gevolgd. Kleine grijze gestalten haastten zich daarop vooruit. De jongste leden van de kudde. Zij waren te klein om door het water te waden en moesten de langere omweg nemen. 'We moeten opschieten,' fluisterde ze aandringend.

Ze zetten het op een lopen.

Ze waren nog maar een klein stukje verder toen Jaeger het hoorde. Een laag, spookachtig geluid verbrak de stilte: het was een kruising tussen het gegrom van een hond, het geloei van een stier en de alarmkreet van een aap. De echo van een antwoord bezorgde Jaeger de koude rillingen. Als hij een dergelijke kreet niet eerder had gehoord, zou hij ervan overtuigd zijn geweest dat het spookte in de grot. Maar nu herkende hij het: verderop waren hyena's op het pad; dieren die Jaeger goed had leren kennen.

Een hyena lijkt nog het meest op een soort kruising tussen een luipaard en een wolf. De grootste exemplaren kunnen zwaarder zijn dan een volwassen man. Hun kaken zijn zo sterk dat ze de botten van hun prooi kunnen verbrijzelen en opeten. Normaal gesproken pakken ze alleen de zwakke dieren, de zieke en de oude. Maar als ze in een hoek gedreven worden, kunnen ze zo gevaarlijk zijn als een stel leeuwen. Misschien nog wel gevaarlijker.

Jaeger twijfelde er niet aan dat er een roedel hyena's op de loer lag om de jongste olifantjes in een hinderlaag te lokken. Als om zijn vrees te bevestigen, gaf achter hen een mannetjesolifant een uitdagend antwoord op de akelige oproep van de hyena's; zijn getrompetter rolde als een onweersdonder door het grottenstelsel. Hij zwaaide zijn kop in de richting van het dreigement en wapperde met zijn gigantische oren.

De aanvoerder van de kudde veranderde met twee andere mannetjes van koers. Terwijl de kudde verder door het water ploegde, schoten de drie bullen in de richting van de richel, waar het gejank van de hyena's vandaan was gekomen.

Jaeger onderschatte het gevaar niet. De olifanten hadden het gemunt op een roedel hyena's en Narov en hij zaten ertussenin. Elke seconde telde. Er was geen tijd om een alternatieve route om de hyena's heen te zoeken en geen tijd om te weifelen, hoe graag hij ook dat wat ze nu gingen doen zou ontwijken. Hij stak zijn hand naar achteren en haalde zijn P228 tevoorschijn. Toen keek hij naar Narov. Zij had haar pistool al in haar hand. 'Door de kop!' siste hij, terwijl ze het op een rennen zetten. 'Door de kop. Een gewonde hyena is levensgevaarlijk…'

Het licht van hun lampen sprong en zwaaide, en wierp spookachtige schaduwen op de wanden. Achter hen trompetterden de bullen weer en denderden dichterbij.

Jaeger kreeg hun tegenstanders als eerste in het oog. Een grote gevlekte hyena draaide zich met vervaarlijk gloeiende ogen naar het geluid van hun stampende voetstappen en het schijnsel van hun lampen. Hij had de kenmerkende sterk aflopende rug, stevige schouders, korte nek en een kogelvormige kop, plus de opvallende rechtopstaande, borstelige manen op zijn ruggengraat. De bek van het beest was geopend, waardoor de korte dikke hoektanden en rijen enorme, botten verbrijzelende kiezen te zien waren. Het leek wel een wolf die spierversterkende middelen had geslikt.

Het vrouwtje van de gevlekte hyena was groter dan het mannetje en domineerde de roedel. Ze boog haar kop naar beneden en aan weerszijden van haar zag Jaeger andere ogen gloeien. Hij telde zeven dieren in totaal, terwijl achter hem de woeste bullen door het laatste stukje meer denderden.

Jaeger aarzelde niet. Met twee handen richtte hij en haalde de trekker over. *Pzzzt! Pzzzt! Pzzzt!* Drie 9 mm-kogels boorden zich in de kop van de hyenakoningin. Ze viel en was al dood voordat ze tegen de grond klapte. Haar metgezellen gromden en schoten direct in de aanvalshouding.

Jaeger voelde Narov bij zijn schouder; ze vuurden tijdens het rennen. De afstand tussen hen en de razende roedel was geslonken tot enkele meters.

38

Zelfs op het moment dat Jaeger in de lucht sprong om de bebloede lichamen te ontwijken, vuurde hij salvo's af. Met een dreun belandde hij op de grond aan de andere kant en hij sprintte verder, aangezien de olifanten hun kant oprukten. Het water kolkte onder hun stampende poten, hun ogen schoten vuur, hun oren flapperden en met hun slurven bespeurden ze de dreiging. Zij wisten niet beter dan dat er bloed en dood en strijd op de richel voor hen lagen, op de route die hun kleintjes moesten nemen. Bij olifanten had de drang om hun jongen te beschermen de overhand. Alle honderd kuddedieren vormden één grote familie en op dit moment verkeerde hun nageslacht in levensgevaar.

Jaeger had begrip voor de wanhoop en woede van de dieren, maar dat wilde nog niet zeggen dat hij in de buurt hoefde te zijn als ze dit botvierden op de vijand. Instinctief keek hij over zijn schouder op zoek naar Narov, maar besefte toen met een schok dat ze er niet meer was. Hortend kwam hij tot stilstand, draaide zich met een ruk om en zag haar gebogen over een hyena staan, die ze probeerde van het pad af te slepen.

'RENNEN!' schreeuwde Jaeger. 'SCHIET OP!'

De enige reactie die Narov vertoonde, was dat ze twee keer zo hard aan het dode dier begon te trekken. Jaeger aarzelde maar heel even en stond toen naast haar. Hij greep het beest bij zijn schouders en sleurde het samen met Narov naar de spleet naast het pad.

Ze hadden dit nog niet gedaan of de voorste olifant was bij hen. De geluidswand die het trompetterende beest produceerde, leek Jaegers ingewanden tot moes te drukken. Meteen daarna stak het beest zijn slagtanden naar voren, waardoor ze met zijn tweeën gevangen zaten op het smalste stuk van het pad.

Jaeger trok Narov omlaag naar de kromming tussen de wand en het pad en perste zich samen met haar tegen de dikke spinnenwebben en vlijmscherpe kristallen. Ze hielden hun hand voor hun lamp en verroerden zich niet. Elke beweging zou de toorn van de olifant opwekken, maar als ze roerloos en zwijgend in het donker bleven, konden ze dit misschien overleven.

De kolossale bul spietste de eerste dode hyena, tilde het beest op en slingerde het in zijn geheel in het meer. De kracht van het beest was angstaanjagend.

Een voor een werden de dode hyena's opgetild en het water in gesmeten. Toen het pad leeg was, leek de leider van de olifanten een beetje te kalmeren. Jaeger keek zowel angstig als gefascineerd hoe het enorme dier met het zachte, platte uiteinde van zijn slurf controleerde wat er gebeurd was. Hij zag de enorme neusgaten opensperren bij het ruiken. Elke geur vertelde een verhaal. Hyenabloed. Voor de olifant was dat goed. Maar dat was verweven met een geur die het dier nog nooit geroken had: die van cordiet. Er hing een dikke rookwalm van het pistoolvuur in de kille grot.

De olifant leek perplex: wat rook hij? De slurf ging verder; Jaeger zag het vochtige roze uiteinde op zich af komen. Die slurf – zo dik als een boom en in staat om 250 kilo te tillen – kon zich rond een bovenbeen of borstkas wikkelen en dat in een flits losrukken, om het vervolgens in stukken te slaan tegen de stenen wand.

Heel even overwoog Jaeger in de aanval te gaan. De kop van de olifant was nog geen drie meter bij hem vandaan: een gemakkelijk doelwit. Hij kon zijn ogen en lange, fijne wimpers zien. Gek genoeg had hij het gevoel dat het dier recht door hem heen kon kijken; zelfs toen de slurf zijn huid betastte, raakte hij niet in paniek. Die blik had gewoon zoiets menselijks, zoiets humaans.

Jaeger zette alle gedachten aan schieten van zich af. Zelfs als hij zichzelf zover kon brengen, wat hij betwijfelde, wist hij dat een subsonische kogel van 9 mm nooit de schedel van een olifant kon doorboren. Hij gaf zich over aan de streling van de olifant. Heel voorzichtig streek de slurf over zijn blote arm; het voelde alsof een zacht briesje de haartjes op zijn huid bewoog. Hij hoorde gesnuffel toen het dier de geur inademde.

Wat zou hij ruiken? Hij hoopte van ganser harte dat de olifantenmest het beoogde effect had. Maar zou de olifant ook de onderliggende mensengeur ruiken? Dat kon toch eigenlijk niet anders?

De vertrouwde geur van zijn eigen soort leek de grote bul geleidelijk aan te kalmeren. Na nog een paar keer aftasten en snuffelen ging de slurf verder. Omdat Jaeger grotendeels voor Narov lag, kon het dier amper bij haar komen. Schijnbaar gerustgesteld kweet de bul zich van zijn volgende taak: zijn nageslacht door de bloederige troep leiden. Maar voordat hij zich omdraaide, ving Jaeger een glimp op van zijn ogen; die eeuwenoude, alleesziende ogen.

Het was alsof de olifant het wist. Hij wist waar hij mee in aanraking was gekomen, maar hij had besloten hen in leven te laten. Daarvan was Jaeger overtuigd.

De olifant liep naar de plek waar de jongen angstig en onzeker op een kluitje stonden. Met zijn slurf troostte hij de dieren en stelde ze gerust. Toen spoorde hij er de voorste mee aan verder te lopen.

Jaeger en Narov grepen die kans aan om overeind te krabbelen en ervandoor te gaan, voor de jonge olifanten uit, naar waar het veilig was. Dat dachten ze tenminste.

39

Op een drafje gingen ze verder over het pad. De richel liep uit op een plat oppervlak, waar het meer ophield. Hier had de rest van de kudde zich verzameld. En aan het trillende gebonk van hun slagtanden tegen de stenen wanden te horen, was dit duidelijk waar ze voor gekomen waren. Dit was hun zoutmijn.

Jaeger hurkte achter een rotsblok. Hij moest even op adem komen en zijn hartslag tot bedaren zien te brengen. Hij haalde een waterfles tevoorschijn en dronk gulzig. Toen gebaarde hij in de richting van het pad waar ze net gelopen hadden. 'Wat was dat nou met die hyena? Die was toch dood? Waarom stond je er zo aan te trekken?'

'Die jonge olifantjes… die zouden niet verderlopen als er een dode hyena op het pad lag. Ik probeerde de weg vrij te maken voor ze.'

'Jawel, maar er was al een tientonner van een papa-olifant onderweg om die klus te klaren.'

Narov haalde haar schouders op. 'Ja, dat weet ik nu ook, maar… Ik heb een zwak voor olifanten. Ik kon het niet over mijn hart verkrijgen die kleintjes vast te laten zitten.' Ze wierp een blik op Jaeger. 'Maar goed, papa-olifant heeft je geen haar gekrenkt, toch?'

Jaeger sloeg zijn ogen ten hemel. Wat moest hij daar nou weer op zeggen? Narov ging op een bijna kinderlijke manier om met dieren. Dat was Jaeger al opgevallen tijdens hun expeditie in de Amazone. Soms gedroeg ze zich bijna alsof ze een nauwere band had met dieren dan met haar medemens, alsof ze die veel beter begreep dan haar eigen soort. Het leek ook niet uit te maken om welke dieren het ging. Giftige spinnen, wurgslangen, vleesetende vissen… Soms leek ze zich enkel te bekommeren om de niet-menselijke wezens op deze aarde. En als ze een dier moest doden om haar teamgenoten te beschermen – zoals nu met de hyena's – werd ze gekweld door spijt.

Jaeger leegde de fles en stopte die terug in zijn tas. Terwijl hij de schouderriemen strak trok om weer verder te gaan, viel het schijnsel van zijn lamp op iets ver beneden hen.

De natuur volgt zelden de rechte lijnen en hoeken die de mens geneigd is te prefereren bij het ontwerpen en bouwen van dingen. Voor de natuur zijn dat gruwelen. En juist dát, dat opmerkelijke, onnatuurlijke verschijnsel, had Jaegers aandacht getrokken.

Vanuit de krochten van de grot mondde een rivier uit in het meer. Vlak voor het punt waar dat gebeurde, was een knelpunt. Een natuurlijke versmalling. En daarnaast stond een gebouw.

Het leek eerder op een bunker uit de Tweede Wereldoorlog dan op de behuizing van een generator of een pomp. Maar aangezien het zo dicht bij het water stond, was Jaeger ervan overtuigd dat het dat was.

Ze klauterden omlaag naar de oever. Met zijn oor tegen het beton gedrukt, hoorde Jaeger een vaag, ritmisch gegons, waardoor hij zeker wist wat erin zat. Dit was een waterkrachtapparaat op de plek waar het water snel en krachtig door de vernauwing werd gedreven. Een deel van de rivier stroomde het gebouw binnen via een buis en binnen zat ongetwijfeld een rotorblad; de moderne variant van een waterrad. Door de kracht van de stroming ging de rotor draaien en die zou op zijn beurt een stroomgenerator in werking zetten. Het gebouw was zo massief om te voorkomen dat de apparaten verpletterd zouden worden door een kudde olifanten.

Al Jaegers scepsis was meteen verdampt. Er zat wel degelijk iets onder deze berg, iets wat diep weggestopt zat, iets wat door mensen was gemaakt en stroom nodig had. Hij stak zijn vinger naar voren. 'We volgen de kabel. Die leidt ons naar wat er dan ook stroom nodig heeft. En zo diep onder de berg...'

'... heeft elk laboratorium stroom nodig,' maakte Narov zijn zin af. 'Het is er! We zijn er dichtbij.'

Jaegers ogen spoten vuur. 'Kom op, we gaan!'

In een hoog tempo volgden ze de kabel dieper de grot in. Die kronkelde de krochten van de berg in, ingebed in een stenen geul ter bescherming. Stap voor stap naderden ze hun doel.

De kabel eindigde bij een muur. Die besloeg de hele breedte van de grot en was enkele meters hoog – hoger dan de grootste olifant. Jaeger was ervan overtuigd dat die hier daarom was neergezet: om de kuddes ervan te weerhouden verder naar binnen te dringen. Er zaten inlaatsluizen in de muur voor het water van de rivier. Hij vermoedde dat daarin ook turbines zaten om stroom op te wekken.

Jaeger voelde een onverbiddelijke vastberadenheid over zich heen komen. De berg stond op het punt zijn geheimen prijs te geven, wat die ook waren. Hij bekeek de muur van dichtbij. Die was glad en gemaakt van gewapend beton. Hij vormde een grens, maar een grens met wat? Wat zou erachter kunnen liggen? Wíé zou erachter kunnen zitten? Een beeld van Ruth en Luke – geketend en opgesloten – flitste door zijn hoofd.

Altijd vooruit. Blijf bewegen. Dat was een mantra van Jaeger geweest toen hij bij de Royal Marines zat. Verklein de afstand bij een gevecht. Dat had hij bij de zoektocht naar zijn gezin altijd in zijn achterhoofd gehouden en dat deed hij nu ook weer.

Hij scande de muur op zoek naar plekken waar hij zich zou kunnen vasthouden. Die waren er nauwelijks. Erop klimmen zou ondoenlijk zijn, tenzij... Hij liep naar de zijkant, waar de muur aansloot op de grotwand. Op de plek waar de gladde structuur aansloot op de scherpe kristallen en uitstekende botten zou die misschien net te beklimmen zijn. Hij kon de plekken zien waar degene die de muur had gebouwd een paar uitsteeksels had weggehakt. Dat was lukraak gebeurd, omdat die in de weg hadden gezeten, maar er was net genoeg over voor hand- en voetsteunen.

'Deze is niet neergezet om mensen tegen te houden,' fluisterde Jaeger, terwijl hij in gedachten de klimroute bepaalde. 'Maar om te voorkomen dat naar zout dorstende olifanten nog verder gaan. Om wat er dan ook aan de andere kant hiervan ligt te beschermen.'

'Wat daar ook is dat stroom nodig heeft,' siste Narov met glimmende ogen, 'we zijn er nu dichtbij. Heel dichtbij.'

Jaeger schudde zijn rugzak af en liet die op de grond vallen. 'Ik ga eerst. Bind de rugzakken vast als ik boven ben, dan hijs ik die omhoog. Jij volgt als laatste.'

'Begrepen. Jij bent tenslotte… Hoe zeg je dat ook alweer? De klauteraar.'

Al van kinds af aan was Jaeger gek op het beklimmen van rotsen. Op school had hij na een weddenschap met een klasgenoot zonder touwen de klokkentoren beklommen. Bij de SAS had hij bij de Mountain Troop gezeten die gespecialiseerd was in alle aspecten van het oorlogvoeren in de bergen. En tijdens hun recente Amazone-expeditie had hij verschillende gevaarlijke beklimmingen en afdalingen gemaakt. Kortom, als er iets beklommen moest worden, was hij degene die de poging waagde.

Het kostte enkele pogingen, maar door een steen vast te binden aan het uiteinde van zijn klimtouw kon Jaeger dat omhoog slingeren en vasthaken achter een van de hoogste uitsteeksels. Zo had hij een soort ankerpunt en kon hij redelijk veilig aan de beklimming beginnen.

Hij bevrijdde zich van alle overbodige ballast en stopte het allemaal – inclusief zijn pistool – in zijn rugzak. Toen hief hij zijn linkerarm en sloot zijn vingers om een knobbelig uitsteeksel. Was dat het versteende kaakbeen van een eeuwenoude reuzenhyena? Daar kon Jaeger nu niet echt mee zitten. Hij plaatste zijn voeten op vergelijkbare knoesten en hees zich met behulp van de prehistorische restanten in de grotwand de eerste paar meter omhoog. Toen greep hij het touw en trok zich op naar het volgende solide houvast.

Het touw zat goed vast en hij boekte vooruitgang. Het enige wat er nu toe deed, was het bereiken van de top van de muur en uitvinden wat die moest beschermen – en verbergen.

40

Jaeger probeerde de bovenste rand vast te pakken. Zijn vingers wriemelden zich er een weg naartoe en met brandende schouderspieren hees hij zich omhoog, waarbij hij eerst zijn buik en vervolgens zijn knieën gebruikte om zijn lichaam naar het hoogste punt te wurmen.

Hij bleef er een paar tellen uithijgen. De muur was breed en plat aan de bovenkant; dat getuigde van de enorme inspanning die in de bouw ervan was gaan zitten. Zoals hij al vermoedde, was hij hier niet neergezet om mensen tegen te houden. Er lag bijvoorbeeld geen opgerold prikkeldraad op de bovenrand. Ze verwachtten niet dat iemand hier onuitgenodigd op zou klimmen, dat was wel duidelijk. De bouwer van deze barrière – en Jaeger twijfelde er niet meer aan dat Kammler daar op de een of andere manier verantwoordelijk voor was – had nooit gedacht dat deze plek gevonden zou worden.

Jaeger keek voorzichtig over de rand naar de andere kant. De stralen van zijn hoofdlamp weerkaatsten op een volledig roerloos, zwart, spiegelend oppervlak. Er lag dus nog een meer verstopt achter de muur, omsloten door een enorme cirkelvormige spelonk. De plek leek volkomen verlaten, maar dat was niet de reden dat Jaegers mond van verbazing openviel.

Midden op het meer dreef een verschijning die schrikbarend onverwacht, maar tegelijkertijd vreemd vertrouwd was. Jaeger probeerde zijn emoties en opwinding te beheersen; zijn hart ging als een razende tekeer. Hij maakte het touw los van de plek waar zich dat verankerd had en bond het vast om een uitstekend gedeelte, waarna hij het andere uiteinde omlaag liet zakken naar Narov. Zij bond er de eerste rugzak aan vast, die hij omhoog hees, even later gevolgd door de tweede. Toen beklom Narov de muur met Jaeger als haar zekering.

Zodra ze boven was, scheen Jaeger met zijn lamp over het meer. 'Moet je kijken,' siste hij. 'Je gelooft je ogen niet.'

Narov sperde haar ogen open. Jaeger had haar zelden sprakeloos gezien, maar nu was ze dat wel.

'Ik dacht eerst dat ik droomde,' zei hij tegen haar. 'Zeg dat het niet zo is. Zeg dat dit echt is.'

Narov kon haar ogen er niet van afhouden. 'Ik zie het. Maar hoe hebben ze dat in godsnaam hier gekregen?'

Jaeger haalde zijn schouders op. 'Ik heb geen flauw idee.'

Ze lieten hun rugzakken met het touw op de grond aan de andere kant zakken, waarna ze die met een abseil volgden. Ze hurkten in de doodse stilte en dachten na over de volgende, schijnbaar onmogelijke uitdaging. Hoe moesten ze, behalve door te zwemmen – en god mocht weten wat er in dat water zat – in het midden van dat meer komen? En mocht dat lukken, hoe konden ze dan aan boord komen van wat daar verankerd lag?

Jaeger besefte dat ze dit misschien hadden kunnen verwachten. Ergens waren ze ervoor gewaarschuwd tijdens de briefing in Falkenhagen. Maar goed, het hier aantreffen, en dan ook nog zo smetteloos en intact… Het was adembenemend.

In het midden van het meer onder de berg lag een gigantische Blohm & Voss BV222-vliegboot. Zelfs vanaf deze afstand was het een verbijsterend gezicht – een zesmotorig monster dat met zijn neus was vastgebonden aan een boei. De ongelooflijke omvang van het toestel werd verraden door de antiek ogende motorboot die aan de zijkant ervan was vastgebonden. In verhouding met de elegante vleugel erboven was die piepklein.

Maar misschien nog meer dan door het formaat en de aanwezigheid van het oorlogsvliegtuig stond Jaeger versteld van de perfecte toestand waarin dat leek te verkeren. Zo was de bovenkant van de

BV222, die waarschijnlijk in de originele camouflagekleuren geschilderd was, vrij van guano. En ook aan de blauwwitte onderkant – met de v-vormige romp van een speedboot – zaten geen algen of wier.

Uit de bovenkant van het oorlogsvliegtuig ontsproot een woud van geschutskoepels: de BV222 was ontworpen om te opereren zonder escorte. Het was een gigantisch vliegend geschutsplatform dat in staat behoorde te zijn alle geallieerde gevechtstoestellen neer te schieten. Ook het plexiglas van de geschutskoepels oogde bijna net zo smetteloos en onbeschadigd als op de dag dat het toestel de fabriek had verlaten. Langs de zijkant was een rij patrijspoorten die uitliep op het iconische symbool van de *Luftwaffe* – een zwart kruis boven op een groter wit kruis. Het zag eruit alsof het pas gisteren geschilderd was.

Op de een of andere manier had deze BV222 hier zeven decennia gelegen en was het toestel zorgvuldig onderhouden. Maar het grootste raadsel – iets wat Jaeger met de beste wil van de wereld niet kon bevatten – was hoe dat toestel hier in godsnaam gekomen was. Met een spanwijdte van zesenveertig meter was het veel te breed om door de ingang van de grot binnengekomen te zijn.

Dit moest Kammlers werk zijn. Op de een of andere manier had hij het hier binnen gekregen. Maar waarom had hij dat gedaan? Met welk doel?

Even vroeg Jaeger zich af of Kammler zijn geheime laboratorium in dit toestel had gevestigd, maar hij liet die gedachte bijna meteen weer varen. De BV222 lag hier volledig in het duister. Jaeger twijfelde er niet aan dat het toestel verlaten was.

Terwijl hij uitrustte en zijn hersens pijnigde, besefte hij opeens hoe stil het hier was. De dikke betonnen muur hield bijna alle geluiden van verder in het grottenstelsel buiten: het geschraap van de olifanten, het ritmische geknerp van gesteente en het incidentele gestamp of getrompetter. Het was hier dóódstil. Verstoken van alle leven. Spookachtig. Verlaten. Dit was een plek waar al het leven schijnbaar ophield.

41

Jaeger gebaarde naar het watervliegtuig. 'Er zit niets anders op; we zullen ernaartoe moeten zwemmen.'

Narov knikte instemmend. Opnieuw ontdeden ze zich van alle ballast. Het was bijna honderdvijftig meter zwemmen en het laatste wat ze in het koude water nodig hadden, waren volle rugzakken die hen hinderden. Ze zouden alles behalve het hoogstnoodzakelijke – de kleren en schoenen die ze droegen – achterlaten op de oever van het meer.

Jaeger aarzelde alleen wat betreft zijn pistool; de gedachte ongewapend verder te gaan was verschrikkelijk. De meeste moderne wapens deden het nog prima als ze onder water waren geweest, maar het was nu van wezenlijk belang om de lange, ijskoude zwemtocht die voor hen lag zo snel mogelijk te voltooien. Dus hij legde zijn P228 naast die van Narov onder een kleine rots, naast een stapel andere spullen.

Het verbaasde Jaeger niet dat Narov wél een wapen bij zich had. In de Amazone was hij erachter gekomen dat ze nooit gescheiden wilde worden van haar Fairbairn-Sykes-vechtmes. Dat had de betekenis van een amulet voor haar en zou een geschenk zijn geweest van Jaegers opa. Hij keek haar aan. 'Ben je er klaar voor?'

Haar ogen glommen: 'Wie er het eerste is.'

Jaeger sloeg de locatie van het oorlogsvliegtuig op in zijn hoofd en doofde toen zijn hoofdlamp. Narov deed hetzelfde. Op de tast borgen ze de Petzls op in waterdichte ziploc-zakken. Het was nu stikdonker.

Jaeger hield zijn hand voor zijn gezicht: hij zag niets. Hij bracht hem dichterbij, tot zijn palm zijn neus raakte, en nog steeds zag hij niets. 'Blijf dichtbij,' siste hij tegen Narov. 'O, en nog één ding…' Hij maakte de zin niet af en spong in het ijskoude meer in de hoop Narov in verwarring te hebben gebracht om zo op voorsprong te komen. Hij voelde dat ze een paar meter achter hem in het water sprong en als een gek begon te zwemmen om hem in te halen.

Met lange, krachtige slagen schoot Jaeger door het water. Zijn hoofd kwam er alleen af en toe bovenuit om snel wat lucht te happen. Als voormalig lid van de Royal Marines voelde hij zich erg thuis op en in het water. Dat vliegtuig oefende een onweerstaanbare aantrekkingskracht uit, maar de totale duisternis werkte verschrikkelijk desoriënterend.

Hij begon zijn vertrouwen de juiste koers gezwommen te hebben te verliezen, toen zijn hand iets hards raakte. Het voelde als koud, onbuigzaam staal; waarschijnlijk was het een van de drijvers van het oorlogsvliegtuig. Hij hees zich uit het water en kon zichzelf inderdaad op een plat oppervlak trekken. Zo snel mogelijk zette hij zijn hoofdlamp op en scheen ermee over het wateroppervlak. Narov was vlak achter hem en met behulp van het licht kon ze naar hem toe zwemmen.

'Gewonnen!' fluisterde hij plagerig toen hij haar uit het water hees.

'Ja, jij speelde vals!'

'In oorlog en liefde is alles geoorloofd,' zei hij schouderophalend.

Gehurkt namen ze even de tijd om op adem te komen. Jaeger scheen met zijn lamp om zich heen; het schijnsel weerkaatste tegen de enorme vleugel die zich boven hen uitstrekte. Hij herinnerde zich van de briefing in Falkenhagen dat de BV222 in feite twee dekken had: het bovenste voor de passagiers en de lading, het onderste voorzien van in rijen opgestelde mitrailleurs om het vliegtuig te verdedigen. Nu hij zo dicht bij de romp was, zag hij dat dat klopte. Hij zag nu met eigen ogen hoe gigantisch en indrukwekkend het toestel was.

Jaeger stond op en hielp Narov overeind. Hij had amper een stap gezet toen de stilte verscheurd werd door een ritmisch en oorverdovend geloei, dat weerkaatste tegen de onverzettelijke stenen wanden.

Jaeger verstijfde. Meteen wist hij wat er gebeurd was. De BV222 was vast uitgerust met infraroodsensoren die een alarm in werking hadden gezet. 'Doe je lamp uit,' siste hij.

Het bleef echter niet lang donker: vanaf de zuidoever van het meer zwiepte een felle lichtstraal over het water en kwam tot stilstand bij het oorlogsvliegtuig, waar die Jaeger en Narov half verblindde. Jaeger hield zijn hand voor zijn ogen. Hij moest de neiging onderdrukken dekking te zoeken en zich voor te bereiden op een gevecht. 'Denk eraan,' siste hij, 'we zijn een pasgetrouwd stel. Toeristen. Wie het ook is, we zijn hier niet om te vechten.'

Narov gaf geen antwoord. Haar ogen waren gericht op de spookverschijning om hen heen, alsof ze gehypnotiseerd was. De krachtige schijnwerper had een groot deel van de spelonk verlicht, waardoor de glanzende gestalte van de BV222 in alle glorie zichtbaar werd. Het was bijna alsof het toestel het pronkstuk van een tentoonstelling was. En bovendien zag het eruit alsof het zo kon wegvliegen.

42

Er galmde een kreet over het water. 'Blijf waar je bent! Verroer je niet!'

Jaeger verstijfde.

Het was Engels met een Europees accent. In ieder geval niet iemand met Engels als moedertaal. Duits, misschien? Daar leek het wel op. Was het Kammler? Nee, dat kon niet. De mensen in de bunker Falkenhagen hielden Hank Kammler nauwlettend in de gaten, daarbij bekwaam geassisteerd door hun contacten bij de Central Intelligence Agency. En trouwens, de stem klonk veel te jong. Bovendien klopte er iets niet aan de toon. Die miste de arrogantie die je bij iemand als Kammler zou verwachten.

'Blijf waar je bent,' zei de stem weer en met een duidelijk dreigende ondertoon. 'We komen nu naar jullie toe.'

Het geluid van een krachtige motor werd gevolgd door de verschijning van een RIB: een *Rigid Inflatable Boat*; een boot met een bodem van vormvast materiaal, een vaste stuurstand als romp met daarop een dikke, luchtgevulde rand. Die schoot over het meer en was binnen de kortste keren bij Jaeger en Narov.

De gestalte in de boot had een dikke bos ongekamd zandkleurig haar boven een verwilderde baard. Hij moest bijna een meter negentig lang zijn en was blank, in tegenstelling tot de andere mannen in de boot, die allemaal lokale Afrikanen waren. Hij droeg een eenvoudig groen, militairachtig werktenue en het was Jaeger niet ontgaan dat hij een aanvalsgeweer vasthad. De andere mannen waren net zo gekleed en bewapend en hielden Narov en Jaeger onder schot.

De lange man staarde hen aan. 'Wat doen jullie hier? Zeker een vergissing dat jullie hier zijn, hè?'

Jaeger besloot zich van de domme te houden. Hij stak een hand uit ter begroeting, maar de man in de boot maakte geen aanstalten die aan te pakken.

'En u bent?' wilde de lange man weten. 'En leg alstublieft uit waarom u hier bent.'

'Bert Groves en mijn vrouw Andrea. We zijn Engels. Toeristen. Nou ja, meer avonturiers, denk ik. We konden geen weerstand bieden aan de verleiding van de krater; we moesten er gewoon een kijkje nemen. En de grot trok ons naar binnen.' Hij gebaarde naar het vliegtuig. 'En toen zagen we dit ding. En geloofden onze ogen niet.'

De man in de boot fronste argwanend. 'Uw aanwezigheid hier is op zijn zachtst gezegd… opmerkelijk avontuurlijk voor toeristen. En ook gevaarlijk, in allerlei opzichten.' Hij gebaarde naar zijn mannen. 'Mijn bewakers zeiden dat jullie stropers waren.'

'Stropers? Echt niet.' Jaeger wierp een blik op Narov. 'We zijn net getrouwd. Ik denk dat we ons hebben laten meeslepen door ons Afrikaanse avontuur en misschien niet goed nagedacht hebben. De roes van de huwelijksreis, of zoiets.' Hij haalde verontschuldigend zijn schouders op. 'Sorry. We wilden u geen problemen bezorgen.'

De man verschoof het geweer in zijn handen. 'De heer en mevrouw Groves… Die naam klinkt bekend. Hebt u niet vanaf morgenochtend gereserveerd in de Katavi Lodge?'

Jaeger glimlachte. 'Precies. Dat zijn wij. Morgenochtend om elf uur. Voor vijf dagen.' Hij keek weer naar Narov en deed zijn uiterste best om over te komen als de meest verliefde echtgenoot ter wereld. 'Net getrouwd en vastbesloten alles uit het leven te halen!'

De ogen van de man in de boot bleven kil. 'Tja, als jullie geen stropers zijn, zijn jullie natuurlijk van harte welkom.' Zijn toon was echter weinig gastvrij. 'Ik ben Falk König, hoofd bescherming van het Katavi Wildpark. Maar dit is niet de aanbevolen route om aan een huwelijksreissafari te beginnen, of om bij de lodge te komen.'

Jaeger forceerde een lach. 'Ja, dat dacht ik al. Maar zoals ik al zei: we konden de aantrekkingskracht van de Burning Angels Peak niet weerstaan. En als je eenmaal op die kraterrand staat... Tja, we konden gewoon niet stoppen. Het was net als in *Jurassic Park*, maar dan echt. Toen zagen we de olifanten de grot in gaan. Dat was pas echt een spectaculair gezicht.' Hij haalde zijn schouders op. 'We moesten er gewoon achteraan.'

König knikte stijfjes. 'Jazeker, de caldera herbergt een zeer soortenrijk ecosysteem. Een werkelijk unieke habitat. Het is beschermd fokgebied voor onze olifanten en neushoorns. Daarom is het ook streng verboden voor álle bezoekers.' Hij zweeg even. 'Ik moet u waarschuwen dat we binnen dit gebied indringers zonder proces mogen neerschieten.'

'Dat begrijpen we,' zei Jaeger met een blik op Narov. 'Het spijt ons. Dat was niet de bedoeling.'

König keek hem nog steeds ietwat achterdochtig aan. 'Dit was niet erg verstandig van u, meneer en mevrouw Groves. Neem de volgende keer alstublieft de normale route, anders wacht u wellicht niet zo'n vredige ontvangst.'

Narov stak haar hand uit naar König. 'Mijn man... Het is allemaal zijn schuld. Hij is koppig en denkt altijd dat hij het beter weet. Ik heb geprobeerd hem ervan af te brengen...' Ze glimlachte beminnelijk. 'Maar dat is ook waarom ik zo veel van hem hou.'

König leek iets te ontspannen, maar Jaeger merkte dat hij een passende bijtende reactie inslikte. Narov speelde een glansrol. Hij kreeg bijna de indruk dat ze ervan genoot.

'Ach, ja.' König gaf Narov een slap handje. 'Maar u, mevrouw Groves... U klinkt niet zo Engels?'

'Zeg maar Andrea,' antwoordde Narov. 'En er zijn tegenwoordig, zoals u weet, veel Engelsen die niet erg Engels klinken. U klinkt zelf ook niet erg Tanzaniaans, meneer König.'

'Inderdaad, ik ben Duits.' König wierp een blik op het grote oorlogsvliegtuig. 'Ik ben een Duitse dierenbeschermer die woont in

Afrika en werkt met lokaal Tanzaniaans personeel, en een van onze taken is het beschermen van dit toestel.'

'Dat komt uit de Tweede Wereldoorlog, hè?' vroeg Jaeger onnozel. 'Ik bedoel... ongelooflijk. Hoe is dat ding hier in godsnaam gekomen? Het is toch veel te breed voor de ingang van de grot?'

'Inderdaad,' bevestigde König. De argwaan was nog steeds niet uit zijn ogen verdwenen. 'Ze hebben de vleugels eraf gehaald en het toestel hierin gehesen op het hoogtepunt van het regenseizoen, in 1947, dacht ik. Vervolgens hebben ze mensen van hier ingehuurd om de vleugels in gedeelten naar binnen te brengen.'

'Niet te geloven. Maar waarom hier in Afrika? Ik bedoel, hoe is het hier terechtgekomen?'

Een fractie van een seconde betrok Königs gezicht. 'Dat weet ik niet. Dat was ver voor mijn tijd.'

Jaeger zag dat hij loog.

43

König knikte naar het vliegtuig. 'U bent vast nieuwsgierig, hè?'

'Naar de binnenkant? Natuurlijk!' zei Jaeger enthousiast.

König schudde zijn hoofd. 'Dat is helaas streng verboden. Dit gehele gebied is verboden terrein, maar ik denk dat jullie dat nu wel begrijpen.'

'Absoluut,' bevestigde Jaeger. 'Toch is het een teleurstelling. Door wie is het dan verboden?'

'Door de eigenaar van dit gebied. Katavi is een privénatuurbeschermingsgebied, geleid door een Amerikaan van Duitse afkomst. Dat is een van de redenen waarom het zo aantrekkelijk is voor buitenlanders. In tegenstelling tot de staatsparken wordt Katavi gerund met een zekere teutoonse zakelijkheid.'

'Het is een wildreservaat dat werkt?' informeerde Narov. 'Bedoelt u dat?'

'In feite wel. Er is een oorlog gaande tegen Afrika's wilde dieren. Helaas zijn de stropers aan de winnende hand. Vandaar het "shoot to kill"-beleid hier, als een laatste redmiddel om die oorlog te winnen.' König keek hen beiden aan. 'Een beleid dat jullie vandaag bijna het leven heeft gekost.'

Jaeger verkoos die laatste opmerking te negeren. 'Daar zijn wij het volmondig mee eens,' zei hij gemeend. 'Een olifant afslachten voor zijn slagtanden, of een neushoorn voor zijn hoorn... Dat is afschuwelijk.'

König boog zijn hoofd. 'Dat vind ik ook. Gemiddeld verliezen we elke dag een olifant of een neushoorn. Doodzonde.' Hij zweeg even. 'Maar ik denk dat u nu genoeg vragen hebt gesteld, meneer en mevrouw Groves.'

Hij beval hen de boot in te stappen. Dat deed hij niet echt onder bedreiging van zijn wapen, maar het was duidelijk dat ze niets anders konden dan gehoorzamen. De RIB stoof weg bij het vliegtuig, dat begon te schommelen in de boeggolf. Voor zijn omvang had de BV222 een onmiskenbare schoonheid en Jaeger was vastbesloten een gelegenheid te vinden hier terug te keren om de geheimen ervan bloot te leggen.

Ze voeren naar een tunnel. König haalde een hendel aan de wand over en de in de rotsen uitgehouwen doorgang baadde in het licht, dankzij de elektrische verlichting die in het plafond was verzonken. 'We wachten hier even,' zei hij, 'dan halen we jullie spullen op.'

'Bedankt. Weet u waar die liggen?' vroeg Jaeger.

'Natuurlijk. Mijn mannen houden jullie al een tijd in de gaten.'

'O ja? Wauw. Hoe dan?'

'Nou ja, we hebben sensors in de grotten geplaatst. Maar je kunt je voorstellen dat die, met die in- en uitlopende dieren, voortdurend aangaan. Trouwens, er is nog nooit iemand zo diep de berg in gegaan.' Hij keek Narov en Jaeger scherp aan. 'Of in ieder geval normaal gesproken niet... Vandaag werden mijn bewakers ergens door verrast. Een volkomen onverwacht geluid. Een geweersalvo...'

'We hebben op hyena's geschoten,' onderbrak Narov hem defensief. 'Een roedel. Maar dat deden we om de olifanten te beschermen. Die hadden jongen.'

König stak zijn hand op om haar het zwijgen op te leggen. 'Ik weet heel goed dat jullie hyena's hebben doodgeschoten. En zij vormen inderdaad een bedreiging. Ze komen hier voor de jongen. Ze veroorzaken stormlopen, jonge dieren worden vertrapt en daar hebben we er niet veel van. De hyena's... We moeten ze zelf afschieten om te voorkomen dat het uit de hand loopt.'

'Dus de bewakers hebben ons horen schieten?' vroeg Jaeger.

'Ja. Ze belden me ietwat geschrokken op. Ze waren bang dat

stropers op de een of andere manier waren doorgedrongen in de grot. Vandaar dat ik ben gekomen en… júllie vond.' Een stilte. 'Een pasgetrouwd stel dat bergen beklimt, grotten in gaat en een roedel gevlekte hyena's elimineert. Dat is zeer ongebruikelijk, mevrouw Groves, vindt u niet?'

Narov verrekte geen spier. 'Zou u hier afdalen zonder wapen? Dat zou toch gestoord zijn?'

Königs gezicht bleef uitdrukkingsloos. 'Misschien. Maar ik moet jullie wapens helaas toch in beslag nemen. Om twee redenen. Ten eerste omdat jullie verboden gebied hebben betreden. Alleen ik en mijn bewakers mogen hier bewapend rondlopen. En ten tweede omdat de eigenaar wil dat iedereen die we hier aantreffen gearresteerd wordt. Ik vermoed dat die tweede regel wellicht niet geldt voor gasten van de lodge. Maar tot ik daarover met de eigenaar heb gepraat houd ik jullie wapens vast.'

Jaeger haalde zijn schouders op. 'Natuurlijk. Die hebben we daar toch niet nodig.'

König forceerde een glimlach. 'Nee, natuurlijk. In de Katavi Lodge heb je geen wapens nodig.'

Jaeger wierp een blik op de twee bewakers die de spullen gingen halen die Narov en hij op de rivieroever hadden achtergelaten. 'De pistolen liggen onder een klein rotsblok, naast onze andere spullen!' riep hij hen achterna. Toen wendde hij zich weer tot König. 'Het zal wel geen goede indruk maken, hè? Wapens bij je hebben op verboden terrein?'

'Dat klopt, meneer Groves,' antwoordde König. 'Dat maakt totaal geen goede indruk.'

44

Jaeger wilde Narov bijschenken, maar dat had weinig zin, want ze had haar drankje amper aangeraakt. Hij deed het alleen voor de show.

Narov fronste. 'Alcohol – het smaakt me niet.'

Jaeger zuchtte. 'Je moet je een beetje ontspannen vanavond om je rol overtuigend te kunnen spelen.' Hij had een fles gekoelde saumur uitgekozen, een Franse droge mousserende wijn en iets minder opzichtig dan champagne. Hij had iets willen bestellen om te vieren dat ze net getrouwd waren, maar wat niet te veel aandacht zou trekken. Het leek hem dat de saumur – met de witte en gouden belettering op het donkerblauwe etiket – daar wel zo'n beetje aan voldeed.

Ze verbleven nu zesendertig uur in de fabuleuze Katavi Lodge. Die bestond uit een groepje witgekalkte bungalows, die elk voorzien waren van ronde vormen aan de buitenkant om de harde lijnen van de muren te verzachten, en in een komvormig dal in de voetheuvels van de Mbizi Mountains lagen. Elke bungalow had een traditioneel hoog plafond met een ventilator om de kamers enigszins koel te houden.

Boven de etensgasten van vanavond draaiden vergelijkbare ventilatoren lome rondjes en wierpen een zacht briesje op het decor: het Veranda Restaurant van de lodge. Er was alles aan gedaan om de gasten een prachtig uitzicht te bieden op de waterpoel. En vanavond was het daar een drukte van belang; het luidruchtige gesnuif van de nijlpaarden en het geblaas van de olifanten onderbraken de gesprekken van de restaurantgangers.

Met elk uur dat ze hier hadden doorgebracht, waren Jaeger en Narov zich nog bewuster geworden van de uitdaging om nogmaals bij dat oorlogsvliegtuig te komen. In Katavi Lodge werd namelijk alles voor je gedaan – koken, wassen, schoonmaken, bed opmaken, autorijden – en dan waren er ook de dagelijkse safaritochten nog. De mensen hier wisten heel goed hoe ze een wildreservaat moesten runnen, maar dat liet allemaal weinig tijd over voor privéactiviteiten, zoals een terugkeer naar de grot.

Jaeger werd geplaagd door een knagende zorg: zaten Ruth en Luke ergens onder die berg verborgen? Waren ze opgesloten in een of ander lab, als ratten die wachten op de ultieme injectie? Hoe goed Jaeger ook wist dat Narov en hij een overtuigende rol moesten spelen, hij voelde zich enorm gefrustreerd. Ze moesten iets doen, met resultaten komen. Maar König was nog steeds achterdochtig; ze konden niet het risico nemen om iets te doen wat die achterdocht aanwakkerde.

Hij nam een slok van de saumur. Die was perfect gekoeld in de ijsemmer naast de tafel. 'Vind je dit allemaal niet raar?' vroeg hij op gedempte toon, zodat ze niet afgeluisterd konden worden.

'Hoezo, raar?'

'Meneer en mevrouw Groves? Dat huwelijksreisgedoe?'

Narov keek hem onaangedaan aan. 'Waarom zou ik? We spelen een rol. Waarom zou dat raar zijn?'

Narov zat of in de ontkenning, of dit kwam haar allemaal van nature aanwaaien. Het was bizar. Jaeger was maanden bezig geweest om deze vrouw te doorgronden, haar echt te leren kennen. Maar hij had niet het gevoel dat hij daar veel dichter bij in de buurt was gekomen.

Ook zij had in Falkenhagen een gedaanteverandering ondergaan. Met haar nieuwe bruine haar had Narov een soort Iers-Keltische schoonheid gekregen. Sterker nog, ze deed Jaeger een beetje denken aan zijn vrouw Ruth. Die gedachte vond hij uiterst ongemakkelijk. Waarom was hem dat te binnen geschoten? Dat moest door de alcohol komen.

Een stem doorbrak zijn gepeins. 'Meneer en mevrouw Groves. Bent u al een beetje gewend? Smaakt het allemaal een beetje?'

Het was König. De natuurbeschermer maakte elke avond een rondje langs de restaurantgasten om te controleren of alles was zoals het behoorde te zijn. Hij klonk nog steeds niet erg gastvrij, maar hij had hen in ieder geval niet gearresteerd vanwege het betreden van verboden gebied.

'We hebben niets aan te merken,' antwoordde Jaeger. 'Helemaal niets.'

König gebaarde naar het uitzicht. 'Verbijsterend, hè?'

'Je zou er een moord voor doen.' Jaeger tilde de fles saumur op. 'Hebt u zin om met ons te proosten?'

'Nee, bedankt. Een pasgetrouwd stel? U hebt vast geen behoefte aan gezelschap.'

'We zouden het erg op prijs stellen,' zei Narov. 'U weet vast heel veel over het reservaat. Wij zijn gefascineerd... Betoverd, toch, Vlekje?'

Die laatste opmerking was gericht op een kat die onder haar stoel lag. Ze hadden hier verschillende huiskatten, maar Narov had – typisch iets voor haar – de minst aantrekkelijke in haar hart gesloten; de kat die de meeste etensgasten wegjoegen bij hun tafel.

'Vlekje' was een witte kat met zwarte vlekken. Ze was broodmager en miste een van haar achterpoten. De helft van Narovs gebakken nijlbaars – een lokale vis – was aan de kat gevoerd.

'Ach, ik zie dat u vriendschap hebt gesloten met Paca,' zei König op een iets mildere toon.

'Paca?' vroeg Narov.

'Swahili voor "kat".' Hij haalde zijn schouders op. 'Niet erg origineel, maar het personeel vond haar halfdood in een van de dorpen hier. Ze was overreden. Ik heb haar geadopteerd en aangezien niemand haar naam wist, zijn we haar Paca gaan noemen.'

'Paca.' Narov proefde de naam even. Ze stak het laatste stukje van haar vis naar het dier uit. 'Hier, Paca. Maar niet smakken – er zitten nog mensen te eten.'

De kat tikte met haar pootje het stukje vis op de grond en viel erop aan.

König veroorloofde zich een korte glimlach. 'U bent zeker een grote dierenliefhebster, mevrouw Groves?'

'Dieren,' zei Narov. 'Zo veel eenvoudiger en eerlijker dan mensen. Ze willen je opeten, of ze willen dat je ze aait of eten geeft, of loyaal bent en liefde geeft – wat zij dan in honderdvoud aan je teruggeven. En ze zullen nooit in een opwelling besluiten je voor een ander in de steek te laten.'

König grinnikte. 'Misschien moet u zich wel zorgen maken, meneer Groves. En misschien kom ik toch even bij u zitten. Maar één glaasje maar; ik moet morgen vroeg op.' Hij gebaarde naar de ober dat hij een glas wilde. Schijnbaar had Narovs liefde voor de meest onaantrekkelijke kat van de Katavi Lodge hem over de streep getrokken.

Jaeger schonk wijn in het glas. 'Geweldig personeel, trouwens. En onze complimenten voor de kok.' Hij liet een korte stilte vallen. 'Maar vertel eens: hoe gaat het hier in zijn werk? Ik bedoel, is het park succesvol?'

'In een bepaald opzicht wel, ja,' antwoordde König. 'De gastenverblijven zijn zeer winstgevend, maar ik ben in de eerste plaats een natuurbeschermer. Het enige waar het mij om gaat is dat we de dieren beschermen. En wat dat betreft… wat dat betreft slaan we eerlijk gezegd de plank mis.'

'Hoe dan?' vroeg Narov.

'Nou ja, dat is nou niet bepaald een gesprek voor een huwelijksreis. Het zou erg verontrustend zijn, vooral voor u, mevrouw Groves.'

Narov knikte naar Jaeger. 'Ik ben getrouwd met een man die me voor de lol meeneemt naar de krater van Burning Angels. Ik denk dat ik er wel tegen kan.'

König haalde zijn schouders op. 'Goed dan, maar ik heb u al gewaarschuwd; er wordt hier een nare en bloederige oorlog uitgevochten.'

45

'Er zijn maar heel weinig gasten die hier per auto arriveren, zoals jullie hebben gedaan,' stak König van wal. 'De meesten doen Afrika volgens een strak schema. Ze vliegen naar Kilimanjaro International Airport, vanwaar ze met een klein vliegtuigje hiernaartoe vervoerd worden. Vervolgens willen ze zo snel mogelijk de belangrijkste dieren afvinken. De Grote Zeven: leeuw, jachtluipaard, neushoorn, olifant, giraf, kafferbuffel en nijlpaard. Als dat gebeurd is, vliegen de meesten naar Amani Beach Resort. Dat is echt een schitterend resort aan de Indische Oceaan. Amani is Swahili voor "rust", en geloof me, het is de volmaakte plek om je voor alles af te sluiten.'

Königs gezicht betrok. 'Maar ik breng mijn dagen totaal anders door. Ik ben voortdurend bezig om te zorgen dat er genoeg dieren van de Grote Zeven overleven om onze gasten tevreden te stellen. Ik ben een piloot en maak patrouillevluchten om stropers op te sporen. Nou ja, "patrouille" is misschien een te groot woord. Het is niet dat we ook maar iets kunnen doen, want de stropers zijn zwaarbewapend.'

Hij haalde een versleten kaart tevoorschijn. 'Ik maak de hele dag kriskrastrajecten die worden opgenomen op video en ingevoerd in een geautomatiseerd kaartsysteem. Op die manier krijgen we een actuele videokaart van stroopvoorvallen op de exacte locaties. Het is een geavanceerd systeem en geloof me, het is geheel te danken aan de steun van mijn baas, de heer Kammler, dat we ons dat soort dingen kunnen veroorloven. Van de regering hoeven we niet veel te verwachten.'

Kammler. Hij had het gezegd. Niet dat Jaeger er ooit aan getwijfeld had wie hier de dienst uitmaakte, maar het was fijn dat het nu definitief bevestigd was.

König dempte zijn stem. 'Vorig jaar hadden we tweeëndertighonderd olifanten. Dat klinkt best goed, toch? Maar dan weet je nog niet dat we er tijdens dat jaar een stuk of zevenhonderd verloren zijn. Dat zijn gemiddeld bijna twee dode olifanten per dag. De stropers schieten ze neer, zagen hun slagtanden af met kettingzagen en laten de karkassen wegrotten in de zon.'

'Maar als dat zo doorgaat, zijn er over vijf jaar geen olifanten meer over,' zei Narov vol afschuw.

König schudde moedeloos zijn hoofd. 'Het is nog erger. Dit jaar is pas vier maanden oud en ik heb nog geen dag gevlogen zonder de gevolgen van slachtpartijen te zien... Alleen al in die vier maanden hebben we bij benadering achthonderd olifanten verloren. In víér maanden. Dat is catastrofaal.'

Narov trok wit weg. 'Maar dat is wálgelijk. Na het zien van de kudde in de grot... Ik bedoel, die allemaal, en nog veel meer, afgeslacht... Dat is bijna niet te vatten. Maar waar komt die recente opleving vandaan? Als je dat niet weet, kun je er moeilijk iets aan doen.'

'Het mooie van dat kaartsysteem is dat we er verschillende dingen uit af kunnen leiden, bijvoorbeeld de focus van de stropers. Die hebben we herleid tot één dorp, alsmede een bepaald iemand. Een Libanese handelaar; een koper van ivoor. Na zijn komst is het stropen toegenomen.'

'Dan halen jullie de politie er toch bij,' opperde Jaeger. 'Of de natuurbescherming. Wie het dan ook is die zich met deze zaken bezighoudt.'

König lachte smalend. 'We zijn hier in Afrika, meneer Groves. De hoeveelheid geld die wordt verdiend... Op alle niveaus wordt iedereen omgekocht. De kans dat iemand actie onderneemt tegen deze Libanese handelaar is nagenoeg nihil.'

'Maar wat doet een Libanees hier?' wilde Jaeger weten.

König haalde zijn schouders op. 'In heel Afrika zijn Libanezen met duistere zaakjes bezig. Ik denk dat deze man gewoon besloten heeft de Pablo Escobar van de ivoorhandel te worden.'

'En hoe zit het met de neushoorn?' Dat was het lievelingsdier van Jaegers gezin. Hij voelde een diepe verbondenheid met de kolossale beesten.

'Dat is nog erger. Het beschermde fokgebied waar we het "shoot to kill"-beleid hanteren... Dat is grotendeels vanwege de neushoorns. Met een paar duizend olifanten beschikken we nog steeds over vitale fokkuddes, maar we hebben volgroeide mannetjesneushoorns moeten laten invliegen om de aantallen in stand te houden. Om het voortbestaan te garanderen.'

König pakte zijn glas en dronk het leeg. Het gespreksonderwerp baarde hem zichtbaar zorgen. Zonder het te vragen, schonk Jaeger zijn glas bij. 'Als de stropers zo zwaarbewapend zijn, vormen jullie zeker hun doelwit?' vroeg hij.

König lachte grimmig. 'Dat beschouw ik als een compliment. Ik vlieg erg laag en heel snel. Net boven de boomtoppen. Tegen de tijd dat ze me zien en hun wapens hebben herladen, ben ik alweer weg. Ze hebben één of twee keer mijn toestel geraakt,' zei hij schouderophalend. 'Maar dat stelt niet zoveel voor.'

'Dus jullie vliegen eroverheen, lokaliseren de stropers, en wat dan?' vroeg Jaeger.

'Als we tekenen van activiteit bespeuren, sturen we een bericht naar de grondtroepen en proberen zij de bendes te onderscheppen met onze voertuigen. De reactietijd, het opleidingsniveau van het personeel en puur de schaal waarop het gebeurt, zorgen echter voor problemen. En dan heb ik het nog niet eens over de ongelijkheid in bewapening. Kort gezegd, tegen de tijd dat we ook maar in de buurt komen, zijn de slagtanden en hoorns, én de stropers allang gevlogen.'

'Jullie zijn vast bang,' zei Narov. 'Voor jullie eigen hachje én voor de dieren. Bang en woedend tegelijkertijd.' Er klonk oprechte bezorgdheid door in haar stem en haar ogen straalden een zekere bewondering uit. Jaeger hield zich voor dat hem dat niet hoefde te verbazen. Narov en deze Duitse natuurstrijder hadden duidelijk een band: hun gedeelde dierenliefde. Dat bracht hen nader tot elkaar en daardoor voelde hij zich op een rare manier buitengesloten.

'Soms wel, ja,' antwoordde König. 'Maar ik ben vaker kwaad dan bang. Die woede – over de schaal van de slachtpartijen – drijft me voort.'

'Ik zou laaiend zijn,' zei Narov tegen König. Ze keek hem recht in de ogen. 'Ik zou dit graag met eigen ogen zien, Falk. Mogen we morgen met je meevliegen? Op patrouille?'

Het kostte König even om te antwoorden. 'Nou, dat denk ik niet. Ik heb nog nooit gasten meegenomen op een vlucht. Ik vlieg namelijk erg laag en snel – als in een achtbaan, maar dan erger. Ik denk niet dat jullie ervan zouden genieten. En dan is er ook nog het risico dat we worden beschoten.'

'Dat maakt niet uit. Mogen we een keer mee?' drong Narov aan.

'Dat is echt geen goed idee. Ik kan niet zomaar iemand meenemen… En qua verzekering… Het is gewoon niet…'

'Wij zijn niet zomaar iemand,' viel Narov hem in de rede. 'Waarschijnlijk had je dat in de grot al in de gaten. Bovendien denk ik dat we kunnen helpen. Ik denk echt dat we je kunnen helpen een einde te maken aan die slachtpartijen. Pas de regels een beetje aan, Falk. Voor deze ene keer. Voor je dieren.'

'Andrea heeft gelijk,' voegde Jaeger eraan toe. 'We zouden jullie echt kunnen helpen.'

'Maar hoe dan?' vroeg König. Hij was zichtbaar geïntrigeerd. 'Hoe zouden jullie nou dergelijke slachtpartijen kunnen bestrijden?'

Jaeger keek Narov doordringend aan. Er begon zich een soort plan te vormen in zijn hoofd, een plan dat volgens hem misschien wel zou kunnen werken.

46

Jaeger wierp een steelse blik op de grote Duitser. Hij verkeerde in een uitstekende conditie en zou hoogstwaarschijnlijk een prima elitesoldaat zijn geweest als zijn leven anders was verlopen. Hij had in ieder geval weinig angst getoond tijdens hun eerste ontmoeting. 'We zullen je een geheimpje verklappen, Falk. Wij zijn allebei exmilitairen. Speciale eenheden. Een paar maanden geleden hebben we ontslag genomen en zijn getrouwd, en ik denk dat we allebei op zoek zijn naar iets, een zaak om ons voor in te zetten.'

'We denken dat we die nu gevonden hebben,' voegde Narov eraan toe. 'Vandaag, hier bij jou in Katavi. Als wij kunnen helpen om een eind te maken aan het stropen, zou dat meer voor ons betekenen dan een hele maand safari's.'

König keek van de een naar de ander. Het was duidelijk dat hij nog steeds niet helemaal zeker wist of hij hen kon vertrouwen.

'Wat heb je te verliezen?' drong Narov aan. 'Ik beloof je: we kunnen helpen. Neem ons gewoon mee de lucht in, zodat we de stand van zaken kunnen bekijken.' Ze wierp een blik op Jaeger. 'Geloof me, mijn man en ik hebben veel ergere dingen meegemaakt dan stropers.'

Dat maakte wel zo'n beetje een eind aan de discussie. König had een zwakke plek ontwikkeld voor de verleidelijke Narov, dat was wel duidelijk. Ongetwijfeld popelde hij om de regels te omzeilen en zijn kundigheid in de lucht te laten zien. Maar de kans om zijn missie – het redden van dieren – vooruit te helpen, had de doorslag gegeven. Hij stond op om te vertrekken. 'Oké, maar jullie gaan niet mee als gasten van Katavi Lodge. Duidelijk?'

'Vanzelfsprekend.'

Hij schudde hen beiden de hand. 'Het is zeer ongebruikelijk, dus praat er alsjeblieft met niemand over. Ik zie jullie om zeven uur op de landingsbaan. Als we opgestegen zijn, kunnen we ontbijten, als jullie het dan tenminste nog binnen kunnen houden.'

Jaeger stelde hem nog een laatste vraag, alsof die hem opeens te binnen schoot. 'Ik ben zo benieuwd of je ooit in dat toestel in de grot bent geweest. Heb je het vanbinnen gezien?'

Die vraag overviel hem en König kon de ontwijkende toon in zijn antwoord niet verhullen. 'Dat oorlogsvliegtuig? Vanbinnen? Waarom zou ik? Eerlijk gezegd interesseert me dat niet zo.' Toen wenste hij hun welterusten en vertrok.

'Hij liegt,' zei Jaeger tegen Narov zodra hij buiten gehoorsafstand was.

'Inderdaad,' bevestigde Narov. 'Als iemand "eerlijk gezegd" zegt, weet je zeker dat hij liegt.'

Jaeger glimlachte. Typisch Narov. 'De vraag is: waarom? Wat al die andere dingen betreft komt hij oprecht over, dus waarom zou hij daarover liegen?'

'Ik denk dat hij bang is. Bang voor Kammler. En als we af moeten gaan op wat we over die man gehoord hebben, heeft hij daar alle reden toe.'

'Dus we gaan met hem op patrouille,' zei Jaeger peinzend. 'In welk opzicht helpt ons dat om die berg weer in te gaan en dat vliegtuig in te komen?'

'Als we er niet in kunnen komen, is de op één na beste optie iemand spreken die er wel is geweest… En dat is König. Hij is van alles hier op de hoogte. Hij weet dat zich duistere praktijken afspelen achter de glimmende façade. Hij kent alle geheimen. Maar hij durft niet te praten. We moeten hem aan onze kant krijgen.'

'Gevoel of verstand?' vroeg Jaeger.

'Eerst zijn gevoel en dan zijn verstand. We moeten hem naar een plek brengen waar hij zich veilig genoeg voelt om te praten. Sterker nog, waar hij zich daartoe verplícht voelt. En door hem te helpen zijn dieren te redden, krijgen we dat voor elkaar.'

Ze wandelden samen terug naar hun bungalow en liepen onder een reusachtige mangoboom door. Een groep apen krijste naar hen vanaf de takken en bekogelde hen vervolgens met afgekloven mangopitten.

Bij aankomst hadden Narov en hij een brochure gekregen over hoe je je het beste kon gedragen in de buurt van apen. Oogcontact moest je vermijden. Dan voelden ze zich uitgedaagd en ontstaken in woede. Je diende je rustig uit de voeten te maken. En als een aap iets te eten of iets anders van je afpakte, was het niet de bedoeling dat je daar achteraan ging, maar aangifte van de diefstal deed bij een van de bewakers.

Jaeger was het daar niet helemaal mee eens. Uit ervaring wist hij dat capitulatie steevast leidde tot grotere agressie.

Ze kwamen aan bij hun bungalow en schoven het zwarte houten scherm weg dat diende als beveiliging van de grote glazen schuifpui. Jaeger was meteen op zijn hoede. Hij zou zweren dat ze die er niet voor hadden gezet.

Zodra ze naar binnen stapten, was het duidelijk dat er iemand in hun kamer was geweest. De klamboe hing helemaal over het grote bed heen. En het was koel: iemand had de airco aangezet. Ook lagen er rozenblaadjes op de krakend witte kussens.

Ach, natuurlijk, dacht Jaeger. Dit hoorde bij de service. Terwijl zij zaten te dineren was een van de kamermeisjes binnen geweest om de huwelijksreis een extra romantisch tintje te geven. Dat hadden ze de eerste nacht ook gedaan.

Hij zette de airco uit. Ze sliepen allebei liever zonder.

'Neem jij het bed maar,' riep Narov naar hem toen ze de badkamer in ging. 'Ik ga op de bank.'

De nacht ervoor had Jaeger op de bank geslapen. Protesteren had geen zin, wist hij. Hij trok zijn kleren uit en schoot een badjas aan over zijn boxer. Zodra Narov klaar was, ging hij zijn tanden poetsen.

Toen hij de badkamer weer uit kwam, lag ze gewikkeld in het dunne laken op het bed. De contouren van haar lichaam tekenden zich duidelijk af. Ze had haar ogen dicht en hij vermoedde dat de alcohol haar regelrecht in slaap had gebracht. 'Ik dacht dat je zei dat jíj de bank zou nemen,' mopperde hij, terwijl hij er weer zelf op ging liggen.

47

Het enige waaruit Jaeger kon opmaken dat Narov een kater had, was de zonnebril. Het was zo vroeg dat de zon nog boven de Afrikaanse vlakte moest opstijgen. Of misschien droeg ze die bril wel om haar ogen te beschermen tegen het stof dat door de antiek ogende helikopter werd opgezweept.

König had besloten om gebruik te maken van de Russische Mi-17 HIP van het reservaat en dus niet van de Twin Otter, omdat hij bang was dat zijn passagiers luchtziek zouden worden. De helikopter was veel stabieler en bovendien had hij een kleine verrassing in petto voor zijn gasten, die alleen uitvoerbaar was met de helikopter. Wat die verrassing ook was, er moest een zeker risico aan kleven, want hij had Jaeger en Narov hun SIG Sauer P228's teruggegeven.

'We zijn hier in Afrika,' had König gezegd toen hij de pistolen overhandigde. 'Er kan van alles gebeuren. Maar ik omzeil de regels, dus probeer die wapens verborgen te houden. En aan het eind van de dag wil ik ze terug.'

De HIP was een bolvormig, lelijk grijs monster, maar Jaeger maakte zich niet al te veel zorgen. Hij had al ontelbare missies in een dergelijke helikopter gevlogen en wist dat het een eenvoudig doch onverwoestbaar Russisch ontwerp was. Kogels zouden er niet gauw doorheen gaan en het toestel was de bijnaam die ze er in de NAVO aan gegeven hadden – de luchtbus – meer dan waard. Hoewel de Britse en Amerikaanse luchtmacht officieel geen gebruikmaakten van dergelijk materieel uit de voormalige Sovjet-Unie, deden ze dat in praktijk natuurlijk wel. Een HIP was ideaal voor heimelijke, achteraf te ontkennen operaties; vandaar dat Jaeger het toestel goed kende.

Jaeger en Narov keken op een afstandje toe hoe König de vijf rotorbladen van de heli in gang zette. De HIP beschikte in de koelte van de vroege ochtend over een maximaal vermogen. De toenemende hitte in de loop van de dag zou de lucht ijler maken, waardoor het vliegen lastiger werd, dus het was van vitaal belang om zo snel mogelijk in de lucht te zijn.

Vanuit de cockpit stak König zijn duim op. Ze konden vertrekken. Hete wolken uitlaatgassen bestookten Jaeger, terwijl hij en Narov naar de open zijdeur van de heli spurtten en aan boord klommen. De stank was bedwelmend en haalde herinneringen boven aan talloze eerdere missies. Jaeger glimlachte. De stof die door de wervelende rotorbladen werd opgezweept had die vertrouwde geur van Afrika: hete aarde, onmetelijk oud en een geschiedenis die terugliep tot ver in de prehistorie. Afrika was de smeltkroes van de evolutie, de wieg van waaruit de mensheid zich had ontwikkeld uit een van oorsprong aapachtige voorouder. En terwijl de HIP zich een weg omhoog klauwde, zag Jaeger het ontzagwekkende en tijdloze landschap aan alle kanten uitrollen.

Links van hen – aan bakboord – verrezen de gebochelde voetheuvels van de Mbizi Mountains als een ingezakte cake, slijkgrijs in de ochtendschemering. Een flink eind naar het noordwesten lagen de randen van de Burning Angels Peak; aan de oostelijke, iets hogere kant lag de plek waar Jaeger en Narov naartoe geklommen en afgedaald waren. En ergens diep in die berg verborgen, lag de dreigende gestalte van de BV222. Vanuit de lucht kon Jaeger zich goed voorstellen hoe het toestel zeven lange decennia in de ongebaande wildernis van de Mbizi Mountains onopgemerkt was gebleven.

Hij draaide zich naar rechts – stuurboord – waar glooiende bergbossen oostwaarts verzandden in een bruin, nevelig, savanneachtig landschap, bespikkeld met groepjes afgeplatte acaciabomen. Drooggevallen rivieren en beken kronkelden zich als slangen naar de verre horizon.

König liet de neus van de heli zakken en die schoot opmerkelijk vlug vooruit voor zo'n stomp en bol bakbeest. Binnen de kortste keren hadden ze de open vlakte van het vliegveldje verlaten en scheerden ze zo laag over het dichtbegroeide terrein dat ze de boomtoppen bijna raakten. De deur stond nog open, zodat Jaeger en Narov het best mogelijke uitzicht hadden.

Voorafgaand aan de start had König het doel van vandaag besproken: vliegen over een reeks trajecten op de uiterwaarden van Lake Rukwa, waar grote wilde dieren samenschoolden rond de weinige waterpoelen. Lake Rukwa was hét stropersgebied. König had hen gewaarschuwd dat hij heel erg laag zou moeten vliegen met het toestel en dat ze voorbereid moesten zijn op een ontsnapping, mochten ze onder vuur komen te liggen.

Jaeger haalde zijn P228 onder de riem op zijn rug vandaan en maakte met de duim van zijn rechterhand het magazijn los. Hij was linkshandig, maar had zichzelf aangeleerd met rechts te schieten, aangezien veel wapens voor rechtshandigen waren gemaakt. Hij haalde het bijna lege magazijn eruit – waarmee hij het had opgenomen tegen de roedel hyena's – en stopte dat in de zijzak van zijn gevechtsbroek. Die diepe, grote zak was perfect voor het opbergen van gebruikte munitie. Toen haalde hij uit de zak van zijn fleecejas een nieuw magazijn en klikte dat aan het wapen. Het was iets wat hij al duizenden keren eerder had gedaan, zowel tijdens de opleiding als gedurende operaties, en hij deed dit inmiddels bijna zonder na te denken.

Vervolgens sloot hij zijn koptelefoon aan op de intercom van de helikopter, zodat hij contact had met de cockpit. Hij hoorde König en diens copiloot, Urio, praten over de herkenningspunten en vluchtgegevens. 'Afbuigend spoor op zandpad,' meldde König. 'Bakboordzijde, vierhonderd meter.'

Copiloot: 'Check. Vijftig kilometer van Rukwa.'

Na een korte stilte hoorde hij König weer: 'Snelheid: vijfennegentig knopen. Richting: nul-acht-vijf graden.'

Copiloot: 'Check. Over vijftien minuten start camera's.'

Met hun huidige snelheid – meer dan honderdvijftig kilometer per uur – zouden ze snel boven de uiterwaarden zijn; het moment waarop ze de camera's aan zouden zetten.

Copiloot: 'ETA waterpoel Zulu Alfa Mike Bravo Echo Zulu India vijftien minuten. Ik herhaal: waterpoel over vijftien. Zoeken naar dog's-head kopje, vervolgens open plek honderd meter ten oosten daarvan…'

König: '*Roger that.*'

Door de open deur zag Jaeger zo nu en dan een acacia langs schieten. Hij had het gevoel zo dichtbij te zijn dat hij de boomtoppen bijna kon aanraken, terwijl König daar tussendoor zigzagde. König vloog goed. Als hij de HIP ook maar een stukje liet zakken, zouden de rotoren de takken eraf maaien.

Ze haastten zich voorwaarts. Door de oorverdovende herrie van de versleten turbines en rotoren was een gesprek onmogelijk. Achterin zaten naast Jaeger en Narov nog drie andere personen. Twee daarvan waren bewakers, bewapend met AK-47-aanvalswapens. De derde was de loadmaster van het toestel – de man die verantwoordelijk was voor de vracht, of passagiers.

Die laatste liep voortdurend van de ene naar de andere deuropening en tuurde naar boven. Jaeger wist wat hij deed: hij keek of hij rook of olie uit de turbines zag komen, en of de rotorbladen niet op het punt stonden uit het lood te slaan of te versplinteren.

Jaeger leunde achterover en genoot van de vlucht. Hij had al zo vaak in een HIP gevlogen. Ze mochten er dan uitzien en klinken als een roestbak, hij had nog nooit gehoord dat er een was neergestort.

48

Jaeger pakte een bruine papieren zak vol eten van de stapel in de koelbox, die op de grond van de HIP stond. In het Britse leger waren twee oude boterhammen met ham en kaas, een blikje warme cola van een B-merk, een zakje chips en een KitKat het beste waar je op kon hopen. De inhoud leek nooit te variëren, met dank aan de cateraars van de RAF.

Jaeger tuurde in de zak: gekookte eieren gewikkeld in aluminiumfolie, die nog warm aanvoelden. Versgebakken pannenkoeken besprenkeld met ahornsiroop. Gegrilde worstjes en spek tussen beboterde toast. Een paar krokante croissants, gekoelde frisdrankjes plus een diepvrieszak vol vers gesneden fruit: ananas, watermeloen en mango. Naast de koelbox zag hij een thermoskan met verse koffie en heet water om thee te zetten. Hij had het kunnen weten, gezien de zorg die de cateraars van de Katavi Lodge besteedden aan het personeel en de gasten.

Hij begon te smullen en zag dat Narov naast hem, kater of niet, hetzelfde deed.

Het ontbijt was opgegeten en verteerd tegen de tijd dat ze tegen de eerste problemen aan liepen. Het was halverwege de ochtend en König had al een reeks trajecten over het gebied van Lake Rukwa gevlogen zonder iets opvallends te zien.

Opeens werd hij gedwongen tal van hevige manoeuvres uit te halen met de HIP. Het geluid van de gierende turbines weerkaatste oorverdovend tegen de grond toen de heli lager zakte en bijna de grond raakte.

De loadmaster tuurde door de deuropening en wees met zijn duim naar de achterkant. 'Stropers!' schreeuwde hij.

Jaeger stak zijn hoofd in de ziedende slipstream en zag nog net een groepje stakerige figuren, dat werd opgeslokt door een dikke stofwolk, en de flits van een wapen. Maar zelfs als de schutter erin zou slagen een salvo af te vuren, zouden ze te laat zijn om hun doelwit te ontwaren. Dat was de reden voor de ultralage vlucht: tegen de tijd dat de stropers de HIP zagen, zou die allang verdwenen zijn.

'Lopen de camera's?' vroeg König over de intercom.

'Die lopen,' bevestigde zijn copiloot.

'Even voor onze passagiers,' zei König, 'dat was een stropersbende van een man of tien, twaalf. Bewapend met AK-47's en zo te zien granaatwerpers. Meer dan genoeg om ons uit de lucht te knallen. O, en ik hoop dat jullie je ontbijt nog binnen kunnen houden!'

Jaeger was verbaasd over de bewapening van de stropers. AK-47-aanvalswapens konden ernstige schade aanrichten aan de HIP. En wat betreft een voltreffer van een granaatwerper...

'We hebben net hun route in kaart gebracht en het lijkt erop dat ze terugkeren van een... slachtpartij.' Zelfs over de intercom was de spanning in Königs stem hoorbaar. 'Ze hadden zo te zien slagtanden bij zich, maar jullie hebben nu gezien in welk dilemma wij verkeren. We zijn in de minderheid en als zij zo tot de tanden bewapend zijn, hebben we weinig kans hen te arresteren of het ivoor in beslag te nemen. Over een paar seconden zijn we boven het gebied waar het waarschijnlijk gebeurd is; een waterpoel,' voegde hij eraan toe. 'Dus zet je schrap.'

Een paar tellen later vertraagde de heli en maakte König een gierende bocht boven wat de waterpoel moest zijn. Jaeger tuurde uit de patrijspoort aan stuurboord en merkte dat hij bijna recht naar de grond keek. Een meter of tien van het modderig glimmende water af ontdekte hij twee vormeloze grijze gestalten.

De olifanten bezaten weinig meer van hun waardigheid of betoverende elegantie. Vergeleken met de gezaghebbende dieren die

Narov en hij in de grot van Burning Angels hadden gezien, waren deze teruggebracht tot onbeweeglijke hopen levenloos vlees.

'Zoals jullie zien hebben ze een olifantenjong gevangen en vastgebonden,' zei König op verstikte toon. 'Daarmee hebben ze de ouders gelokt. Zowel de vader als de moeder zijn doodgeschoten en verminkt. De slagtanden zijn weg.

Ik ken vele dieren hier bij naam,' ging hij verder. 'Dat grote mannetje zou Kubwa-Kubwa kunnen zijn, dat is Swahili voor "Groot-Groot". De meeste olifanten worden niet ouder dan zeventig jaar, maar Kubwa-Kubwa was eenentachtig. Hij was de opa van de kudde en een van de oudste olifanten in het reservaat.

Het jong leeft nog, maar zal zeer getraumatiseerd zijn. Als we bij hem kunnen komen om hem te kalmeren, blijft hij misschien leven. Als we geluk hebben, nemen de andere vrouwtjesolifanten hem onder hun hoede.'

König klonk opmerkelijk kalm. Maar, zoals Jaeger maar al te goed wist, dag in dag uit met dit soort ellende te maken krijgen, eiste zijn tol.

'Oké, en dan nu jullie verrassing,' kondigde König grimmig aan. 'Jullie zeiden dat je dit wilde zien… Ik breng jullie naar beneden. Een paar minuten op de grond om van dichtbij getuige te zijn van deze gruwel. De bewakers gaan met jullie mee.'

Bijna meteen voelde Jaeger dat de HIP de weinige hoogte die het toestel nog had verloor. Terwijl het achterstuk naar een smalle open plek zakte, hing de loadmaster uit de deuropening om te checken of de rotorbladen en staart geen acaciabomen meenamen. Een schok maakte duidelijk dat de wielen contact maakten met de hete Afrikaanse grond en de loadmaster stak zijn duim naar hen op. 'We zijn er!' schreeuwde hij. 'Uitstappen!'

Jaeger en Narov sprongen door de deuropening naar buiten. Gebukt en met gebogen hoofd renden ze opzij tot ze uit de buurt waren van de rotorbladen, die een wervelwind van stof en plantenresten veroorzaakten. Ze zakten op één knie met het pistool in de hand, voor het geval er nog stropers in de buurt waren. De twee bewakers haastten zich naar hen toe. Een van hen stak zijn duim op naar de cockpit, König beantwoordde dat gebaar op identieke wijze en even later steeg de HIP verticaal op en was verdwenen.

De seconden tikten voorbij. Het vibrerende ritme van de rotoren stierf weg. Al snel was het toestel niet meer te horen.

Gehaast vertelden de bewakers dat König terugging naar Katavi om een draaggordel te halen. Als ze de kleine olifant met een pijltje in slaap konden brengen, zouden ze die onder de HIP kunnen hangen om hem terug te vliegen naar het reservaat. Daar zouden ze het dier zo lang als het nodig was om over het trauma heen te komen zelf grootbrengen, waarna het herenigd kon worden met zijn kudde.

Jaeger zag daar de zin wel van in, maar genoot nou niet bepaald van hun huidige situatie: omringd door de karkassen van nog maar net geslachte olifanten en slechts bewapend met pistolen. De bewakers leken rustig, maar hij vroeg zich af hoe vaardig die waren als het allemaal uit de hand liep.

Hij kwam overeind en wierp een blik op Narov. Terwijl ze naar het gruwelijke bloedbad dat was aangericht toe liepen, zag hij de woede flakkeren in haar ogen.

49

Zo voorzichtig mogelijk benaderden ze het trillende hoopje ellende dat het olifantje was. Het lag nu op zijn zij, schijnbaar te uitgeput om zelfs maar te kunnen staan. Het touw waarmee hij aan de boom was vastgebonden had in zijn poot gesneden tijdens zijn worsteling om los te komen.

Narov knielde naast het arme beest. Ze boog haar hoofd en fluisterde geruststellende woordjes in zijn oor. Zijn kleine ogen – zo groot als die van een mens – schoten alle kanten op van angst, maar uiteindelijk leek haar stem hem te kalmeren. Ze leek een eeuwigheid bij het dier te blijven zitten.

Uiteindelijk draaide ze zich om. Er stonden tranen in haar ogen. 'We nemen ze te grazen. Degenen die dit gedaan hebben.'

Jaeger schudde zijn hoofd. 'Kom nou toch… Wij met zijn tweeën met onze pistolen. Dat is niet dapper, dat is dom.'

Narov ging staan. Ze keek Jaeger met een gekwelde blik doordringend aan. 'Dan ga ik alleen.'

'Maar hoe moet het dan…' Jaeger gebaarde naar de kleine olifant. 'Hij moet beschermd worden.'

Narov priemde een vinger in de richting van de bewakers. 'Dat kunnen zij toch doen? Zij zijn beter bewapend dan wij.' Ze keek in de richting die de stropers op waren gegaan. 'Als niemand hen pakt, gaat dit door tot het laatste dier dood is.' Ze was woedend. 'We moeten genadeloos toeslaan, net zo beestachtig als zij tekeer zijn gegaan,' zei ze met een ijzig vastberaden blik in haar ogen.

'Dat snap ik, Irina. Maar laten we in ieder geval bedenken hoe we dat het beste kunnen aanpakken. König blijft een minuut of twintig weg. In de HIP lagen reserve-AK's. Laten we er op zijn minst voor zorgen dat we fatsoenlijk bewapend zijn. Bovendien zit de heli vol water en eten. Als we dat niet hebben, is het al afgelopen voordat we begonnen zijn.

Narov staarde voor zich uit. Ze zei niets, maar hij merkte dat ze aarzelde.

Jaeger keek op zijn horloge. 'Het is nu 13.00 uur. Over een half-uur kunnen we op weg zijn. De stropers hebben dan twee uur voorsprong. Als we snel zijn, kunnen we hen te grazen nemen.' Ze moest zich erbij neerleggen dat dat het verstandigst was.

Jaeger besloot een nadere blik te werpen op de dode olifanten. Hij wist niet precies wat hij verwachtte te vinden, maar hij ging toch. Hij probeerde zijn gevoel uit te schakelen, de plek des onheils als een soldaat te inspecteren. Toch merkte hij dat zijn emoties met hem op de loop gingen.

Dit was geen correcte, professionele jacht geweest. Jaeger vermoedde dat de olifanten hadden aangevallen om hun jong te beschermen, en dat de stropers daardoor in paniek waren geraakt. Ze hadden de ooit zo machtige dieren in het wilde weg beschoten met hun machinegeweren om ze uit te schakelen.

Eén ding was zeker: de dieren hadden geen snelle, pijnloze dood gehad. Ze hadden het gevaar bespeurd, misschien zelfs geweten dat ze hun noodlot tegemoet gingen. Maar ze waren toch gekomen, om hun familie te beschermen, hun nageslacht te hulp te schieten. Ongewild dacht Jaeger aan zijn eigen zoon Luke, die nu al drie lange jaren weg was. Hij worstelde met onverwachte emoties en knipperde zijn tranen weg.

Hij wilde zich omdraaien, maar iets hield hem tegen. Hij dacht dat hij iets had zien bewegen. Met een naar voorgevoel keek hij nog eens goed. En ja, hoor, een van de machtige dieren ademde nog. Het was alsof hij een stomp in zijn maag kreeg. De stropers hadden de bul neergeschoten, zijn slagtanden eraf gehakt en hem achtergelaten. Nu lag hij vol kogels in een plas van zijn eigen bloed een langzame, martelende dood te sterven onder de brandende Afrikaanse zon.

Jaeger was witheet. Het dier was niet meer te redden. Hij wist wat hem te doen stond, ook al maakte de gedachte hem misselijk.

Hij liep naar een van de bewakers en leende diens AK-47. Met trillende handen van woede en verdriet richtte hij dat vervolgens op de kop van het prachtige dier. Hij meende heel even dat de bul zijn ogen opende. Door een waas van tranen loste Jaeger een schot en het zwaarbeproefde dier blies zijn laatste adem uit.

In een roes liep Jaeger terug naar Narov. Zij was nog steeds de kleine olifant aan het troosten, hoewel hij aan haar gepijnigde blik zag dat ze wist wat hij had moeten doen. Dit was voor hen allebei nu persoonlijk geworden.

Hij hurkte naast haar. 'Je hebt gelijk. We moeten inderdaad achter ze aan. Zodra we spullen uit de HIP hebben gehaald, gaan we op pad.'

Een paar minuten later kliefde het geluid van rotorbladen door de warme lucht. König liep voor op schema. Hij liet de HIP zakken boven de open plek, waardoor er een verstikkende wolk stof en puin in het rond vloog. De bolle wielen raakten de grond en König begon de motoren uit te zetten. Jaeger wilde net naar de heli toe rennen, toen zijn hart een slag oversloeg.

Hij had ver weg in de struiken een flits gezien: de veelzeggende weerkaatsing van zonlicht op metaal. Nu zag hij een gestalte uit het struikgewas oprijzen met een granaatwerper op zijn schouder. Hij stond bijna driehonderd meter van hen af, dus met zijn pistool kon Jaeger geen snars uitrichten. 'Granaatwerper!' schreeuwde hij.

Een seconde later hoorde hij het onmiskenbare geluid van een afgevuurde granaat. Normaal gesproken stonden deze apparaten erom bekend vaak mis te schieten, tenzij ze van dichtbij werden afgevuurd. Deze schoot het struikgewas uit en donderde als een kegel met een vlammende staart recht op de HIP af. Heel even dacht Jaeger dat hij zou missen, maar op het laatste moment drong hij door in de achterkant van de heli, vlak voor de staartmotor. Een verblindende flits. Een explosie, die de volledige staart van het toestel scheurde. Door de klap draaide de HIP een kwartslag.

Jaeger aarzelde amper. Hij schoot overeind en rende naar voren, terwijl hij tegen Narov en de bewakers schreeuwde dat ze een verdedigingsring moesten vormen om een blok te vormen tussen zichzelf en hun aanvallers. Hij hoorde al hevige geweerschoten en twijfelde er niet aan dat de stropers hen allemaal zouden neerknallen.

Ondanks de vlammen die uit de gehavende achterkant van de HIP vonkten, sprong Jaeger in de gescheurde en verwrongen romp. Dikke, bijtende rook belemmerde zijn zoektocht naar overlevenden. König was met vier extra bewakers teruggekomen en Jaeger zag meteen dat drie van hen gedood waren door granaatscherven.

Hij pakte de vierde, die gewond was maar nog leefde, en sleepte zijn bebloede lichaam het brandende toestel uit. Hij wilde meteen terug om König en diens copiloot te zoeken, want als hij niet opschoot, zouden die levend verbranden. Hij besefte echter dat hij dat zonder bescherming tegen de vlammen niet zou redden.

Hij schudde zijn rugzak af en haalde er een grote spuitbus uit, waar *COLDFIRE* op de matzwarte buitenkant was gestempeld. Daarmee spoot hij zichzelf van top tot teen onder. Coldfire was een wondermiddel. Hij had soldaten gezien die er hun handen mee inspoten, die vervolgens in een brander hielden en niets voelden. Hij nam een grote hap lucht en dook met de spuitbus in zijn hand door de rook de vlammenzee in. Gek genoeg voelde hij inderdaad helemaal geen hitte. Hij tilde de bus op en spoot: het schuim bedolf de giftige dampen en doofde de vlammen binnen een paar tellen.

In de cockpit haalde hij König, die buiten bewustzijn was, uit de riemen en sleepte hem de HIP uit. Hij had zo te zien een klap tegen zijn hoofd gehad, maar leek verder relatief ongedeerd. Jaeger droop inmiddels van het zweet en stikte bijna in de rook, maar toch ging hij nog een keer naar binnen en rukte de andere deur van de cockpit open. Met zijn laatste energie greep hij de copiloot vast en sleurde hem naar de veiligheid.

50

Jaeger en Narov hadden de afgelopen drie uur in een stevig tempo doorgelopen. Door in de beschutting van een wadi – een droge rivierbedding – te blijven, waren ze erin geslaagd de stropersbende in te halen zonder dat ze ogenschijnlijk gezien waren.

Ze liepen verder naar een compacte groep acaciabomen, vanwaar ze de stropers in de gaten konden houden als die passeerden. Ze moesten weten met hoeveel ze waren, over welke wapens ze beschikten en hun sterke en zwakke kanten beoordelen om te bepalen hoe ze hen het beste te grazen konden nemen.

Op de open plek bij de helikopter waren de stropers afgedropen door de kracht van het verdedigingsvuur. De gewonden waren gestabiliseerd en er was een reddingshelikopter opgeroepen, die de Katavi Lodge zou regelen. Ze waren van plan om tegelijk met de gewonden het olifantenjong daar weg te halen, maar Jaeger en Narov waren al lang voor die tijd vertrokken om het spoor van de stropers te volgen.

Ze zagen de bende naderen. Er waren tien schutters. De man met de granaatwerper die de HIP geraakt had, plus diens lader sloten de rij, waardoor ze in totaal met zijn twaalven waren. Jaeger zag dat ze tot de tanden gewapend waren. Om hun bovenlichaam hingen lange patroongordels en hun zakken zaten volgepropt met magazijnen en granaten voor de werpers. Twaalf stropers op oorlogssterkte; niet bepaald iets om naar uit te kijken.

Terwijl ze naar de langslopende bende keken, zagen ze dat het ivoor – vier grote, met bloed besmeurde slagtanden – van de een naar de ander werd doorgegeven. Iedere man kwam aan de beurt om voort te strompelen met een slagtand op zijn schouder. Jaeger twijfelde er niet aan dat dit erg veel energie vergde. Narov en hij hadden nauwelijks iets bij zich, maar dropen al van het zweet. Zijn dunne katoenen shirt zat vastgeplakt aan zijn rug. Ze hadden wat flessen water uit de HIP gehaald, maar kwamen desondanks nu al tekort. En deze kerels – de stropers – droegen veel meer met zich mee.

Jaeger gokte dat elke slagtand minstens veertig kilo woog en dat het dus niet lang meer zou duren voordat ze hun kamp voor de nacht gingen opslaan. Ze zouden wel moeten; het ging bijna schemeren en ze moesten toch drinken, eten en uitrusten. En dat betekende dat het plannetje dat zich in zijn hoofd aan het vormen was, misschien net haalbaar was.

Hij trok zich terug in de wadi en gebaarde dat Narov dat ook moest doen. 'Genoeg gezien?' fluisterde hij.

'Genoeg om ze allemaal om zeep te willen brengen,' siste ze terug.

'Ik denk er net zo over. Het probleem is alleen dat als we de strijd met hen aangaan, dat ongeveer gelijkstaat aan zelfmoord.'

'Heb jij een beter idee, dan?' vroeg ze schor.

'Misschien.' Jaeger dook in zijn rugzak en haalde zijn Thuraya-satelliettelefoon eruit. 'Volgens König is ivoor massief, net als tanden. Maar vlak boven de plek waar de wortel begint, zit een holte, de zogenoemde pulpakamer. En die is gevuld met zacht weefsel, cellen en bloedvaten.'

'Ga verder,' gromde Narov. Jaeger merkte dat ze nog steeds het liefst meteen op de bende af wilde gaan.

'Vroeg of laat zullen ze moeten stoppen. Zodra ze hun kamp hebben opgeslagen voor de nacht, gaan wij ernaartoe. Maar we vallen ze niet aan. Nog niet.' Hij stak de Thuraya omhoog. 'Deze stoppen we diep in de pulpakamer van een slagtand. Dan laten we Falkenhagen het signaal volgen. Dat leidt ons naar hun basis. Ondertussen bestellen wij wat fatsoenlijke spullen. Daarmee slaan we toe op de door ons gekozen tijd en plaats.'

'Hoe komen we zo dichtbij?' wilde Narov weten. 'Om die telefoon daar te krijgen?'

'Dat weet ik niet. Maar we doen waar we het beste in zijn. We observeren, we denken na en we vinden een manier.'

Narovs ogen glommen. 'En als iemand die telefoon nou belt?'

'We zetten hem op de trilstand.'

'En als hij zich lostrilt en eruit valt?'

Jaeger zuchtte. 'Doe niet zo moeilijk.'

'Moeilijk doen houdt me in leven.' Narov rommelde in haar rugzak en haalde er een apparaatje uit dat niet groter was dan een muntstuk. 'Wat dacht je hiervan? Een gps-tracker op zonne-energie. Tot op anderhalve meter accuraat. Het leek me wel handig om Kammlers mensen in de gaten te houden.'

Jaeger hield zijn hand op. Dit dingetje diep in de tandholte van de slagtand stoppen was zeker mogelijk, als ze maar dichtbij genoeg konden komen.

Narov bleef hem echter vasthouden. 'Op één voorwaarde: ik stop hem erin.'

Jaeger keek haar even aan. Ze was tenger, behendig en slim, dat wist hij, en hij twijfelde er niet aan dat ze geruislozer te werk kon gaan dan hij. Hij glimlachte. 'Oké.'

Ze liepen nog drie afmattende uren verder. Eindelijk hield de bende het voor gezien. De reusachtige, bloedrode Afrikaanse zon zakte in hoog tempo naar de horizon. Jaeger en Narov kropen op hun buik dichterbij door een smal ravijn dat uitliep in een strook stinkende modder, die de rand van een waterpoel markeerde.

De stropers hadden aan de andere kant van die poel hun kamp opgeslagen, wat uitermate logisch was. Na een lange dag lopen, zouden ze water nodig hebben. Maar dit water leek eerder een blubberpoel vol rottende planten. De hitte was ietwat afgenomen, maar het bleef belachelijk warm en elk kruipend, zoemend en stekend wezen leek hiernaartoe getrokken te worden. Vliegen zo groot als muizen, ratten zo groot als katten en venijnig stekende muggen – het krioelde ervan.

Maar wat Jaeger het meest dwarszat was de uitdroging. Zeker een uur geleden hadden ze hun laatste water opgedronken en hij had weinig tot geen vocht meer over in zijn lichaam om te transpireren. Hij voelde het begin van een stekende koppijn. Zelfs nu ze hier doodstil lagen en de stropers in de gaten hielden, was de dorst ondraaglijk. Ze moesten allebei zo snel mogelijk vocht binnenkrijgen.

De duisternis daalde neer over het landschap. Een lichte bries joeg het laatste zweet van Jaegers huid. Hij lag roerloos in de modder naar de muur van de nacht te staren, met Narov naast zich. Boven hen flakkerde het vage schijnsel van sterren door het bladerdak van de acacia's en er brak niet meer dan een streepje maanlicht doorheen. Een vuurvliegje schoot heen en weer in de duisternis; zijn fluorescerende blauwgroene gloed zweefde magisch boven het water.

De afwezigheid van licht was meer dan welkom. Op een missie als deze was de duisternis hun grootste vriend. En hoe langer hij keek, hoe meer Jaeger besefte dat het water – hoe weerzinwekkend die gedachte ook mocht zijn – de ideale toegangsroute bood.

51

Jaeger noch Narov had enig idee hoe diep het water was, maar het zou hen wel naar het hart van het vijandelijke kamp brengen. Het flakkerende licht van het kampvuur van de stropers aan de overkant van de waterpoel weerkaatste in het stilstaande oppervlak ervan.

'Klaar om aan de slag te gaan?' fluisterde Jaeger, terwijl hij Narovs schoen zachtjes aantikte met de zijne.

Ze knikte. 'Laten we gaan.'

Het was na middernacht en de afgelopen drie uur hadden ze geen geluiden meer gehoord uit het kamp. In het tussenliggende water was bovendien niets te zien geweest wat op krokodillen leek. Het was tijd.

Jaeger draaide zich om en liet zich in het water glijden; tastte met zijn voeten naar houvast. Ze belandden in de dikke smurrie die de bodem van de waterpoel bedekte. Hij stond tot aan zijn middel in het water, maar de oever hield hem uit het zicht.

Aan weerszijden van hem glibberden onzichtbare, naamloze beesten. Het verbaasde hem niet dat er geen enkele stroming in het water stond. Het was stilstaand, stinkend en misselijkmakend. Het stonk naar uitwerpselen van dieren, ziekte en dood. Kortom: het was volmaakt, want de stropers zouden een aanval van deze kant nooit verwachten.

Bij de SAS had Jaeger geleerd om de duisternis te omarmen; iets wat de meeste simpele zielen juist vreesden. Het was een dekmantel om de bewegingen van hem en zijn medestrijders verborgen te houden voor vijandige ogen, precies waar hij nu ook op hoopte. Hij had geleerd uitgerekend die omgevingen te kiezen – snikhete woestijnen, ondoordringbare oerwouden en stinkende moerassen – die normale mensen geneigd waren te mijden.

Jaeger liet zich op zijn knieën zakken, zodat zijn neus en ogen nog net boven het water uitstaken. Op deze manier zou hij zo onzichtbaar en geruisloos mogelijk naderbij kunnen kruipen. Hij zorgde ervoor dat zijn P228 niet in het water kwam. Hoewel de meeste pistolen nog wel werkten als ze nat waren, was het altijd beter om ze droog te houden; gewoon voor het geval dat ze verstopt raakten door de vuiligheid in het water.

Hij wierp een blik op Narov. 'Gaat het?'

Ze knikte. Haar ogen fonkelden onheilspellend in het maanlicht.

Met de vingertoppen van zijn linkerhand duwde hij de zompige, slijmerige drab van verrotte planten opzij, terwijl hij voortschuifelde over de bodem. Hij bad dat er geen slangen zaten, en zette die gedachte meteen weer uit zijn hoofd.

Drie minuten ging hij op die manier vooruit, terwijl hij elke voorwaartse beweging telde en vertaalde in een ruwe schatting van de afgelegde afstand. Narov en hij deden dit blindelings en hij moest enigszins het gevoel krijgen waar het kamp van de stropers lag. Toen hij dacht dat ze een meter of zeventig hadden afgelegd, gaf hij het teken om te stoppen.

Hij naderde de linkeroever en stak zijn hoofd een klein stukje boven de dekking uit. Hij voelde dat Narov vlak naast hem was, haar hoofd lag praktisch op zijn schouder. Samen kropen ze de drab uit met hun hand stevig om hun pistool geklemd. Ze hielden ieder de helft van het terrein voor hen onder schot, terwijl ze elkaar details toefluisterden om zo snel mogelijk het kamp in kaart te brengen.

'Kampvuur,' fluisterde Jaeger. 'Met twee mannen ernaast. Bewaker.'

'Kijkrichting?'

'Zuidoost. Bij de waterpoel vandaan.'

'Lichten?'

'Niet dat ik kan zien.'

'Wapens?'

'AK's. Links en rechts van het vuur slapende mannen. Ik tel er… acht.'

'Dat zijn er tien in totaal. Nog twee.'

Narov liet haar blik over haar kant van het terrein glijden. 'Ik zie de slagtanden. Een man die ze bewaakt.'

'Wapen?'

'Aanvalsgeweer over zijn schouder.'

'Dan hebben we er nog één niet gezien.'

Ze waren zich beiden bewust van het verstrijken van de tijd, maar het was verstandig om die ontbrekende stroper te vinden. Ze bleven nog een paar minuten speuren, maar konden de man niet vinden.

'Enig teken van extra veiligheidsmaatregelen? Valstrikken? Boobytraps? Bewegingsmelders?'

Narov schudde haar hoofd. 'Niets te zien. Laten we verdergaan tot we naast de slagtanden zijn.'

Jaeger gleed terug de modder in en sloop verder. Terwijl hij dat deed hoorde hij de geluiden van raadselachtige beesten in de duisternis. Zijn ogen waren bijna op gelijke hoogte met het wateroppervlak en hij voelde aan alle kanten dingen bewegen. Erger nog, hij voelde dat er dingen onder zijn kleren glipten. Onder zijn shirt, rond zijn nek, zelfs aan de binnenkant van zijn bovenbenen, voelde hij een vaag stekend gevoel: bloedzuigers die zich in zijn huid vastzogen en zich gulzig tegoed deden aan zijn bloed. Het was walgelijk. Weerzinwekkend. Maar op dit moment kon hij daar niets aan doen.

Om de een of andere reden – hoogstwaarschijnlijk door de enorme adrenalinestoot die hij voelde – moest Jaeger ook verschrikkelijk plassen. Maar die aandrang moest hij onderdrukken. De gouden regel bij het oversteken van een dergelijk terrein was nóóit pissen. Als je dat deed, liep je het risico dat er een lading bacillen, bacteriën en parasieten door je pisbuis naar binnen zwom. Er was zelfs een piepklein vísje – de candiru – dat lichaamsholten in zwom en zich vervolgens groter maakte, zodat je het er niet meer uit kon trekken. Alleen al die gedachte deed Jaeger huiveren. Hij ging dus écht niet plassen hier; hij zou het ophouden tot de missie was afgelopen.

Eindelijk stopten ze en scanden het terrein nog een keer. Meteen links van hen, een meter of dertig verder misschien, glommen de vier gigantische slagtanden griezelig in het maanlicht. De enige bewaker stond met zijn rug naar hen toe en keek richting de bush, want áls er gevaar dreigde, zou dat daar vandaan komen.

Narov stak de gps-tracker omhoog. 'Ik ga,' fluisterde ze.

Even kwam Jaeger in de verleiding ertegenin te gaan, maar daar was dit het moment niet voor. En ze kon dit hoogstwaarschijnlijk beter dan hij. 'Ik dek je.'

Narov zweeg, schepte toen een handvol smurrie van de oever en smeerde daar haar gezicht en haar mee in. Ze draaide zich naar Jaeger. 'Hoe zie ik eruit?'

'Betoverend.'

Toen gleed ze als een spookslang de oever op en was weg.

52

Jaeger telde de seconden. Hij vermoedde dat er zeven minuten waren verstreken en Narov was nog steeds nergens te bekennen. Hij verwachtte dat ze elk moment kon opduiken. Hij liet zijn ogen geen moment afdwalen van de bewakers bij het vuur, maar er was nog steeds niets wat wees op problemen.

Opeens bespeurde hij een vreemd verstikt, rochelend geluid uit de richting van de stapel ivoor. Even liet hij zijn blik afdwalen om ernaar te kijken. De eenzame bewaker was uit beeld verdwenen. Snel schoot zijn hoofd terug naar de bewakers bij het vuur. Hij zag hen verstijven. Zijn hart ratelde als een machinegeweer toen hij hen in het vizier van de SIG kreeg.

'Hoessein?' riep een van hen. 'Hóéssein!'

Zij hadden het geluid dus ook gehoord. De eenzame bewaker gaf geen antwoord en Jaeger kon wel raden waarom.

Een van de gestalten naast het vuur kwam overeind. Zijn woorden – in het Swahili – dreven naar Jaeger toe. 'Ik ga wel even kijken. Hij is waarschijnlijk pissen.' Hij liep in de richting van de stapel ivoor, in de richting van Narov.

Jaeger wilde haar net te hulp schieten toen hij iets zag. Er kroop iemand op zijn buik door het struikgewas zijn kant op. Het was Narov, alleen bewoog ze nogal vreemd.

Toen ze dichterbij kwam, zag hij waarom: ze sleepte een slagtand achter zich aan. Met dat gewicht zou ze het nooit halen. Jaeger schoot gebukt naar voren, greep de zware slagtand vast en liet zich in het water zakken met de slagtand naast zich. Narov voegde zich bij hem. Hij kon amper geloven dat ze hen niet gezien hadden.

Zwijgend begonnen ze aan de terugweg. Er hoefde niets gezegd te worden: als Narov niet geslaagd was in haar missie, zou ze hem dat verteld hebben. Maar waarom had ze in hemelsnaam een slagtand meegenomen?

Opeens doorkliefden geweerschoten de nachtelijke hemel. *PCH-THIEW! PCHTHIEW! PCHTHIEW!*

Jaeger en Narov verstijfden. Dat waren drie kogels uit een AK en ze waren afgevuurd op de plek waar het ivoor lag. Narovs jatwerk was ongetwijfeld ontdekt.

'Waarschuwingsschoten,' mimede Jaeger.

Er klonk een reeks woedende kreten van mensen die verspreid over het kamp wakker schrokken. Jaeger en Narov lieten zich zo diep mogelijk in het water zakken. Ze konden zich alleen zo stil mogelijk houden en er door te luisteren achter komen wat er gebeurde.

Er werd geschreeuwd en heen en weer gerend. Wapens werden in stelling gebracht. De stropers slaakten verwarde kreten. Jaeger voelde dat er iemand op de oever verscheen, slechts een paar meter van de plek waar zij zich schuilhielden. Even tuurde de man over het water; Jaeger vóélde zijn blik over hen heen scheren. Hij zette zich schrap voor een kreet, voor geweervuur, voor kogels die hem doorzeefden.

Toen hoorde hij iemand op bevelende toon schreeuwen: 'Er zit echt niemand in die stront hoor, idioot! Ga ergens anders zoeken!'

De gestalte draaide zich om en zette het op een rennen naar de begroeiing. Jaeger voelde dat er geen ogen meer hun kant op gericht waren; de stropers verspreidden zich om het omringende terrein uit te kammen.

Langzaam zwemmend bereikten ze uiteindelijk de plek waar ze begonnen waren. Ze checkten of ze stropers zagen en toen dat niet het geval was, trokken ze zich op het droge en haalden ze de rugzakken op.

Heel even bleef Narov staan. Ze haalde haar mes tevoorschijn en spoelde het lemmet af in het water. 'Een van hen moest sterven.

Die heb ik meegenomen,' zei ze gebarend naar de slagtand, 'als dekmantel. Zodat het lijkt op diefstal.'

Jaeger knikte. 'Slim bedacht.'

Af en toe hoorden ze een kreet en geweervuur door het donker galmen. De zoektocht leek zich verplaatst te hebben richting het oosten en het zuiden, weg van de waterpoel. De stropers tastten letterlijk in het duister en joegen achter spoken en schimmen aan.

Jaeger en Narov verborgen de slagtand op een ondiepe plek en liepen door het struikgewas. Ze hadden een lange tocht voor de boeg en de dehydratie begon nu echt op te spelen. Maar er was één ding dat meer prioriteit had dan water.

Toen hij vond dat ze ver genoeg waren om niet meer ontdekt te worden, bleef Jaeger staan. 'Ik moet plassen. En we moeten onszelf controleren op bloedzuigers.'

Narov knikte.

Dit was niet de plek om je druk te maken om de etiquette. Jaeger draaide zich van haar af en liet zijn broek zakken. En ja hoor, zijn kruis was één donkere krioelende massa. Hij had altijd de schurft gehad aan die verdomde bloedzuigers. Zelfs nog meer dan aan vleermuizen. Nadat ze zich ruim een uur tegoed hadden gedaan aan zijn bloed, was elk zwart lijfje opgezwollen tot een paar keer zijn normale lichaamsgrootte. Hij peuterde ze een voor een los en tikte ze weg; ze lieten allemaal een stroompje bloed achter.

Toen zijn kruis schoon was, trok hij zijn shirt uit en begon aan zijn nek en bovenlichaam. De bloedzuigers pompten een anticoagulans in je lijf, dat een tijdlang voorkwam dat je bloed ging stollen. Dus tegen de tijd dat hij ze allemaal verwijderd had, was zijn lichaam een bloederige bende.

Narov had zich van hem afgewend en haar eigen broek laten zakken.

'Hulp nodig?' vroeg Jaeger voor de grap.

Ze snoof. 'Dat mocht je willen. Ik ben omringd door bloedzuigers, en jij bent er een van.'

Hij haalde zijn schouders op. 'Mij best. Bloed maar lekker.'

Na het verwijderen van de bloedzuigers namen ze allebei even de tijd om hun wapen schoon te maken. Dat was cruciaal, want er was ongetwijfeld modder en vocht in de bewegende delen gekomen. Toen zetten ze er stevig de pas in naar het oosten. Ze hadden geen water en voedsel meer, maar in het wrak van de helikopter moest daar nog genoeg van liggen. Als het ze tenminste zou lukken om daar te komen.

53

Jaeger en Narov deelden de heupflacon. Bij het doorzoeken van het wrak van de HIP was de alcohol een bonus geweest. Hoewel Narov zelden dronk, waren ze allebei uitgeput en hadden de whisky nodig als opkikker.

Toen ze kort voor middernacht terugkwamen, ontdekten ze dat de plek volkomen verlaten was. Zelfs het olifantenjong was weg, en dat was goed nieuws. Het gaf in ieder geval de hoop dat ze één dier hadden gered.

Met het water, de frisdrank en het eten uit de HIP hadden ze eerst hun dorst gelest en daarna hun honger gestild. Vervolgens had Jaeger een paar telefoontjes gepleegd met zijn Thuraya. Het eerste was naar Katavi en daar had hij tot zijn grote vreugde König aan de lijn gekregen. De beheerder van het reservaat was een taaie, dat was wel duidelijk. Hij was weer bij bewustzijn en aan het werk.

Jaeger had in het kort uitgelegd wat Narov en hij van plan waren. Hij had gevraagd of ze opgehaald konden worden en König had beloofd dat hij zodra het licht werd in de lucht zou zitten. Jaeger had hem ook op de hoogte gebracht van een lading kisten die per vliegtuig zou worden afgeleverd en hem op het hart gedrukt die onder geen beding te openen.

Daarna had hij Raff in Falkenhagen gebeld om een boodschappenlijstje met apparatuur en wapens door te geven. Raff had beloofd het binnen vierentwintig uur naar Katavi te verschepen, met dank aan de Britse diplomatieke post. Als laatste had Jaeger Raff verteld over de gps-tracker die ze in de gaten moesten houden. Zodra die op één plaats bleef, moesten Jaeger en Narov daarvan op de hoogte worden gebracht, want dat betekende dat de stropers op hun thuisbasis waren gearriveerd.

Toen dat eenmaal gebeurd was, waren ze tegen een acaciaboom gaan zitten en hadden de heupflacon tevoorschijn gehaald. Een uur lang hadden ze onder het nemen van slokken plannen gemaakt. Het was al ver na middernacht toen Jaeger besefte dat de flacon bijna leeg was.

Hij schudde en hoorde het laatste restje klotsen. 'Nog een klein slokje, mijn Russische kameraad? Waar zullen we het nu over hebben?'

'Waarom moeten we praten? Luister naar de natuur. Die klinkt als een symfonie. Bovendien heb je daarbij nog de magie van de nachthemel.'

Ze leunde achterover en Jaeger volgde haar voorbeeld. Het ritmische *priep-priep-priep* van de nachtinsecten werkte hypnotiserend, terwijl het verbluffende, zijdezacht ogende hemelgewelf boven hen zich eindeloos leek uit te strekken.

'Toch is dit een zeldzame kans,' probeerde Jaeger nogmaals. 'Alleen wij tweeën; in de verste verte niemand te bekennen.'

'Waar wil je dan over praten?' mompelde Narov.

'Weet je wat? Ik vind dat we het over jou moeten hebben.' Jaeger had duizenden vragen die hij nooit aan Narov had kunnen stellen, en waarom zou hij dat nu niet doen?

Ze haalde haar schouders op. 'Zo interessant is het niet. Wat moet ik erover vertellen?'

'Je kunt beginnen met vertellen hoe je mijn opa kende. Ik bedoel, als hij voor jou als een opa was, wat zijn wij dan? Een soort broer en zus die elkaar na lange tijd hebben teruggevonden?'

Narov schoot in de lach. 'Nou, nee. Het is een lang verhaal. Ik zal proberen het kort te houden.' Haar uitdrukking werd ernstig.

'In de zomer van 1944 werd Sonja Olsjanowski, een jonge Russische vrouw, gevangengenomen in Frankrijk. Ze had gevochten met de partizanen en was hun radiocontact naar Londen. De Duitsers brachten haar naar een concentratiekamp; Natzweiler, daar heb je al over gehoord. Dat was het kamp voor de *Nacht und Nebel*-gevangenen, degenen die in opdracht van Hitler spoorloos moesten verdwijnen. Als de Duitsers hadden geweten dat Sonja Olsjanowski een SOE-agent was, zouden ze haar gemarteld en geëxecuteerd hebben, zoals ze met alle gevangengenomen agenten deden. Gelukkig hebben ze dat niet gedaan. Ze zetten haar aan het werk in het kamp. Slavenarbeid. Toen kwam er een hooggeplaatste SS-officier op bezoek. Sonja was een knappe vrouw. Hij koos haar als zijn bedgenote.'

Narov zweeg even. 'Na verloop van tijd vond ze een manier om te ontsnappen. Ze slaagde erin wat houten latten los te wrikken uit een varkensstal en bouwde een ladder waarmee zij en twee medegevangenen over het stroomdraad klommen. Het lukte Sonja om de Amerikaanse linies te bereiken. Daar ontmoette ze een stel Britse officieren die gelegerd waren bij de Amerikanen – mede SOE-agenten. Ze vertelde hun over Natzweiler en toen de geallieerden waren doorgebroken, leidde zij hen naar het kamp.

Natzweiler was het eerste concentratiekamp dat door de geallieerden ontdekt werd. Niemand had zich ooit voor kunnen stellen dat dergelijke gruwelen bestonden. De bevrijding ervan had een onmetelijk effect op die twee Britse officieren.' Narovs gezicht betrok. 'Maar tegen die tijd was Sonja vier maanden zwanger. Ze droeg het kind van de SS-officier die haar verkracht had.'

Narov zweeg. Haar ogen gleden over de hemel boven haar. 'Sonja was mijn oma. Jouw opa Ted was een van die twee officieren. Hij was zo aangedaan door alles wat hij gezien had en door Sonja's standvastigheid, dat hij aanbood pleegvader te willen zijn voor het ongeboren kind. Dat kind was mijn moeder. En zo heb ik jouw opa leren kennen.

Ik ben het kleinkind van een naziverkrachter,' zei Narov zacht. 'Dus je begrijpt waarom dit voor mij iets persoonlijks is. Jouw opa zag al iets in me toen ik nog heel jong was. Hij heeft me gevormd om uiteindelijk in zijn voetsporen te kunnen treden.' Ze draaide zich naar Jaeger. 'Hij heeft me opgeleid tot de belangrijkste soldaat van de Geheime Jagers.'

Ze vervielen in stilzwijgen; voor Jaegers gevoel duurde dat een eeuwigheid. Hij had zo veel vragen dat hij niet wist waar hij moest beginnen. Hoe goed had ze opa Ted gekend? Had ze hem ooit thuis bezocht? Had ze samen met hem getraind? En waarom was dit voor de rest van de familie geheimgehouden? Jaeger had een hechte band gehad met zijn grootvader. Hij bewonderde hem en was door hem in het leger gegaan. Hij voelde zich op de een of andere manier gekwetst dat zijn grootvader hem nooit iets verteld had.

Uiteindelijk kreeg de kou de bovenhand. Narov schoof tegen Jaeger aan. 'Pure overlevingsdrift, meer niet,' mompelde ze.

Jaeger knikte. 'We zijn volwassenen. Wat is het ergste dat kan gebeuren?' Hij dommelde in slaap toen hij haar hoofd op zijn schouder voelde vallen en ze haar armen om zijn borstkas sloeg.

'Ik heb het nog steeds koud,' mompelde ze slaperig.

Hij rook de whisky in haar adem. Maar hij rook ook de warme, zweterige, pittige geur van haar lichaam zo dicht bij het zijne, en hij voelde zijn hoofd tollen. 'We zijn in Afrika. Zo koud is het niet,' mompelde hij, terwijl hij een arm om haar heen sloeg. 'Zo beter?'

'Een beetje.' Narov hield hem vast. 'Maar ik ben van ijs, weet je nog?'

Jaeger onderdrukte een lach. Het was zo verleidelijk om erin mee te gaan; mee te gaan in de gemakkelijke, intieme, bedwelmende flow. Ergens voelde hij zich gespannen en prikkelbaar: hij moest Ruth en Luke op de een of andere manier zoeken en redden. Maar een ander deel van hem – het ietwat aangeschoten deel – herinnerde zich even hoe de aanraking van een vrouw voelde. En diep vanbinnen wilde hij niets liever dan die beantwoorden. Het was tenslotte niet zomaar een vrouw die hij vasthield. Narov was een opmerkelijke schoonheid. En in het maanlicht zag ze er uitermate aanlokkelijk uit.

'Weet je, meneer Groves, als je maar lang genoeg een rol speelt, ga je soms geloven dat het echt is,' zei ze. 'Zeker als je al zo lang dicht in de buurt bent van datgene wat je echt wilt, maar waarvan je weet dat je het niet mag hebben.'

'We kunnen dit niet doen,' dwong Jaeger zichzelf te zeggen. 'Ruth en Luke zitten daar ergens onder die berg. Ze leven nog, dat weet ik zeker. Het zal niet lang meer duren.'

Narov snoof. 'Dus je kunt maar beter hier sterven van de kou? Schwachkopf.' Toch liet ze hem niet los, en hij haar ook niet.

54

De afgelopen vierentwintig uur was er van alles gebeurd. De spullen die ze bij Raff hadden besteld waren gearriveerd en zaten nu diep weggestopt in de rugzakken die ze droegen. Ze waren alleen vergeten te vragen om twee zwarte zijden bivakmutsen, dus ze hadden moeten improviseren. Vanwege de dekmantel van de huwelijksreis had Narov een paar zwarte panty's meegenomen. Die hadden ze over hun hoofd getrokken en er gaten in gemaakt voor hun ogen.

Zodra Raff hen had gewaarschuwd dat de tracker niet meer bewoog, wisten Jaeger en Narov wat hun doelwit was. Het gebouw waar de slagtanden mee naartoe waren genomen was bekend bij König. Het was de vermoedelijke uitvalsbasis van de Libanese handelaar, inclusief een zorgvuldig geselecteerde delegatie lijfwachten.

König had uitgelegd dat de dealer de eerste schakel was in een wereldwijde smokkelorganisatie. De stropers verkochten de slagtanden aan hem, en als die deal eenmaal gesloten was, werden de spullen verder gesmokkeld en volgde een route die steevast in Azië eindigde: de grootste afzetmarkt voor dergelijke illegale waren.

Jaeger en Narov waren op eigen gelegenheid vertrokken uit Katavi; ze hadden onder een valse naam een witte landrover Defender gehuurd. Daarop stond de naam van het verhuurbedrijf – Wild Africa Safaris – op de deuren, en dus niet het opvallende logo dat op de Toyota's van de Katavi Lodge stond.

Ze hadden een betrouwbaar iemand nodig gehad die bij het voertuig bleef als zij te voet naar binnen gingen. Er was maar één persoon die daarvoor logischerwijs in aanmerking kwam: König. Toen hij eenmaal op de hoogte was van hun plannen – en gerustgesteld dat de komende operatie nooit te herleiden zou zijn naar Katavi – was hij helemaal voor.

Zodra het begon te schemeren hadden ze hem achtergelaten bij de landrover, die goed verborgen was in een wadi, en waren opgegaan in het spookachtige licht. Ze navigeerden op gps en kompas over de droge savanne en door het struikgewas. Ze waren uitgerust met SELEX Personal Role Radio's met koptelefoon en toebehoren. Die hadden een bereik van bijna vijf kilometer, waardoor ze met elkaar en König in contact konden blijven. Ze hadden geen tijd gehad om de belangrijkste wapens die ze bij zich hadden te testen, maar de vizieren waren in de fabriek scherp gesteld tot bijna tweehonderddertig meter, wat voor vanavond goed genoeg was.

Op 275 meter voor het gebouw dat door de tracker werd aangewezen, bleven Jaeger en Narov staan. Twintig minuten lagen ze languit op een iets hogere richel om de plek zwijgend te observeren. De grond onder Jaegers buik was nog warm, hoewel de zon allang onder was. De beveiliging stelde zo te zien niet veel voor. De stropers en smokkelaars dachten blijkbaar niet dat er echt gevaar dreigde; ze meenden dat ze boven de wet stonden. Vanavond zouden ze erachter komen dat dat niet zo was. Voor deze missie waren Jaeger en Narov honderd procent solitair, zij maakten de dienst uit.

Jaeger scande het gebouw en telde zes zichtbare bewakers met aanvalsgeweren. Ze zaten voor het gebouw rond een kaarttafel; hun wapens stonden tegen de muur of hingen nonchalant op hun rug. Hun gezichten werden verlicht door de warme gloed van een stormlamp.

Meer dan genoeg licht om bij te doden.

Op een hoek van het platte dak bespeurde Jaeger iets wat volgens hem licht geschut leek, bedekt met dekens tegen nieuwsgierige blikken. Als alles volgens plan verliep, waren alle vijanden morsdood voordat ze de kans kregen om in de buurt van dat wapen te komen.

Hij pakte zijn lichtgewicht nachtkijker en ging daarmee het hele gebouw nog een keer af, waarbij hij onthield op welke plekken mensen waren. Die verschenen als lichtgele vlekken; door de warmte die hun lichaam uitstraalde verschenen ze stuk voor stuk als een brandende vlek op het donkere scherm van de kijker.

Er dreef muziek naar hem toe. Aan een kant van de kaarttafel stond een gettoblaster, waaruit een soort vervormde, jankende Arabische popmuziek kwam, wat hem eraan herinnerde dat de meesten hier mannen van de Libanese dealer waren en waarschijnlijk geen doorgewinterde soldaten.

'Ik kom tot twaalf,' fluisterde Jaeger in zijn headset. De microfoon stond open, dus ze hoefden niet op onhandige knopjes te drukken.

'Twaalf mensen,' bevestigde Narov. 'Plus zes geiten, wat kippen en twee honden.'

Goed punt. Had hij op moeten letten. Die dieren waren dan misschien tam, maar konden wel degelijk de aanwezigheid van een onbekende bespeuren en alarm slaan. 'Neem jij die zes aan de voorkant voor je rekening?' vroeg hij.

'Prima.'

'Oké, zodra ik in positie ben, geef ik een teken en sla je toe. Waarschuw me via de radio als je gereed bent me naar binnen te volgen.'

'Begrepen.'

Jaeger groef in zijn rugzak en haalde er een plat zwart diplomatenkoffertje uit. Hij klikte het open en zag de onderdelen van een compact vss Vintorez-scherpschuttersgeweer. Naast hem was Narov haar – identieke – wapen al in elkaar aan het zetten. Ze hadden voor dit Russische wapen gekozen omdat het ultralicht was, waardoor ze snel en geruisloos konden bewegen. Het effectieve bereik was vijfhonderd meter, dus minder dan de helft dan veel andere scherpschuttersgeweren, maar het woog maar 2,6 kilo. Verder had het een magazijn met twintig patronen, terwijl de meeste andere grendelgeweren waren, waarbij de patronen stuk voor stuk geladen en afgevuurd dienden te worden. Met de vss kon je dezelfde doelen snel achter elkaar raken.

Niet minder belangrijk was dat het specifiek was ontworpen als een gedempt wapen; het kon niet afgevuurd worden zonder de eromheen gedraaide demper. Net als de P228 loste het zware, subsonische 9 mm-patronen. Het was zinloos om een gedempt scherpschuttersgeweer te gebruiken als dat elke keer dat er een schot gelost werd een oorverdovende knal maakte omdat het door de geluidsbarrière ging.

De 9 mm-kogels hadden een punt van wolfraam, zodat ze door lichte bepantsering of zelfs muren konden klieven. Vanwege hun lage mondingssnelheid verloren ze langzamer energie, dus vandaar het opmerkelijke bereik en de kracht van een wapen dat zo licht en klein was.

Jaeger verliet Narov en liep snel maar gebukt in oostelijke richting om het huis heen. Hij zorgde dat hij uit de wind bleef, zodat de dieren zijn geur niet konden ruiken en daarvan zouden schrikken. Hij meed mogelijke sensorlampen en bleef dicht bij de grond.

Op vijfenvijftig meter van het gebouw bleef Jaeger staan. Hij bestudeerde het doelwit door zijn nachtkijker en onthield waar de mensen binnen zich nu bevonden. Vervolgens ging hij languit op zijn buik op de grond liggen en nestelde de buisvormige kolf van de vss in de holte van zijn schouder. De dikke, gedempte loop ondersteunde hij met zijn elleboog.

Niet veel wapens konden concurreren met de vss als een stille nachtelijke killer. Toch was een scherpschuttersgeweer altijd net zo goed als degene die het bediende. Jaeger behoorde tot de besten, vooral als hij op een geheime missie was en in het donker werkte. En vanavond zou hij het druk krijgen.

55

Er waaide een licht briesje vanuit het westen uit de Mbizi Mountains. Met het vizier van het wapen kon Jaeger de valweg en windsnelheid compenseren. Hij schatte de laatste op ongeveer vijf knopen, dus plaatste hij zijn puntzoeker één streepje links van het doelwit.

Narov had haar vizier daarboven vast twee streepjes naar links en één pijltje omhoog gezet, omdat haar wapen tegen de grens van zijn bereik aan zat.

Jaeger vertraagde zijn ademhaling en praatte zichzelf naar de kalme en absolute focus die een sluipschutter nodig had. Hij koesterde geen enkele illusie wat betreft de uitdagingen die hij nu aanging. Narov en hij moesten snel achter elkaar meerdere doelen raken. Eén gewonde man zou het verrassingselement teniet kunnen doen. Bovendien was er één man – de Libanees – die Jaeger erg graag levend in handen wilde krijgen.

De vss veroorzaakte geen zichtbare flits tijdens het vuren, dus de kogels zouden door het donker scheuren zonder dat de vijand veel kans had het vuur te beantwoorden. Maar één alarmkreet en het ging allemaal de mist in.

'Oké, ik scan het gebouw,' fluisterde Jaeger. 'Ik tel er nu zeven die buiten zitten, zes binnen. Dat zijn er dertien in totaal. Dertien doelwitten.'

'Begrepen. Ik neem die zeven.' Narov zei het met de ijzige kalmte van een professional. Als er één schutter op de wereld was die Jaeger hoger achtte dan zichzelf, was dat waarschijnlijk Narov. In de

Amazone had ze gekozen voor een scherpschuttersgeweer en over de reden daarvan had ze niet schimmig gedaan.

'Doelwitten buiten rond tafel, hoofd en schouders grotendeels zichtbaar,' fluisterde Jaeger. 'Je moet gaan voor schoten op het hoofd. Lukt dat?'

'Dood is dood.'

'Voor het geval je dat nog niet gezien hebt, die mannen buiten zitten te roken,' voegde Jaeger eraan toe. Telkens als iemand een trekje nam, gloeiden de peuken op als felle speldenprikken, waardoor hun gezicht mooi oplichtte en dus een makkelijker doelwit werd.

'Iemand zou hun toch eens moeten vertellen dat roken dodelijk is,' zei Narov zacht.

Jaeger oefende nog een paar seconden de bewegingen die hij moest maken om de mannen in het gebouw te raken. Hij vermoedde dat hij vanuit deze richting drie van de zes kon uitschakelen via schoten door de muren. Hij bestudeerde die drie gestalten. Vermoedelijk zaten ze tv te kijken. Dat zag hij aan het feit dat ze in een zittende houding rond de gloeiende rechthoek van wat een flatscreen moest zijn zaten. Hij vroeg zich af waar ze naar keken. Voetbal? Een film? Hoe dan ook, voor hen was het bijna uit met de pret.

Hij besloot te richten op hun hoofd. Schoten op het lichaam waren gemakkelijker, omdat je doelwit dan groter was, maar ook minder snel fataal. De principes van scherpschieten waren Jaeger ingeprent. Cruciaal was dat de schoten snel achter elkaar gelost moesten worden zonder het doelwit te alarmeren.

Jaeger glimlachte bars. Hij ademde diep in en blies lang en gelijkmatig uit. 'Ik ga nu in de aanval.' Na een vaag *fzzt* zwaaide hij het wapen onmiddellijk een fractie naar rechts, vuurde nog een keer, zwaaide weer naar links en loste een derde schot. Al met al had het nog geen twee tellen geduurd.

Hij had elke gestalte zien verkrampen en schokken bij het inslaan van de kogels, en vervolgens ineen zien zakken tot een vormeloze hoop. Nog een paar tellen bleef hij geruisloos naar zijn doel kijken, als een roofdier dat zijn prooi taxeert.

Er had een nauwelijks hoorbaar *tzzing* geklonken toen de laatste kogel door de muur drong. De vonken van de wolfraam kogelpunt waren in het midden van Jaegers vizier witheet opgelicht. Vermoedelijk liep er een of andere ijzeren leiding door de muur.

De seconden tikten voorbij zonder dat degenen die hij geraakt had zich bewogen. Er wees ook niets op dat de geluiden waren gehoord. Het Arabische gedreun uit de gettoblaster had waarschijnlijk alles overstemd.

Narovs stem verbrak de stilte. 'Zeven uitgeschakeld. Loop nu naar voorkant gebouw. Ben er over een minuut.'

'Begrepen. Ik ga nu ook.' Jaeger kwam in één vloeiende beweging met zijn wapen aan zijn schouder overeind en zette het op een rennen over het duistere terrein. Hij had dit al talloze keren gedaan; vlug en geruisloos toeslaan. In velerlei opzichten voelde hij zich op dit soort momenten het meest in zijn element. Alleen. In het donker. Jagend op zijn prooi.

Hij sloeg de hoek om naar de voorkant van het gebouw, sprong over het resultaat van Narovs werk en schopte een stoel opzij die de weg naar de ingang blokkeerde. De gettoblaster braakte nog steeds beats uit, maar geen van de zeven schutters was nog in staat ernaar te luisteren.

Toen de deur naar binnen openzwaaide, zag Jaeger een gestalte omlijst door het licht dat naar buiten viel. Iemand had schijnbaar iets verdachts gehoord en was op onderzoek uitgegaan. De man zag er kwaadaardig uit, sterk en gedrongen. Hij hield een AK-47 voor zich uit, maar deed dat redelijk ontspannen.

Jaeger vuurde tijdens het lopen. *Fzzt! Fzzt! Fzzt!* Snel achter elkaar verlieten drie kogels de loop van zijn vss en raakten de man in zijn borst. Terwijl hij over het ineengezakte slachtoffer heen sprong, bracht hij Narov op de hoogte: 'Ik ben binnen!'

In zijn hoofd hielden twee stemmen tegelijkertijd de score bij.

De ene was nu bij zes beland: hij had zes van de twintig kogels afgevuurd. Het was van wezenlijk belang om dat bij te houden, want anders hoorde je opeens de noodlottige *klik* als je de trekker overhaalde en er niets gebeurde. De andere stem telde de doden: elf man uitgeschakeld.

Hij stapte de schaars verlichte gang in. Crèmewitte muren met hier en daar smerige vlekken en schaafplekken. Voor zijn geestesoog zag Jaeger zware olifantenslagtanden door deze gang gesleept worden, waarbij opgedroogd bloed achterbleef op de muren. De een na de ander, als een lopende band van stompzinnige moord en doodslag. De dolende geesten van al die bloederige slachtpartijen leken hier rond te waren.

Jaeger vertraagde zijn pas en bewoog op zijn voorvoeten met de elegantie van een balletdanser, maar zonder diens goede bedoelingen. Door een open deur rechts van hem hoorde hij de deur van een koelkast dichtslaan. Het gerinkel van flessen.

Een stem riep iets in wat Libanees Arabisch moest zijn. Het enige woord dat Jaeger herkende was de naam: Georges. König had hun verteld hoe de Libanese ivoordealer heette: Georges Hanna. Jaeger vermoedde dat een van diens mannen een koel biertje voor de baas haalde.

Er verscheen iemand in de deuropening met flesjes bier in zijn handen. Hij had amper tijd om Jaegers aanwezigheid te registreren, of een flits van verbazing en angst in zijn ogen te krijgen, voordat de vss opnieuw toesloeg. Twee kogels doorboorden zijn linkerschouder net boven zijn hart, waardoor hij rondtolde en tegen de muur aan knalde. De flessen vielen op de grond en het gerinkel van de scherven galmde door de gang.

Uit een kamer boven riep iemand iets. Het klonk smalend en werd gevolgd door gelach. Nog steeds wees niets erop dat ze iets hadden gemerkt. Waarschijnlijk dacht degene die geroepen had dat de man dronken was en de flessen per ongeluk had laten vallen.

Een rood spoor op de muur gaf aan hoe de dode man was neergezakt op de grond. Hij was langzaam dubbelgeklapt met een hol, klotsend geluid.

Twaalf, fluisterde de stem in Jaegers hoofd. Dan zou er nu nog één over moeten zijn: de Libanese baas. König had hun een foto van de man laten zien, die Jaeger in zijn hoofd had geprent. 'Op naar Beiroet,' fluisterde hij.

Ze hadden afgesproken de taal voor de aanval heel simpel te houden. Hun enige codewoord was voor hun doelwit en daar hadden ze de naam van de Libanese hoofdstad voor gekozen.

'Nog dertig seconden,' antwoordde Narov hijgend, terwijl ze naar de ingang sprintte.

Even kwam Jaeger in de verleiding om op haar te wachten. Twee stel hersenen – twee geweerlopen – was altijd beter dan één. Maar elke seconde telde. Hun doel was het wegvagen van deze bende en een einde maken aan hun operatie. De vijand moest nu worden uitgeschakeld.

56

Jaeger bleef even staan, haalde het deels gebruikte magazijn van zijn geweer en klikte er een nieuwe aan vast – gewoon voor de zekerheid.

Toen hij weer verderliep, hoorde hij rechts voor zich het gedempte geluid van een tv. Hij ving een paar woorden op van het Engelse commentaar. Voetbal. Een wedstrijd uit de Premier League. Dat kon niet anders. In die kamer moesten de drie mannen zitten die hij door de muur had neergeschoten. Hij nam zich voor Narov te laten checken of ze echt dood waren.

Hij sloop naar boven en bleef één stap voor een halfopen deur stilstaan. Binnen klonken gedempte stemmen. Een gesprek in het Engels. Het klonk als gekibbel. Er zaten daar dus meer mensen dan alleen de Libanees, zeker weten. Hij tilde zijn rechterbeen op en trapte de deur helemaal open.

In de door adrenaline aangedreven, opgezweepte intensiteit van de strijd leek de tijd te vertragen tot een prehistorisch tempo en kon een seconde een leven lang duren. Jaegers ogen schoten door de kamer en namen in een microseconde alle cruciale aspecten op.

Er waren vier personen, van wie er twee aan een tafel zaten.

Eén daarvan was de Libanese dealer. Hij had een gouden Rolex om zijn pols en zijn opbollende buik was illustratief voor een leven van overvloed. Hij was gekleed in een kakikleurig design-safaripak, hoewel Jaeger betwijfelde of dat ooit echt in de bush was geweest.

Tegenover hem zat een zwarte man in een goedkoop ogend poloshirt, een grijze sportbroek en zwarte nette schoenen. Jaeger vermoedde dat hij het brein van de organisatie was.

Bij het raam tegenover Jaeger bevond zich echter de belangrijkste dreiging: twee serieus geoutilleerde, gemeen ogende figuren. Doorgewinterde stropers; ongetwijfeld olifanten- en neushoornslachters. Een van hen had à la Rambo een gordel met machinegeweermunitie schuin over zijn borstkas hangen. In zijn handen wiegde hij een PKM-machinegeweer: een allesverpulverend wapen van Russische makelij. Perfect voor het neermaaien van olifanten op de open vlakte, maar minder geschikt voor vuurgevechten op korte afstand.

De tweede man had een RPG-7 vast: de eveneens uit Rusland afkomstige archetypische granaatwerper. Geweldig voor het opblazen van tanks of het neerhalen van een helikopter uit de lucht. Niet goed voor het tegenhouden van Will Jaeger in de beperkte ruimte van een overvolle kamer.

Die ruimte werd deels beperkt door de stapel ivoor in een hoek van de kamer. Tientallen kolossale slagtanden die uitliepen in een gerafelde, bloederige rozet waar de stropers ze van het dier hadden afgehakt dat ze afgeslacht hadden.

Fzzt! Fzzt! Jaeger schoot de bewapende stropers door het hoofd, precies tussen hun ogen. Terwijl ze vielen, doorzeefde hij hen met nog zes kogels, drie in elk lichaam. Dat gebeurde zowel uit woede als om er zeker van te zijn dat ze dood waren.

Hij zag een flits van een beweging: de Libanees die een wapen wilde pakken. *Fzzt!*

Een schreeuw doorkliefde de kamer toen Jaeger een kogel door de schiethand van de dikke man pompte, die een rafelig gat in zijn palm achterliet. Vervolgens maakte hij een pirouette, nam de Afrikaan in het vizier en schoot van heel dichtbij ook een kogel door diens hand. Die was over de tafel gekropen in een poging een stapel dollarbiljetten te pakken en te verstoppen, die nu doordrenkt waren met zijn bloed.

'Ik heb Beiroet. Ik herhaal: ik heb Beiroet,' meldde Jaeger aan Narov. 'Alle vijanden uitgeschakeld, maar check tweede kamer van rechts met tv. Drie vijanden – check of ze dood zijn.'

'Begrepen. Loop nu gang in.'

'Sluit de ingang af zodra je klaar bent. Voor het geval dat we er een over het hoofd hebben gezien of ze hulptroepen hebben ingeschakeld.'

Jaeger staarde langs de loop van zijn geweer in twee gezichten met opengesperde ogen van schrik en angst. Hij hield zijn vinger aan de trekker, terwijl hij met zijn andere hand zijn pistool onder de broekriem op zijn rug vandaan haalde. Vervolgens liet hij de vss los – die hing nu op zijn buik aan een draagband – en richtte de P228. Hij had één vrije hand nodig bij wat hij nu ging doen.

Uit zijn broekzak haalde hij een piepklein, zwart, rechthoekig apparaatje. Het was een SpyChest Pro MiniCam: een ultracompacte videocamera die hufterproof was. Die zette hij op de tafel en schakelde hem met veel vertoon in. De dealer sprak ongetwijfeld redelijk Engels, net als de meeste Libanese zakenlui.

Jaeger glimlachte, maar achter het pantymasker bleef zijn uitdrukking ondoorgrondelijk. 'Showtime, heren. Als jullie al mijn vragen beantwoorden, blijven jullie misschien in leven. En houd je handen op de tafel, waar ik ze kan zien bloeden.'

De dikke Libanees schudde vol ongeloof zijn hoofd. Hij had een pijnlijke blik in zijn ogen, alsmede de glazigheid van ontreddering. Toch zag Jaeger dat zijn verzet, zijn arrogante geloof in de onbetwistbaarheid van zijn eigen positie, nog niet geheel gebroken was. 'Wat is dit in godsnaam?' siste hij tussen opeengeklemde kaken van de pijn. Hij had een vet accent, zijn Engels was gebrekkig, maar nog wel verstaanbaar. 'Wie ben jij in hemelsnaam?'

'Wie ik ben?' snauwde Jaeger. 'Ik ben je grootste nachtmerrie. Ik ben je rechter, je jury en waarschijnlijk ook je beul. Want kijk, meneer Georges Hanna, ik beslis of je blijft leven of sterft.' Jaeger speelde deels een rol die bedoeld was om zijn tegenstanders hevig angst aan te jagen. Maar tegelijkertijd werd hij verteerd door woede over wat deze mensen hadden gedaan, over de slachting die ze hadden aangericht.

'Weet je hoe ik heet?' De ogen van de Libanees puilden uit. 'Maar je bent gek. Mijn mannen. Mijn bewakers. Denk je dat die jou hier levend laten vertrekken?'

'Lijken zijn doorgaans niet geneigd veel verzet te bieden. Dus begin maar met praten, tenzij je je bij hen wilt voegen.'

Het gezicht van de dealer vertrok. 'Weet je wat jij kunt? De tering krijgen.'

Jaeger verheugde zich niet bepaald op wat hij nu ging doen, maar hij moest deze klootzak aan de praat krijgen, en snel. Hij moest zijn verzet breken en dat kon maar op één manier.

Hij liet de loop van de P228 zakken en een fractie naar rechts buigen, en schoot in de knieschijf van de dealer. Bloed en botsplinters spetterden over het safaripak, terwijl de dealer van zijn stoel viel. Jaeger liep om de tafel heen, bukte en ramde de kolf van de P228 tegen de neus van de grote man. Dat zorgde voor een hevig gekraak van brekend bot en een stroom bloed op de voorzijde van zijn witte shirt.

Jaeger trok hem aan zijn haar overeind en gooide hem terug op zijn stoel. Toen trok hij zijn Gerber-mes en dreef dat door de palm van de andere hand van de man vast aan de tafel. Hij verplaatste zijn ziedende blik naar het lokale stropersopperhoofd: 'Zag je dat?' siste hij. 'Want als jij rotzooi trapt, wacht je zo'n beetje hetzelfde.'

De stroper was verstijfd van angst. Jaeger zag dat hij in zijn broek had gepist. Hij vermoedde dat hij deze kerels nu precies had waar hij ze hebben wilde. Hij hief het pistool tot de donkere muil van de loop gericht was op het voorhoofd van de dealer. 'Als je leven je lief is, ga je nu praten.'

Hij vuurde een reeks vragen op de man af en ging steeds dieper in op de details van de illegale ivoorhandel. Antwoorden spuiden eruit: over de routes het land uit, de bestemmingen en de overzeese kopers, de namen van corrupte ambtenaren die de smokkel op elk niveau faciliteerden, op luchthavens, de douane, de politie en zelfs een handjevol ministers. En ten slotte ook de zo belangrijke bank-rekeninggegevens.

Toen hij de Libanees volkomen uitgemolken had, stak hij zijn hand uit naar de camera, zette hem uit en stopte hem in zijn zak. Vervolgens draaide hij zich om en schoot Georges Hanna twee keer tussen de ogen.

De grote Libanees viel opzij, maar zijn hand zat nog vastgenageld aan de tafel. Zijn gewicht trok die uiteindelijk toch mee en zijn li-chaam kwam ineengezakt tegen de stapel geplunderde ivoor tot rust.

Jaeger draaide zich om. De lokale stropersleider leed nu aan bij-nierschorsinsufficiëntie. Alle energie was uit zijn systeem getrokken en zijn geest had amper meer controle over zijn lichaam. De angst had zijn hersenen volkomen uitgeschakeld.

Jaeger bukte tot zijn gezicht vlak voor het zijne was. 'Je hebt gezien wat er met je buddy is gebeurd. Zoals ik al zei: ik ben je ergste nachtmerrie. En weet je wat ik met jou ga doen? Ik laat jou in leven. Een voorrecht dat jij geen enkele olifant of neushoorn ooit gegeven hebt.' Toen ramde hij de kolf van het pistool twee keer in het gezicht van de man.

Als expert in krav maga – een vechtsport die was ontwikkeld in het Israëlische leger – wist Jaeger maar al te goed dat een klap met je eigen handen je bijna net zo veel pijn kon opleveren als je je slacht-offer had toegebracht. Denk maar aan tandafdrukken in knokkels of gebroken tenen door het schoppen tegen een hard, taai deel van je tegenstander, zoals een schedel. Het was altijd beter om een wapen te gebruiken, dat je lichaam afschermde van de klap. Vandaar dat hij nu de kolf van zijn pistool gebruikte.

'Luister goed,' zei hij op een toon die doorspekt was met een sinistere stilte. 'Ik laat jou in leven, zodat jij je vriendjes kunt waar-schuwen. Vertel ze maar,' hij stak zijn duim in de richting van het lichaam van de Libanees, 'dat dit is wat er met je gebeurt – met jullie allemáál – als er nog één olifant sterft.' Vervolgens beval Jaeger de man op te staan en duwde hij hem voor zich uit door de gang, waar

Narov de wacht hield bij de ingang. Hij duwde hem naar haar toe en zei: 'Dit is de kerel die de slachting van honderden van Gods mooiste schepselen heeft georkestreerd.'

Narov richtte haar kille ogen op hem. 'Is hij de olifantenmoordenaar? Deze man?'

Jaeger knikte. 'Ja. En we nemen hem mee, een stukje in ieder geval.'

Narov trok haar mes. 'Eén verkeerde ademhaling of ook maar een flinter van een excuus en ik snijd je ingewanden eruit.'

Jaeger liep weer naar binnen en ging naar de keuken. Daar stond een soort gasfornuis: een kookplaatje dat bevestigd was op een gasfles. Hij bukte en draaide de gaskraan open. Die siste geruststellend. Toen liep hij naar buiten, pakte de brandende stormlamp en zette die in het midden van de gang.

Terwijl hij zich het gebouw uit de duisternis in haastte, schoot hem opeens iets te binnen. Hij was zich er maar al te zeer van bewust dat hun recente actie ver buiten de regels van de wet viel en vroeg zich af waarom hem dat niet dwarszat. Maar na het zien van de afgeslachte olifanten waren de grenzen tussen goed en kwaad onherroepelijk vervaagd.

Hij probeerde erachter te komen of dit nou goed was, of dat het weerspiegelde dat zijn morele kompas het slechte pad op was geleid. Deugdzaamheid was in zo veel opzichten wazig geworden. Of misschien was het juist allemaal wel glashelder. In een bepaald opzicht had hij het allemaal nog nooit zo helder gezien. Als hij naar zijn hart luisterde, diep begraven onder de pijn die zijn constante metgezel was, twijfelde hij er nauwelijks aan dat het goed was wat hij gedaan had. Als je een pact sloot met de duivel en je pijlen richtte op de weerlozen – zoals die stropers hadden gedaan – kon je rekenen op vergelding.

57

Jaeger stak zijn hand uit en zette de SpyChest-camera uit. Narov, König en hij zaten in de beslotenheid van Königs bungalow. Ze hadden net naar de bekentenis van Georges Hanna gekeken, van het bloederige begin tot het bloederige eind.

'Dus dat is het,' zei Jaeger, terwijl hij de camera aan König gaf. 'Nu heb je alles. Wat je ermee doet, moet je zelf weten. Maar er is hoe dan ook één Afrikaans stroperskartel voorgoed van de kaart geveegd.'

König schudde verbijsterd zijn hoofd. 'Jullie hebben het echt gedaan, het hele netwerk uitgeschakeld. Qua natuurbescherming is dat een enorme doorbraak. Bovendien is het heel goed voor de lokale gemeenschap hier die betrokken is bij de natuurbescherming.'

Jaeger glimlachte. 'Jij hebt de deur geopend; wij hebben alleen de scharnieren gesmeerd.'

'Jij hebt een cruciale rol gespeeld, Falk,' voegde Narov eraan toe. 'En tot in de puntjes.'

Op een bepaalde manier had König inderdáád een sleutelrol vervuld. Hij had Jaeger en Narov gedekt en de wacht gehouden bij hun vluchtauto. En toen hij met hen was weggereden, was het van gas vergeven gebouw als een vuurbal de lucht in gegaan en had alle bewijs vernietigd.

König pakte de SpyChest dankbaar aan. 'Dit… Dit zal alles veranderen.' Hij keek hen even aan. 'Maar ik heb het gevoel dat er een manier moet zijn waarop ik jullie kan terugbetalen. Dit… Dit is niet jullie strijd.'

Nu moest hij zijn kans grijpen. 'Weet je, er is wel iets,' zei Jaeger. 'De BV222. Dat oorlogsvliegtuig onder de berg. We zouden er graag binnen kijken.'

Königs gezicht betrok. Hij schudde zijn hoofd. 'Ach, dat... Dat is niet mogelijk.' Een stilte. 'Weet je, ik heb net een telefoongesprek gehad met de baas. Herr Kammler. Die neemt van tijd tot tijd contact op. Ik moest melding maken van jullie... overtreding. Dat jullie per ongeluk in zijn domein onder de berg terecht zijn gekomen. Daar was hij niet erg blij mee.'

'Heeft hij gevraagd of je ons hebt gearresteerd?' wilde Jaeger weten.

'Jawel. Ik heb hem verteld dat dat onmogelijk was. Hoe kan ik nou twee buitenlanders arresteren voor iets wat geen misdaad is? En helemaal als dat betalende gasten van de lodge zijn. Dat zou ronduit belachelijk zijn.'

'Hoe reageerde hij daarop?'

König haalde zijn schouders op. 'Zoals altijd. Heel kwaad. Hij vloekte en tierde een tijdje.'

'En toen?'

'En toen vertelde ik hem dat jullie een plan hadden uitgebroed om de stropersbende uit te schakelen, dat jullie ook natuurliefhebbers waren. Echte dierenbeschermers. En daar leek hij iets rustiger van te worden. Maar hij herhaalde dat de BV222 voor iedereen behalve hemzelf en... een of twee anderen verboden terrein is.'

Jaeger keek König indringend aan. 'Welke anderen, Falk? Wie zijn dat?'

König sloeg zijn ogen neer. 'Ach... dat doet er niet toe.'

'Jíj hebt toegang tot dat vliegtuig, hè?' vroeg Narov. 'Natuurlijk heb je dat.'

'Oké, ja, dat is zo,' zei König schouderophalend. 'Of dat had ik tenminste. In het verleden.'

'Dus je kunt wel een kort bezoekje voor ons regelen?' drong ze aan. 'Quid pro quo en zo.'

Bij wijze van antwoord boog Falk zich naar voren en pakte iets van zijn bureau. Het was een oude schoenendoos. Hij aarzelde even, maar gaf die toen aan Narov. 'Alsjeblieft, pak aan. Videobanden. Allemaal opgenomen in de BV222. Enkele tientallen. Ik vermoed dat er geen millimeter in dat toestel niet gefilmd is.' König trok verontschuldigend een schouder op. 'Jullie hebben me uiterst belangrijke opnamen gegeven. Dit is het beste dat ik daarvoor terug kan geven.'

Hij zweeg even en keek toen met een gekwelde blik naar Narov. 'Maar alsjeblieft… Eén ding. Bekijk ze pas als jullie weg zijn.'

Narov staarde hem aan. Jaeger zag oprechte compassie in haar ogen. 'Goed, Falk. Maar waarom?'

'Ze zijn… op de een of andere manier persoonlijk,' zei hij schouderophalend. 'Bekijk ze pas als jullie weg zijn. Meer vraag ik niet.'

Jaeger en Narov knikten instemmend. Jaeger twijfelde er niet aan dat König eerlijk was en hij popelde om te zien wat er op die banden stond. Ze zouden ergens onderweg wel stoppen en er een paar snel bekijken.

Hoe dan ook, ze wisten nu wat er onder de berg lag. Ze konden altijd terugkomen, hier in groten getale met een parachute landen en zich een weg vechten naar dat oorlogsvliegtuig. Maar eerst moest hij slapen. Hij hunkerde naar rust. Na die immense inspanning – de opwinding van de aanval – voelde hij golven verdovende vermoeidheid over zich heen spoelen. Hij zou vanavond ongetwijfeld als een blok slapen.

58

Narov werd als eerste wakker. Meteen had ze haar P228 onder de kussens vandaan gehaald. Ze hoorde een wanhopig gebonk op de deur.

Het was halfvier 's nachts – niet de beste tijd om uit zo'n diepe slaap gerukt te worden. Ze liep door de kamer en draaide de deur open, haar wapen gericht in het gezicht van... Falk König.

Narov zette koffie terwijl een zichtbaar aangedane König uitlegde waarom hij hier was. Het scheen dat Kammler, toen hij hem had verteld over hun ongeoorloofde aanwezigheid in de grot, had gevraagd naar de bewakingsbeelden daarvan. König had daar niets achter gezocht en wat fragmenten gemaild. Hij had net een telefoontje gehad.

'De oude man leek hevig geagiteerd. Hij wil dat we jullie minimaal vierentwintig uur vasthouden. Hij zei dat jullie, na wat jullie bereikt hebben met de stropers, precies de mensen zijn die hij zou kunnen gebruiken. Hij zei dat hij jullie wilde rekruteren. Hij zei dat ik alle mogelijke middelen moest inzetten om te zorgen dat jullie niet vertrekken. Zo nodig ook jullie voertuig onklaar maken.'

Jaeger was ervan overtuigd dat Kammler hem op de een of andere manier herkend had. Dat blonderen was blijkbaar niet zo waterdicht als de mensen in Falkenhagen het bedoeld hadden.

'Ik weet gewoon niet wat ik moet doen. Ik moest het jullie vertellen.' König boog voorover, alsof hij erg veel pijn had. Jaeger vermoedde dat zijn maag van streek was door de spanning en de zenuwen. Toen tilde hij zijn hoofd een stukje op en keek hen aan. 'Ik denk niet dat hij jullie hier om die reden wil vasthouden. Ik vrees dat hij liegt. Er klonk iets door in zijn stem... Iets... roofzuchtigs, bijna.'

'Wat stel je dan voor, Falk?' vroeg Narov.

'Jullie moeten hier weg. Het is bekend dat de macht van de heer Kammler soms... ver kan reiken. Vertrek. Maar neem een van de Toyota's van de Katavi Lodge. Dan stuur ik twee mannen in jullie landrover de andere kant op. Als een soort afleidingsmanoeuvre.'

'Maar dan functioneren die kerels toch als lokaas?' merkte Jaeger op. 'Lokaas in een val.'

Falk haalde zijn schouders op. 'Misschien. Maar weet je, niet alle werknemers hier zijn wie ze lijken. We hebben bijna allemaal smeergeld aangeboden gekregen van stropers en niet iedereen was daar bestand tegen. Sommigen bezwijken voor de verleiding. De mannen die ik wegstuur, hebben iets te vaak informatie doorgespeeld. Er kleeft veel onschuldig bloed aan hun handen. Dus als er iets gebeurt, is het...'

'Goddelijke vergelding?' zei Narov om zijn zin af te maken.

Hij glimlachte zwakjes. 'Zoiets, ja.'

'Er is veel wat je ons niet vertelt, hè Falk?' vroeg Narov. 'Die Kammler, zijn oorlogsvliegtuig onder de berg, de angst die je voor hem hebt.' Ze zweeg even. 'Waarom lucht je je hart niet? En misschien kunnen wij je helpen.'

'Sommige dingen zijn gewoon niet te veranderen,' mompelde Falk.

'Oké, maar begin dan gewoon met je angst,' drong Narov aan.

König keek zenuwachtig om zich heen. 'Goed. Maar niet hier. Ik wacht bij jullie auto.' Hij maakte aanstalten om te vertrekken. 'En vraag niet om hulp als jullie vertrekken, laat niemand je bagage dragen. Ik weet niet wie we kunnen vertrouwen. Ik zal vertellen dat jullie er stiekem vandoor zijn gegaan. Zorg alsjeblieft dat het er overtuigend uitziet.'

Een kwartier later hadden Jaeger en Narov gepakt. Ze hadden

niet veel bij zich en alle spullen en wapens van de aanval hadden ze al aan Falk gegeven. Die zou er binnenkort mee naar het Tanganyika-meer rijden om ze daar te dumpen.

Ze liepen naar het parkeerterrein van de lodge. König stond daar inderdaad te wachten, met iemand naast zich. Het was Urio, de copiloot.

'Jullie kennen Urio,' zei König. 'Ik vertrouw hem volledig. Hij zal jullie naar het zuiden rijden, richting Makongolosi – niemand gaat ooit die kant op. Als hij jullie op een vliegtuig heeft gezet, rijdt hij hiernaartoe terug.'

Urio hielp hen de spullen in de kofferbak van de Toyota te laden en pakte toen Jaegers arm. 'Ik sta bij jullie in het krijt. Zwaar. Ik zal jullie hier weghalen. Met mij achter het stuur kan jullie niets gebeuren.'

Jaeger bedankte hem en vervolgens liep König al pratend met Narov en hem naar een donker hoekje. Hij sprak zo zacht dat ze zich naar hem toe moesten buigen om hem te verstaan.

'Dit bedrijf heeft een tak waar jullie niets van weten: Katavi Reserve Primates Limited. Kortweg KRP. Een exportbedrijf voor apen en het kindje van de heer Kammler. Zoals jullie gezien hebben, vormen de apen hier een plaag en het is bijna een zegen als ze weer eens bijeengedreven worden voor transport.'

'Ja, en?' drong Narov aan.

'Ten eerste is de geheimhouding rond KRP ongekend. Ze worden hier bijeengedreven, maar vanaf een andere plek geëxporteerd – een plek waar ik nog nooit ben geweest. Ik weet niet eens hoe het heet. Het lokale personeel wordt er geblinddoekt naartoe gevlogen. Het enige wat ze zien is een eenvoudige landingsbaan in de jungle, waar ze de kisten met de dieren uitladen. Ik heb me altijd afgevraagd waarom dat allemaal zo in het geniep ging.'

'Heb je dat nooit gevraagd?' wilde Jaeger weten.

'Jawel. Kammler zegt dat er gewoon veel concurrentie is in die handel en dat hij niet wil dat zijn concurrenten weten waar hij zijn apen houdt vlak voordat ze op transport gaan. Anders, zo beweert hij, zouden ze de dieren ziek kunnen maken. En het exporteren van een lading zieke apen zou slecht zijn voor de zaak.'

'Waar worden die apen naartoe gevlogen?' vroeg Jaeger.

'Amerika. Europa. Azië. Zuid-Amerika... De belangrijkste wereldsteden. Overal waar medische laboratoria zijn die dierproeven doen.' König was even stil. Zelfs in het vage licht zag Jaeger hoe verontrust hij keek. 'Jarenlang heb ik ervoor gekozen hem te geloven, dat het een legaal bedrijf was. Maar toen kwam... die jongen. De apen worden gevlogen met een gecharterd toestel. Een Buffalo. Kennen jullie dat?'

Jaeger knikte. 'Dat wordt gebruikt om lading van en naar moeilijk bereikbare plekken te vervoeren. Het Amerikaanse leger gebruikt ze. Kan ruim negenduizend kilo vervoeren.'

'Precies. Of in termen van apen: ongeveer honderd kisten. De Buffalo brengt de apen van hier naar de exportlocatie en vliegt weer leeg terug. Maar een halfjaar geleden was er een verstekeling aan boord.'

König ging sneller praten, bijna alsof hij niet wist hoe snel hij zijn hart moest luchten nu hij eenmaal begonnen was. 'Die verstekeling was een Keniaanse jongen van ongeveer twaalf jaar uit de sloppenwijken van Nairobi. Weten jullie iets van die sloppenwijken?'

'Een beetje,' zei Jaeger. 'Ze zijn groot. Een paar miljoen mensen, heb ik gehoord.'

'Minstens één miljoen.' Königs gezicht betrok. 'Ik was hier toen niet. Ik had verlof. Het kind sloop uit het toestel en verstopte zich. Tegen de tijd dat mijn personeel hem vond, was hij meer dood dan levend. Maar ze kunnen wel tegen een stootje, daar in die sloppenwijken. Als je op je twaalfde nog leeft, ben je een echte overlever.

Hij wist niet hoe oud hij precies was. In de sloppenwijken is dat meestal zo; er is zelden een reden om verjaardagen te vieren.' König huiverde, bijna alsof hij onpasselijk werd door wat hij ging zeggen. 'De jongen vertelde een ongelooflijk verhaal aan mijn personeel. Hij zei dat hij deel uitmaakte van een groep wezen die ontvoerd waren. Dat is nog niet eens zo ongebruikelijk – kinderen uit sloppenwijken worden voortdurend verhandeld. Maar het verhaal van deze jongen… was onwerkelijk.'

König streek met zijn hand door zijn woeste zandkleurige haar. 'Hij beweerde dat ze ontvoerd waren en naar een of andere geheime locatie werden gevlogen. Enkele tientallen jongens. In eerste instantie hadden ze het lang niet zo slecht. Ze kregen te eten en er werd voor hen gezorgd. Maar toen kreeg de ene helft van de kinderen een of andere injectie en werden ze met zijn allen in een enorme afgesloten ruimte gestopt. Daar kwamen alleen mensen binnen in ruimtepakken, zoals de jongen het noemde. Ze kregen te eten via luikjes in de wanden. De kinderen die geen injectie hadden gekregen werden ziek.

Het begon als een verkoudheid: loopneuzen en niezen.' König leek nu bijna over zijn nek te gaan. 'Maar toen kregen ze een glazige blik, werden hun ogen rood en gingen ze eruitzien als zombies. Maar het ergste was…' Weer huiverde König. '… dat die kinderen stierven terwijl ze tranen van bloed huilden.'

59

De grote Duitse natuurbeschermer viste in zijn zak. Hij gooide iets naar Narov toe. 'Een geheugenstick. Foto's van het kind. Toen hij bij ons was, heeft mijn personeel foto's gemaakt.' Hij keek van Narov naar Jaeger. 'Ik ben niet bij machte iets te doen. Dit is veel groter dan ik.'

'Ga verder,' zei Narov sussend.

'Veel meer valt er niet te vertellen. Alle kinderen die geen injectie hadden gehad stierven. De overlevenden werden naar buiten gejaagd, de jungle in. Daar was een grote kuil gegraven. Ze werden neergeschoten en begraven in die kuil. De jongen was niet geraakt, maar viel tussen de anderen in het gat.'

König was bijna niet meer te verstaan, zo zacht sprak hij. 'Moet je je voorstellen... Levend begraven. Op de een of andere manier heeft hij zich een weg naar buiten gegraven. Het was nacht. Hij vond de weg naar de landingsbaan en is aan boord van de Buffalo gekropen. Die heeft hem hiernaartoe gevlogen... De rest weten jullie.'

Narov legde een hand op Königs arm. 'Er moet meer zijn, Falk. Denk ná. Het is erg belangrijk. Alles wat je je kunt herinneren, hoe onbeduidend ook.'

'Er was misschien één ding. De jongen zei dat ze over zee waren gevlogen. Dus hij dacht dat het allemaal op een eiland was gebeurd. Daarom wist hij ook dat hij op een vliegtuig moest stappen om er weg te komen.'

'Waar lag dat eiland?' vroeg Jaeger. 'Denk na, Falk. Elk detail is belangrijk.'

'De jongen zei dat de vlucht vanuit Nairobi ongeveer twee uur duurde.'

'Een Buffalo heeft een kruissnelheid van driehonderd mijl per uur,' zei Jaeger. 'Dan moet het binnen een straal van zeshonderd mijl rond Nairobi liggen, dus ergens in de Indische Oceaan.' Hij zweeg even. 'Weet je hoe hij heet? Die jongen?'

'Simon Chucks Bello. Simon is zijn Engelse voornaam, Chucks zijn Afrikaanse.'

'Oké, wat is er met die jongen gebeurd? Waar is hij nu?'

'Hij is teruggegaan naar de sloppenwijk,' zei König schouderophalend. 'Hij zei dat dat de enige plek was waar hij zich veilig zou voelen. Daar had hij zijn familie. Daarmee bedoelde hij zijn medebewoners van de sloppenwijk.'

'Oké, hoeveel Simon Chucks Bello's zouden er zijn in de sloppenwijk van Nairobi?' vroeg Jaeger peinzend. Die vraag was eigenlijk net zozeer aan zichzelf als aan König gericht. 'Een twaalfjarige jongen met die naam... Zouden we hem kunnen vinden?'

'Er zijn er waarschijnlijk honderden. En de mensen in de sloppenwijken... Die passen goed op zichzelf. De Keniaanse politie heeft die kinderen gepakt en voor een paar duizend dollar verkocht. De regel in de sloppenwijk is: vertrouw niemand. Zeker gezagsdragers niet.'

Jaeger wierp een blik op Narov en keek toen weer naar König. 'Oké, moeten we nog iets anders weten voordat we met de noorderzon vertrekken?'

König schudde somber zijn hoofd. 'Nee. Ik denk dat dat het is. Dat is genoeg, toch?'

Ze liepen met zijn drieën terug naar de auto, die met draaiende motor klaarstond. Daar omhelsde Narov de grote Duitser stijfjes. Jaeger besefte opeens dat hij haar zelden een intiem gebaar had zien maken. Een spontane omhelzing. Dit was voor het eerst.

'Bedankt, Falk. Voor alles,' zei ze tegen hem. 'En vooral voor alles wat je hier doet. In mijn ogen ben je... een held.' Heel even kwamen hun hoofden tegen elkaar toen zij hem een onbeholpen afscheidskus gaf.

Jaeger stapte in de Toyota. Urio zat achter het stuur. Even later voegde Narov zich bij hen. Ze wilden net wegrijden, toen zij dat met een handgebaar tegenhield. Ze staarde naar König door het open zijraampje. 'Je maakt je zorgen, hè? Is er nog iets? Wil je nog iets vertellen?'

König aarzelde. Hij verkeerde zichtbaar in tweestrijd. Toen leek er iets te knappen in hem. 'Er is wel iets… vreemds. Iets wat me al tijden dwarszit. Vorig jaar vertelde Kammler me dat hij zich niet druk meer maakte om het wildbeheer. Hij zei: "Houd duizend olifanten in leven, Falk. Dat zijn er genoeg."'

Hij zweeg. Narov en Jaeger verbraken de stilte niet om hem de tijd te geven. De dieselmotor van de Toyota dreunde met een gestaag ritme, terwijl de natuurbeschermer zijn moed bij elkaar raapte om verder te gaan.

'Als hij hier komt, drinkt hij vaak. Volgens mij voelt hij zich veilig en geborgen op deze geïsoleerde plek. Hij is in de buurt van zijn oorlogsvliegtuig in zijn reservaat. De laatste keer dat hij hier was, zei hij: "Je hoeft je nergens meer zorgen over te maken, mijn jongen. Ik heb de oplossing voor al je problemen binnen handbereik. Het einde, en een nieuw begin."

Weet je, meneer Kammler is in veel opzichten een goed mens,' vervolgde König ietwat defensief. 'Zijn liefde voor de wilde dieren is – of was – oprecht. Hij zegt dat hij zich zorgen maakt over de aarde. Over dieren die met uitsterving bedreigd worden. Hij praat over de crisis van de overbevolking. Dat we een soort plaag vormen. Dat de toename van de mensheid beknot moet worden. En ergens zit daar natuurlijk wel wat in.

Maar hij maakt me ook kwaad. Hij noemt de mensen hier – de Afrikanen, mijn personeel, mijn vríénden – wilden. Hij jeremieert over het feit dat zwarte mensen het paradijs hebben geërfd en vervolgens besloten alle dieren af te slachten. Maar weet je wie het ivoor kopen? En de hoorns? Wie de drijvende kracht zijn achter de slachtpartijen? Dat zijn buitenlanders. Alles wordt gesmokkeld naar het buitenland.'

König fronste. 'Hij noemt de mensen hier Untermenschen. Ik dacht dat niemand dat woord meer gebruikte, dat het samen met het Reich was verdwenen. Maar als hij dronken is, zegt hij dat. Jullie weten zeker wel wat het betekent?'

'Jazeker,' zei Jaeger.

'Ik bewonder hem dus voor het opzetten van deze plek, hier in Afrika. Waar dingen erg moeilijk kunnen zijn. Ik bewonder hem voor wat hij zegt over natuurbehoud; dat we de aarde met onze blinde onwetendheid en hebzucht vernietigen. Maar ik veracht hem ook. Vanwege zijn weerzinwekkende denkbeelden, zijn názidenk-beelden.'

'Je moet hier weg,' zei Jaeger zacht. 'Je moet een plek zoeken waar je kunt doen wat je nu doet, maar dan met goede mensen. Deze plek… Kammler… Het vreet aan je. Het verteert je en spuugt je uiteindelijk uit.'

König knikte. 'Waarschijnlijk heb je gelijk, maar ik vind het hier geweldig. Is er ergens op de wereld nog zo'n plek?'

'Nee,' zei Jaeger. 'Maar toch moet je weg.'

'Er is kwaad in het paradijs, Falk,' voegde Narov eraan toe. 'En dat is afkomstig van Kammler.'

'Misschien,' zei König schouderophalend. 'Maar hier ligt mijn leven en mijn hart.'

Narov keek hem indringend aan. 'Waarom vertrouwt Kammler jou zo veel toe, Falk?'

'Ik ben ook Duits en ook een natuurliefhebber. Ik leid dit re-servaat – zijn heiligdom. Ik lever strijd… zíjn strijd.' Zijn stem stokte. Het was duidelijk dat hij nu bij de kern van de zaak kwam. 'Maar bovenal… bovenal omdat we familie zijn. Ik ben zijn vlees en bloed.' De lange, magere Duitser keek gekweld en met holle ogen op. 'Hank Kammler is mijn vader.'

60

Hoog boven de Afrikaanse vlakten bereidde de MQ-9 Reaper – de opvolger van de Predator – zich voor op het verzamelen van zijn dodelijke oogst. Vanuit de bolvormige kop van het onbemande vliegtuig schoot een onzichtbare straal richting de aarde, terwijl de drone met het brandpunt van zijn laser het doelwit begon te 'schilderen'.

Zo'n 25.000 voet lager ploegde een witte landrover – met de tekst WILD AFRICA SAFARIS op de zijkanten – voort. De inzittenden waren zich totaal niet bewust van de dreiging. Ze waren vroeg in de ochtend door König gewekt voor een dringende klus; ze moesten naar het dichtstbijzijnde vliegveld rijden – in Kigoma, zo'n driehonderd kilometer ten noorden van Katavi – om reserveonderdelen op te halen voor de nieuwe HIP-helikopter.

De zon was nog maar net op en ze waren nog ongeveer een uur rijden van het vliegveld. Ze wilden de klus per se zo snel mogelijk klaren, want ze waren van plan om op de terugweg nog ergens te stoppen. Ze hadden kostbare informatie voor de lokale stropersbende, informatie waar ze flink wat geld mee konden verdienen.

Terwijl de laserstraal van de Reaper zich vastpinde op de landrover, lieten de beugels een GBU-12 Paveway lasergeleide bom los. Het gestroomlijnde staalgrijze projectiel viel uit het onbemande vliegtuig en stortte richting aarde. De doelzoeker richtte zich op het brandpunt van de laser, dat weerkaatste op de bovenkant van de landrover. De stabilisatoren aan de achterkant klapten uit om hun gidsende functie beter te kunnen uitvoeren. Ze pasten zich minutieus aan elke beweging van het projectiel aan.

Volgens Raytheon, de fabrikant van de Paveway, had de bom een trefkanscirkel van ruim een meter. Met andere woorden: de bom sloeg gemiddeld binnen een meter van het brandpunt van de laser in. En aangezien de landrover die door de Afrikaanse bush scheurde twee meter breed bij bijna vier meter lang was, zou de foutmarge nihil zijn.

Enkele seconden na zijn lancering schoot de Paveway door de stofwolk die door het voertuig werd opgeworpen. Het toeval wilde dat deze bom iets minder doelgericht was. Hij boorde zich op nog geen meter van de landrover in de grond, vlak voor het linker voor-spatbord. Niet dat het resultaat van de dodelijke missie daardoor beïnvloed werd; de Paveway ontplofte met een gigantische klap. Door de schokgolf ging de landrover een paar keer over de kop, alsof hij gegrepen werd door een reuzenhand die hem de vergetelheid in slingerde.

Het voertuig kwam uiteindelijk op zijn zijkant terecht. Hongeri-ge vlammen likten al rond de verwrongen restanten en verzwolgen degenen die de pech hadden erin te zitten.

Bijna dertienduizend kilometer verderop zat Hank Kammler in zijn kantoor in Washington DC gebogen over een gloeiend computer-scherm te kijken naar de livebeelden van de aanslag van de Reaper. 'Vaarwel, meneer William Jaeger,' fluisterde hij. 'Opgeruimd staat netjes.'

Hij tikte een paar toetsen op het toetsenbord in om zijn ver-sleutelde e-mailsysteem te openen en stuurde snel een bericht met de lage-resolutievideobeelden van de aanslag als bijlage. Vervolgens klikte hij met zijn muis IntelCom open, een veilige en gecodeerde versie van Skype van het Amerikaanse leger. In principe kon Kamm-ler via IntelCom met iedereen op de wereld bellen, zonder dat die telefoontjes te traceren waren. De karakteristieke zoemende beltoon van IntelCom klonk een paar keer voordat er werd opgenomen.

'Steve Jones.'

'De Reaper heeft toegeslagen,' meldde Kammler. 'Ik heb je net een videofilm met gps-coördinaten gemaild. Neem een auto van de Katavi Lodge en ga kijken wat ervan over is en of het de juiste lichamen zijn.'

Steve Jones fronste. 'Ik dacht dat u hem zo lang mogelijk wilde kwellen. Dit berooft u – óns – van wraak.'

Kammlers uitdrukking verhardde. 'Dat is zo, maar hij kwam wel erg dichtbij. Jaeger en zijn knappe maatje hadden de weg naar Katavi gevonden. Dat is té dichtbij. Dus ik herhaal: ik moet weten dat hun stoffelijke resten in dat autowrak liggen. Als ze op de een of andere manier ontsnapt zijn, moet jij hen opsporen en afmaken.'

'Komt voor elkaar,' bevestigde Jones.

Kammler verbrak de verbinding en leunde achterover. Aan de ene kant was het jammer dat hij een eind had moeten maken aan het folteren van William Jaeger, maar soms werd zelfs hij het spelletje zat. En op de een of andere manier was het wel toepasselijk dat Jaeger in Katavi was gestorven – Hank Kammlers lievelingsplek op aarde. En voor wat er komen ging, zijn toevluchtsoord.

Met een frons die zijn toch al lelijke gezicht nog meer verkreukelde, staarde Steve Jones naar zijn mobiel. De Twin Otter ronkte voorwaarts over de Afrikaanse savanne, gegeseld door de warme warrelwind.

Jones vloekte. Jaeger dood... Wat had het verdomme dan voor zin om hier te zijn? Werd hij verdomme weggestuurd om een paar geroosterde lichaamsdelen bij elkaar te schrapen...

Opeens voelde hij dat iemand naar hem keek. Hij wierp een blik naar de cockpit. De piloot – een of andere geitenwollensokkenmof die Falk König heette – zat hem doordringend aan te staren. Die had dus het telefoongesprek afgeluisterd.

De aderen in Jones nek begonnen te kloppen en de spieren onder zijn shirt bolden agressief op. 'Wat?' gromde hij. 'Heb ik wat van je aan? Doe gewoon je werk en vlieg die verdomde kist.'

61

Jaeger schudde verbaasd zijn hoofd. Hij begreep er nog steeds niets van. 'Zag jij dat aankomen?'

Narov leunde achterover en sloot haar ogen. 'Wat? Er zijn de afgelopen paar dagen verschillende verrassingen geweest. En ik ben moe. We hebben een lange vlucht voor de boeg en ik zou graag even gaan slapen.'

'Falk. Dat hij Kammlers zoon is.'

Narov zuchtte. 'We hadden het moeten zien aankomen. We hebben blijkbaar niet goed opgelet tijdens de briefing in Falkenhagen. Toen SS-generaal Hans Kammler werd gerekruteerd door de Amerikanen was hij gedwongen zijn naam te veranderen in, onder andere, Horace König. Zijn zoon heeft die naam weer terug veranderd in Kammler om de glorieuze erfenis terug te winnen. De kleinzoon van generaal Kammler vond die blijkbaar niet zo glorieus en besloot weer terug te keren naar König, Falk König.' Ze wierp Jaeger een vernietigende blik toe. 'We hadden het al moeten weten toen hij zich voorstelde. Dus ga nou maar slapen. Misschien word je daar wat scherper van.'

Jaeger grijnsde. Ze was weer helemaal de oude Irina. In een bepaald opzicht baalde hij daarvan. Hij vond de Katavi-versie leuker.

Ze hadden een klein vliegtuig gehuurd dat hen van het kleine vliegveldje in Makongolosi rechtstreeks naar Nairobi zou vliegen. Zodra ze daar geland waren, wilden ze Simon Chucks Bello gaan zoeken, wat betekende dat ze zich in de chaotische en wetteloze wereld van de sloppenwijk zouden moeten begeven.

Narov lag te woelen en te draaien onder haar vliegtuigdeken. Door de turbulentie schudde het kleine toestel nogal en ze kon de slaap niet vatten. Ze knipte haar leeslampje aan en drukte op het knopje voor de stewardess. Zij waren de enige passagiers.

'Hebt u koffie?' vroeg ze toen de vrouw naast haar stond.

Ze glimlachte. 'Natuurlijk. Hoe drinkt u uw koffie?'

'Heet. Zwart. Sterk. Geen suiker.' Narov wierp een blik op Jaeger, die probeerde te slapen. 'Doe er maar twee.'

'Natuurlijk, mevrouw. Ik ben zo terug.'

Narov gaf Jaeger een por. 'Volgens mij slaap jij niet.'

Jaeger gromde. 'Nu niet meer, nee. Ik dacht dat jij wilde slapen?'

Narov fronste. 'Er zit te veel in mijn hoofd. Ik heb daarom gevraagd om...'

'Koffie.' Jaeger maakte de zin voor haar af. 'Dat heb ik gehoord.'

Ze gaf hem een nog hardere por. 'Word dan wakker.'

Jaeger gaf het op. 'Oké, oké.'

'Vertel me: wat voert Kammler in zijn schild? Laten we de puzzelstukjes op hun plek proberen te leggen.'

Jaeger probeerde de slaap uit zijn hoofd te schudden. 'Nou, we gaan eerst die jongen opsporen en zijn verhaal verifiëren. Dan gaan we terug naar Falkenhagen om gebruik te maken van hun bronnen en expertise. Alles en iedereen die we nodig denken te hebben om hiermee verder te gaan is daar.'

De koffie arriveerde. Zwijgend genoten ze ervan. Narov was degene die de stilte verbrak. 'Maar hoe gaan we die jongen precies vinden?'

'Je hebt het bericht van Dale gelezen. Hij kent mensen in de sloppenwijken. We zien hem daar en dan gaan we samen die jongen zoeken.' Jaeger zweeg even. 'Als hij nog leeft, tenminste. En als hij bereid is te praten. En als hij de waarheid spreekt. Nogal veel voorwaarden.'

'Wat heeft Dale eigenlijk met de sloppenwijken?'

'Een paar jaar geleden heeft hij als vrijwilliger kinderen uit de sloppenwijken leren filmen. Dat deed hij samen met ene Julius Mburu, die daar was opgegroeid. Hij was een boefje, maar heeft toen het licht gezien. Tegenwoordig leidt hij een stichting – de Mburu Foundation – en geeft weeskinderen les in video en fotografie. Dale laat hem zoeken naar de jongen.'

'Denkt hij dat we hem kunnen vinden?'

'Hij hoopt het.'

'Dat is een begin.' Narov zweeg. 'Wat vond jij van Falks video's?' vroeg ze toen.

Jaeger schudde zijn hoofd. 'Zijn vader is een gestoorde klootzak. Wie viert er nou de tiende verjaardag van zijn zoon in een BV222, die begraven ligt onder een berg? Stelletje oude kerels die Falk en zijn vriendjes, uitgedost in lederhosen, leerden hoe ze de Hitlergroet moesten brengen. Al die nazivlaggen aan de wanden. Geen wonder dat Falk zich tegen hem gekeerd heeft.'

'De BV222, dat is Kammlers tempel,' zei Narov zacht. 'Zijn gedenkplaats van het duizendjarige Reich. Zowel het Reich dat er nooit is gekomen als het Reich dat hij tot stand hoopt te brengen.'

'Daar ziet het zeker naar uit.'

'En hoe zit het met Kammlers eiland? Als die jongen de waarheid sprak, hoe komen we er dan achter waar dat eiland is?'

Jaeger nam een grote slok koffie. 'Daar vraag je me wat. Binnen een straal van zeshonderd mijl rond Nairobi zijn er honderden mogelijkheden. Misschien wel duizenden. Maar ik heb Jules Holland erop gezet. Ze brengen hem naar Falkenhagen en daar gaat hij aan de slag. Geloof me, als iemand dat eiland kan opsporen, is het de Rattenvanger wel.'

'En als het verhaal van de jongen klopt?' vroeg Narov. 'Wat dan?'

Jaeger staarde in de verte – in de toekomst. Hoezeer hij ook zijn best deed, hij kon de bezorgdheid en spanning niet uit zijn stem houden. 'Als het klopt wat de jongen zegt, heeft Kammler het Gottvirus verfijnd en getest. Alle kinderen die niet ingeënt waren, zijn gestorven. Dat betekent dat het bijna honderd procent fataal is. En aangezien alle kinderen die wel waren ingeënt het overleefd hebben, heeft hij blijkbaar ook een tegengif gevonden. Nu heeft hij alleen nog een systeem nodig om zijn wapen af te leveren.

'Als hij van plan is het in te zetten, tenminste.'

'Uit wat Falk verteld heeft, wijst alles erop dat dat zo is.'

'Falk zei dat de jongen een halfjaar geleden ontsnapt is. Dus Kammler heeft minimaal die tijd gehad om aan de aflevering te werken. Hij zal ervoor moeten zorgen dat het virus via de lucht overdraagbaar is, zodat het zich zo snel en ver mogelijk kan verspreiden. Als hem dat gelukt is, kan hij zijn plan uitvoeren.'

Narovs gezicht betrok. 'Dan kunnen we maar beter dat eiland vinden. Liever gisteren dan vandaag.'

62

Ze hadden een maaltijd besteld en die bleek verrassend lekker te zijn. Hoewel het om instant eten ging – voorverpakt, bevroren en bereid in de magnetron – was het voortreffelijk. Narov had gekozen voor vis: een schaal met gerookte zalm, garnalen en sint-jakobsschelpen, vergezeld van een avocadosalsa.

Jaeger zag met stomme verbazing hoe ze het eten met schijnbaar volmaakte precisie opnieuw over haar bord verdeelde. Het was niet voor het eerst dat hij haar dit had zien doen. Het leek wel of ze pas kon gaan eten als elk ingrediënt was verplaatst naar een plek waar het de andere ingrediënten niet kon aanraken. Of was het besmetten? Hij knikte naar haar bord. 'Dat ziet er goed uit. Maar waarom scherm je de zalm af van de salsa? Ben je bang dat ze het met elkaar aan de stok krijgen?'

'Ingrediënten met verschillende kleuren mogen elkaar nooit raken,' antwoordde Narov. 'Rood tegen groen is het ergst, zoals zalm en avocado.'

'O-kee… Maar waarom?'

Narov wierp hem een steelse blik toe. In de afgelopen dagen leken haar scherpe kantjes er door de intense emoties die ze samen hadden doorgemaakt wat afgesleten te zijn. 'Volgens de deskundigen ben ik autistisch. Hoogfunctionerend, maar niettemin autistisch. Sommige mensen noemen het het aspergersyndroom. Ik val "binnen het spectrum", zoals ze dat zeggen – de bedrading van mijn hersenen is anders. Dus daarom mogen rood en groen eten elkaar niet aanraken.' Ze keek naar Jaegers bord. 'Maar ik ben niet zo van de etiketten en, eerlijk gezegd, word ik een beetje misselijk van de manier waarop jij alles als een betonmolen door elkaar gooit. Lamsvlees met sperziebonen op een vork geprikt. Ik bedoel: hoe kríjg je het voor elkaar?'

Jaeger schoot in de lach. Geweldig, zoals ze de dingen die hij naar voren bracht altijd tegen hem gebruikte. 'Luke had een vriendje – zijn boezemvriend Daniel – die autistisch was. De zoon van de Rattenvanger, trouwens. Geweldig joch.' Hij zweeg en keek schuldig. 'Ik zei "had een vriendje". Ik bedoel "heeft". Luke hééft een vriendje. Tegenwoordige tijd.'

Narov haalde haar schouders op. 'De verkeerde tijd gebruiken heeft geen invloed op het lot van je zoon. Het is niet bepalend voor of hij dood is of nog leeft.'

Als Jaeger inmiddels niet zo aan Narov gewend was geweest, had hij haar wel kunnen slaan. Dat was typisch een opmerking voor haar: geen enkele empathie, als een olifant in een porseleinkast. 'Fijn dat je zo meeleeft,' kaatste hij terug.

Narov haalde haar schouders op. 'Kijk, dat is nou wat ik niet begrijp. Ik dacht dat ik je iets vertelde wat je moest weten. Het is logisch en ik dacht dat je er iets aan had. Maar vanuit jouw oogpunt… Wat? Was het bot?'

'Zoiets, ja.'

'Veel autistische mensen zijn erg goed in één ding. Uitermate getalenteerd. Die noemen ze savants. Autistische savants. Vaak is dat wiskunde, of natuurkunde. Of ze hebben een verbazingwekkend geheugen. Maar vaak zijn we niet goed in veel andere dingen. Aanvoelen hoe andere, zogenaamd normale mensen denken, is niet onze sterkste kant.'

'En wat is jouw talent? Afgezien van tact en diplomatie?'

Narov glimlachte. 'Ik weet dat ik moeilijk te doorgronden ben. Dat begrijp ik. Ik kan heel defensief overkomen, maar voor mij ben jíj moeilijk te doorgronden. Ik snap bijvoorbeeld niet waarom jij boos wordt over wat ik zei over je zoon. Voor mij was dat een voor de hand liggende opmerking. Het was logisch en ik wilde je helpen.'

'Oké, dat snap ik. Maar toch… Wat is jouw talent?'

'Ik blink uit in één ding. Ik ben er echt door geobsedeerd. Jagen. Onze huidige missie. Je zou het ook dóden kunnen noemen, maar zo zie ik het niet. Ik zie het als de aarde bevrijden van onuitsprekelijk kwaad.'

'Mag ik nog iets vragen?' zei Jaeger. 'Het is nogal… persoonlijk.'

'Voor mij is dit hele gesprek behoorlijk persoonlijk. Normaliter praat ik niet met mensen over mijn… gave. Zo zie ik het namelijk. Dat ik een gave heb. Een heel bijzondere. Ik heb nog nooit iemand gezien – een andere jager – die zo begaafd is als ik.' Ze zweeg en keek naar Jaeger. 'Tot ik jou ontmoette.'

Hij stak zijn beker koffie omhoog. 'Daar drink ik op.'

'Wat was je vraag?'

'Waarom praat je zo raar? Ik bedoel, je stem klinkt vreemd vlak, een beetje als een robot. Bijna emotieloos.'

'Heb je weleens gehoord van echolalie? Nee? Je bent niet de enige. Stel je voor dat je als kind gesproken woorden alleen hoort als woorden. De klemtonen, het ritme, rijm of de emotie van de taal… al die dingen ontgaan je volkomen; je kúnt ze niet horen. Je snapt niets van emotionele stembuigingen, want daar zijn je hersenen niet op berekend. Dat heb ik dus. Ik heb via echolalie – het nadoen zonder te begrijpen – leren praten.

Toen ik klein was, begreep niemand me. Mijn ouders zetten me altijd voor de tv. Ik heb beschaafd Engels gehoord, maar ook Amerikaans Engels. En mijn moeder liet me altijd naar Russische films kijken. Ik zag geen verschil tussen de accenten. Daardoor is mijn accent een mengelmoes van allerlei manieren van praten.'

Jaeger prikte nog een stukje sappig lamsvlees aan zijn vork en weerstond de verleiding het ondenkbare te doen en er wat sperziebonen bij te prikken. 'En hoe zit het met de Spetsnaz? Je zei dat je bij die Russische speciale eenheid had gezeten?'

'Mijn oma, Sonja Olsjanowski, verhuisde na de oorlog naar Engeland. Daar ben ik opgegroeid, maar we zijn nooit vergeten dat Rusland ons moederland was. Toen de Sovjet-Unie instortte heeft mijn moeder ons mee teruggenomen. Het grootste deel van mijn opleiding heb ik daar gehad en daarna ging ik bij het Russische leger. Wat moest ik anders? Maar ik heb me er nooit thuis gevoeld, zelfs niet bij de Spetsnaz. Te veel domme, stompzinnige regeltjes. Ik heb me maar op één plek ooit thuis gevoeld: bij de Geheime Jagers.'

'Daar drink ik op,' zei Jaeger. 'Op de Geheime Jagers – moge ons werk op een dag voltooid zijn.'

Het duurde niet lang voordat het eten hen allebei in slaap suste. Op een bepaald moment werd Jaeger wakker en merkte dat Narov haar arm door de zijne had gehaakt en met haar hoofd op zijn schouder lag. Hij kon haar haar ruiken. Hij voelde haar adem tegen zijn huid. Hij besefte dat hij haar niet echt van zich af wilde schuiven. Hij raakte gewend aan die intimiteit. Het bezorgde hem een steek van schuldgevoel.

Toen ze naar Katavi toe gingen, hadden ze gedaan of ze net getrouwd waren; nu ze daar weer vertrokken waren, leken ze écht een stel op huwelijksreis.

63

De gehavend ogende Boeing 747 taxiede naar de vrachtterminal op de luchthaven Heathrow in Londen. Hij viel alleen op omdat de gebruikelijke rij patrijspoortachtige raampjes langs de zijkanten ontbrak. Dat kwam omdat een lading goederen meestal niet leeft, dus waarom zou die behoefte hebben aan ramen?

De lading van vandaag vormde echter min of meer een uitzondering. Die was springlevend en bestond uit een stel zeer boze en opgefokte dieren. Ze waren de hele negen uur durende vlucht opgesloten en verstoken geweest van licht, en ze waren niet blij. Razend gekrijs en geschreeuw galmde door het ruim van de 747. Kleine, maar sterke handen rammelden aan de tralies van kooien. Grote, maar intelligente primatenogen – bruine pupillen omringd door geel – schoten alle kanten op, op zoek naar een manier om te ontsnappen. Die was er niet.

Daar zorgde Jim Seaflower, hoofd van de quarantaineafdeling op Heathrows Terminal 4, wel voor. Hij deelde bevelen uit om deze lading primaten te vervoeren naar het grote quarantainegebouw dat aan een kant van de door regen geteisterde landingsbaan was weggestopt. Het in quarantaine houden van primaten werd tegenwoordig zeer serieus genomen en Seaflower begreep heel goed waarom.

In 1989 was met een vergelijkbare vlucht een lading apen uit Afrika geland op de luchthaven Dulles van Washington DC. Na aankomst werden de gekooide dieren met een vrachtwagen van het vliegveld naar een laboratorium – een 'apenhuis', zoals de mensen uit het vak het noemden – in Reston gereden, een van de betere buitenwijken van de stad.

In die tijd waren de quarantainevoorschriften iets minder streng. De apen begonnen bij bosjes te sterven. Laboranten werden ziek. Het bleek dat de volledige vracht was besmet met ebola.

Uiteindelijk moesten specialisten op het gebied van chemische en biologische oorlogsvoering van het Amerikaanse leger eraan te pas komen om de hele boel plat te gooien en elke aap te euthanaseren. Honderden zieke apen werden omgebracht. Het apenhuis in Reston veranderde in een dode zone. Niets, nog niet het kleinste micro-organisme, mocht daar in leven blijven. Vervolgens werd het gebouw verzegeld en zo'n beetje voorgoed verlaten.

De enige reden dat het virus geen duizenden – of misschien wel miljoenen – slachtoffers had gemaakt, was omdat het niet door de lucht overdraagbaar was. Als het meer op griep had geleken, zou 'Reston-ebola', zoals het bekend werd, als een virale wervelwind door de menselijke populatie zijn gegaan. Het geluk wilde echter dat een uitbraak voorkomen werd. Maar in de nasleep werden veel strengere quarantainevoorschriften uitgevaardigd, en Jim Seaflower moest nu garanderen dat die werden nageleefd.

Persoonlijk vond hij een quarantaineperiode van zes weken ietwat draconisch, maar de risico's rechtvaardigden de nieuwe regels waarschijnlijk wel. En hoe dan ook, daardoor verdienden hij en zijn werknemers een goed belegde boterham, dus waarom zou hij klagen?

Terwijl hij toekeek hoe de kisten met dieren – met op de zijkant de tekst KATAVI RESERVE PRIMATES LIMITED – uit het vliegtuig werden gehaald, viel het hem op dat dit wel een heel gezond stelletje was. Meestal stierven er wel een paar dieren tijdens de overtocht; daar zorgde de stress van de vlucht wel voor. Maar niet een van deze apenkoppen had het loodje gelegd. Ze zaten vol energie.

Maar goed, dat verwachtte hij ook wel van dit bedrijf. Hij had al tientallen vrachten van KRP afgehandeld en wist dat het kwaliteit leverde.

Hij bukte om in een van de kooien te kijken. Het was altijd verstandig om een indruk te krijgen van de algemene gezondheid van de lading om het quarantaineproces in betere banen te leiden. Als er zieke apen tussen zaten, moesten die geïsoleerd worden, zodat de andere niet besmet raakten. Een zilverharige groene meerkat met een zwart gezicht trok zich terug in de verste hoek. Primaten waren doorgaans niet gesteld op direct oogcontact met mensen. Dat beschouwden ze als dreigend gedrag. Deze aap was echter picobello in orde.

Seaflower draaide zich naar een andere kooi. De bewoner hiervan begon juist woedend tegen de tralies te beuken en ontblootte zijn tanden toen hij naar binnen tuurde. Seaflower glimlachte. Wat een driftig beestje was dat.

Hij wilde zich net omkeren toen het dier recht in zijn gezicht nieste. Hij bleef staan en bekeek het dier nog eens goed, maar dat leek verder kerngezond. Waarschijnlijk was het gewoon een reactie op de koude, vochtige Londense lucht, beredeneerde hij.

Tegen de tijd dat de zevenhonderd primaten waren overgebracht naar hun quarantainehokken zat Jims werkdag erop. Sterker nog, hij had twee uur overgewerkt om toezicht te houden op het laatste transport. Hij verliet de luchthaven en reed naar huis, maar stopte onderweg bij zijn stamkroeg voor een biertje. Daar zaten de gebruikelijke gasten te kletsen met een hapje en een drankje.

Jim gaf een rondje. Hij veegde het schuim met de rug van zijn hand van zijn baard en deelde wat zakjes chips en gezouten pinda's met zijn kroegmaten.

Vervolgens reed hij naar huis. Hij omhelsde zijn vrouw bij de voordeur en was nog net op tijd om zijn drie jonge kinderen een kusje voor het slapengaan te geven.

In huizen in en om Londen deden Jims werknemers hetzelfde.

De volgende dag gingen hun kinderen naar school. Hun echtgenotes en vriendinnen reisden naar hun werk, gingen winkelen en bezochten familie en vrienden. Ademend. Overal en altijd ademend.

Jims kroegmaten gingen met de metro, de trein of de bus naar hun werk in alle hoeken van deze gigantische, drukke metropool. Ademend. Overal en altijd ademend.

Over heel Londen – een stad van ongeveer achtenhalf miljoen zielen – verspreidde zich een ramp.

64

Steve Jones bewoog verrassend snel voor zo'n bonk van een kerel. Met vuisten en voeten deelde hij met de snelheid van een automatisch geweer een reeks klappen uit en beukte met een afschrikwekkende kracht in op zijn tegenstander. Hij liet weinig tijd voor herstel, of om terug te vechten.

Het zweet gutste over zijn halfnaakte torso, terwijl hij zwenkte, dook en draaide, steeds weer uithaalde, meedogenloos ondanks de brandende hitte. Elke klap was gewelddadiger dan de vorige, werd uitgedeeld met een felheid die bot kon versplinteren en ingewanden verpulveren. En bij elke klap beeldde Jones zich in dat hij Jaegers ledematen brak of, beter nog, diens o zo verfijnde gezicht tot een bloederige massa sloeg.

Hij had een stukje schaduw uitgezocht om te trainen, maar desondanks maakte de bedwelmende hitte midden op de dag dergelijke fysieke inspanningen dubbel uitputtend. Hij genoot van de uitdaging. Het uiterste van zichzelf vragen – dat gaf hem eigenwaarde, bevestigde zijn status. Dat was altijd zo geweest. Er waren maar weinig mannen die een dergelijke extreme en aanhoudende fysieke afstraffing konden leveren – of incasseren. En voordat Jaeger hem eruit had laten gooien, had hij in het leger geleerd: *train hard, fight easy.*

Eindelijk vond hij het genoeg geweest en klampte zich vast aan de zware RDX-bokszak, die hij aan een geschikte boom had gehangen. Zodra hij op adem was gekomen, liet hij die weer los en ging op weg naar zijn bungalow. Daar schopte hij zijn schoenen uit en ging met zijn bezwete lichaam op bed liggen.

Bij de Katavi Lodge wisten ze wat luxe was, daar was geen twijfel over mogelijk. Jammer van het gezelschap: Falk de geitenwollensokkeneikel en zijn bomenknuffelende Afrikaantjes. Hij boog zijn pijnlijke spieren. Met wie moest hij vanavond in godesnaam gaan drinken?

Hij strekte zijn hand uit naar het nachtkastje, pakte een doosje pillen en slikte er een paar door. Hij was niet gestopt met het gebruiken van prestatieverhogende middelen. Waarom zou hij? Ze gaven hem net dat beetje meer. Maakten hem onstuitbaar. Onverslaanbaar. Ze hadden het bij het verkeerde eind gehad in het leger. Als de SAS had geluisterd, zouden ze die nu allemaal kunnen slikken. Met die pillen hadden ze superhelden kunnen worden. Net als hij. Dat dacht hij tenminste.

Hij ging zitten tegen de kussens, sloeg een paar toetsen aan op zijn laptop om IntelCom te openen en belde Hank Kammler.

Die nam meteen op. 'Zeg het eens.'

'Gevonden,' meldde Jones. 'Nooit geweten dat een landrover zo op een geplet sardineblikje kon lijken. Volledig uitgebrand.'

'Uitstekend.'

'Dat is het goede nieuws.' Jones streek met zijn kolenschop over zijn gemillimeterde haar. 'Het slechte nieuws is dat er maar twee lijken in lagen en dat waren allebei gefrituurde inboorlingen. Als Jaeger en zijn vrouwtje in dat voertuig zaten, dan zijn ze ontsnapt. En niemand had daaruit kunnen ontsnappen.'

'Weet je dat zeker?'

'Zo zeker als wat.'

'Als wat?' snauwde Kammler. Soms vond hij de uitdrukkingswijze van deze Engelsman – laat staan diens ongemanierdheid – onuitstaanbaar.

'Heel zeker. Vast en zeker. Zeker en vast.'

Kammler zou laaiend geworden zijn door het nauwelijks verholen sarcasme, ware het niet dat deze man zo'n beetje de beste in zijn vak was. En op dit moment had hij hem nodig. 'Jij bent daar. Wat denk je dat er gebeurd is?'

'Simpel. Jaeger en zijn vrouwtje zijn niet in dat voertuig vertrokken. Anders zouden hun lichaamsdelen nu verspreid zijn over de Afrikaanse bush. En dat zijn ze niet.'

'Heb je gecheckt... Ontbreekt een van de auto's van de lodge?'

'Er is een Toyota weg. König zegt dat ze die gevonden hebben bij een of ander provinciaal vliegveldje. Een van zijn mannen gaat die morgen halen.'

'Dus Jaeger heeft een auto gestolen en is ontsnapt.'

Goed geraden, Einstein, mimede Jones. Hij hoopte dat Kammler dat niet door had. Hij moest voorzichtig zijn. Op dit moment was die ouwe zijn enige werkgever en hij kreeg goed betaald om hier te zijn. Hij wilde dat nog niet verpesten.

Hij had zijn oog laten vallen op een klein stukje paradijs. Een huisje aan een meer in Hongarije, een land waar ze volgens hem zo verstandig waren om bijna net zo'n hekel te hebben aan buitenlanders – aan niet-blanken – als hij. Hij rekende erop dat Kammlers klusje hem genoeg opleverde om die droom te verwezenlijken.

Maar belangrijker nog was dat hij nog steeds alle kans had om Jaeger om zeep te helpen, nu hij de aanval met de Reaper had overleefd. En dat vrouwtje. Hij zou niets liever willen dan haar onder Jaegers neus eens flink te grazen nemen.

'Oké, dus Jaeger leeft nog,' zei Kammler. 'Daar moeten we gebruik van maken. We gaan de psychologische oorlogsvoering opvoeren. We gaan hem folteren met een paar foto's van zijn gezinnetje. Hem opfokken en lokken. En als we hem in de val gelokt hebben, maken we hem af.'

'Dat klinkt goed,' gromde Jones. 'Maar één ding: laat dat laatste aan mij over.'

'Als je je werk blijft doen, meneer Jones, zou ik dat best eens kunnen doen.' Kammler zweeg even. 'Wat dacht je ervan om een bezoekje te brengen aan zijn gezinnetje? Ze worden vastgehouden op een eiland niet ver van de plek waar je nu bent. We kunnen je er rechtstreeks naartoe vliegen. Hoe denk je dat je maatje Jaeger zal reageren op een mooie foto van jou met zijn vrouw en kind? "Hartelijke groeten van een vriend", zoiets?'

Jones lachte vals. 'Geweldig. Dat nekt hem.'

'Eén ding. Ik run een exportbedrijf van apen vanaf dat eiland. Ik heb daar een streng beveiligd laboratorium om onderzoek te doen naar een paar nogal vervelende apenziektes. Sommige plekken zijn streng verboden – de plekken waar tegengiffen worden ontwikkeld, bijvoorbeeld.'

Jones haalde zijn schouders op. 'Al zou u daar lichaamsdelen van Afrikaanse baby's invriezen. Breng me er gewoon naartoe.'

'Ik houd de locatie van deze onderneming streng geheim,' voegde Kammler eraan toe, 'om mijn zogenaamde concurrenten te misleiden. Ik zou graag willen dat jij hetzelfde doet.'

'Begrepen,' bevestigde Jones. 'Vlieg me nou maar gewoon naar de plek waar zijn gezinnetje zit, dan kan het feest beginnen.'

65

Nairobi had in de loop der jaren de bijnaam 'Nairobbery' gekregen en dat was terecht. Het was een hectische en losbandige plek, een plek waar alles kon gebeuren.

Jaeger, Narov en Dale kropen voort in het chaotische centrum, toeterend en bumper aan bumper rijdend door straten die wemelden van de auto's en gehavende *matatus* – kakelbont geschilderde taxibusjes – plus mensen die logge handkarren voortploegden. Toch slaagde dit ongeregelde zootje er op de een of andere manier in te blijven functioneren. Nét.

Jaeger had aardig wat tijd doorgebracht in deze stad, want het was een doorvoerplek voor Britse militairen die op trainingsmissie naar de woestijn, de bergen en de jungle gingen. Hij was echter nooit in de overvolle sloppenwijken van Nairobi geweest. En terecht. Buitenlanders – *mzungus* – die zo dom waren om de verboden stad in te dwalen, verdwenen doorgaans. Hier in het getto had iemand met een blanke huid niet veel kans.

Het asfalt maakte plaats voor een soort karrenspoor en de auto woelde een waaier van stof achter zich op. De omgeving was volkomen veranderd. De betonnen en glazen kantoorkolossen van het centrum waren verdwenen. Ze reden nu door een kolossale hoeveelheid schamele houten hutjes en krotten.

Langs de stoffige kant van de weg verkochten gehurkte gestalten hun waren: een stapel tomaten, bloedrood in het felle zonlicht, bergen paarsbruine uien, hoopjes gedroogde vis met goudbruin glinsterende schubben, een waterval van versleten, stoffige schoenen – vol gaten, maar desondanks te koop.

Voor Jaeger opende zich een uitgestrekt ondiep dal waar een verstikkende walm van kookvuurtjes en smeulende afvalhopen hing. Op elkaar gestapelde houten en plastic hutjes waren hopeloos wanordelijk verspreid en smalle steegjes kronkelden door de chaos. Hier en daar bespeurde hij een felgekleurde lappendeken: was die hing te drogen in de stinkende, giftige rook. Hij was meteen gefascineerd en op de een of andere manier ook van slag. Hoe konden mensen hier léven. Hoe overleefden ze in deze erbarmelijke omstandigheden?

De auto passeerde een man die in looppas een handkar voorttrok aan houten handvatten die in de loop der jaren waren gaan glanzen door het gebruik. Hij was blootsvoets en gekleed in een rafelige korte broek en T-shirt. Jaeger wierp een blik op zijn gezicht, dat glom van het zweet. Toen de man terugkeek, zag hij meteen de kloof die hen scheidde.

Deze voerman maakte deel uit van de krioelende menigte sloppenwijkbewoners, die de onverzadigbare honger van deze stad stilde. Dit was niet Jaegers wereld en dat wist hij. Het was volkomen vreemd terrein en toch werd hij er op de een of andere manier door aangetrokken als een mot door een kaarsvlam.

Jaeger had altijd een voorliefde gehad voor de jungle. Hij werd ontzettend gelukkig van het woeste eigene van het oeroude bos. En dit was de ultieme stadsjungle. Als je het hier redde, met al die bendes, *changa'a* – illegale drank – en drugs, redde je het overal. Hij voelde het rauwe levensritme van de plek, hoorde de lokroep. In elke nieuwe, vijandige omgeving moest je van degenen die het wisten, leren hoe je er moest vechten en overleven, dus dat moest hij ook doen. Hier golden ongeschreven wetten, heerste een ongeschreven hiërarchie. Daarom bleven buitenstaanders er verre van.

In het hotel had Dale hun een uitgebreide briefing gegeven. De welvarender Kenianen lieten zich nooit zien in de sloppenwijk. Het was een plek waar je je voor schaamde, die verborgen moest blijven; een plek van moedeloosheid, onmenselijkheid en wanhoop. Om die reden hadden Simon Chucks Bello en de andere weesjongens ook spoorloos kunnen verdwijnen – verkocht voor een paar duizend dollar.

De auto stopte voor een kroeg langs de weg. 'Hier is het,' zei Dale. 'We zijn er.'

Alle omstanders keken hun kant op. Ze staarden naar de auto, want in dit deel van de stad waren niet veel mooie nieuwe landrovers; sterker nog, er waren überhaupt weinig auto's. Ze staarden naar Dale – die rijke mzungu die het lef had gehad hun territorium te betreden – en de anderen die uit de auto stapten.

Jaeger voelde dat hij hier heel erg niet hoorde; misschien had hij zich nog wel nooit zo'n buitenstaander gevoeld. En hij voelde zich gek genoeg – en onrustbarend – kwetsbaar. Dit was de enige jungle waarvoor hij niet was getraind; een terrein waarvoor geen enkele camouflage geschikt zou zijn. Terwijl Narov, Dale en hij over een smerige open afvoer- en rioolput van gebarsten beton stapten, had hij het gevoel dat hij een schietschijf op zijn rug had hangen.

Ze passeerden een vrouw die op een laag krukje in een gammel kraampje zat. Op een houtskoolvuurtje aan haar voeten bakte ze visjes in sissende olie. Voor zich uit starend wachtte ze op een klant.

Een opmerkelijke figuur wachtte hen op: een gedrongen man met een brede borstkas en dito schouders. Jaeger zag meteen dat hij beresterk en gehard was door de strijd; een geboren straatvechter. Hij had een uitgestreken gezicht met littekens, hoewel zijn uitdrukking vreemd open was: een eiland van rust te midden van de chaos. Hij droeg een T-shirt met de tekst: *I FOUGHT THE LAW*.

Jaeger moest meteen aan vroeger denken, aan de tijd dat hij een grote fan was van The Clash. Even flitste de songtekst door zijn hoofd: *Breakin' rocks in the hot sun, I fought the law and the law won…*

Dit moest Julius Mburu zijn, hun toegang tot de sloppenwijk.

66

Jaegers vingers kromden zich gespannen en ongemakkelijk om de koele fles. Hij liet zijn blik dwalen door de kroeg met zijn gehavende plastic meubels en vettige muren met nicotinevlekken. Een ruw betonnen balkon kwam uit op de luidruchtige, stinkende straat beneden.

Rond de tafels zaten samengedromde mensen bijna in vervoering naar de tv te staren. De stem van de commentator bulderde uit het kleine apparaat dat boven de bar hing, waar rekken met flessen achter stonden. Er was een of andere wedstrijd uit de Engelse Premier League te zien. Voetbal was enorm populair in Afrika, en al helemaal in de sloppenwijken, waar het bijna een religie was. Jaeger dacht echter alleen maar aan Simon Chucks Bello.

'Nou, we hebben hem gevonden,' zei Mburu met een lage, hese stem. 'Het was niet gemakkelijk. Dat joch had zich goed verstopt. Heel erg goed.' Hij wierp een blik op Dale. 'En hij is bang. Na wat hij heeft meegemaakt, heeft hij een gezond wantrouwen ten opzichte van mzungus.'

Dale knikte. 'Dat is begrijpelijk, maar geloof je hem?'

'Ik geloof hem.' Mburu's blik schoot van Dale naar Jaeger en Narov, en toen weer terug. 'Kinderen hier kennen wel degelijk het verschil tussen goed en kwaad, ook al denken jullie van niet. Ze liegen niet... In ieder geval niet over dit soort shit.' Zijn ogen fonkelden uitdagend. 'Er heerst hier een broederschap die met niets in de buitenwereld te vergelijken is.'

Mburu had duidelijk een zwaar leven gehad; dat had Jaeger al gemerkt aan de harde, vereelte hand die hij ter verwelkoming had geschud. Maar het was ook te zien aan zijn getekende gezicht en het rokerige geel rond zijn donkere irissen.

'En? Wil hij ons zien?' vroeg Jaeger ongeduldig.

Mburu knikte nauwelijks zichtbaar. 'Hij is hier. Maar er is één voorwaarde. Zijn woord is wet. Als hij niet mee wil werken, als hij niet met jullie mee wil, dan gebeurt dat ook niet.'

'Begrepen. Akkoord.'

Mburu draaide zich om en riep: 'Alex! Frank! Breng hem maar.'

Er verschenen drie personen: twee oudere kinderen – grote, gespierde tienerjongens – die een kleinere tussen hen in naar voren loodsten.

'Ik leid hier een liefdadigheidsorganisatie – de Mburu Foundation – die kinderen in de sloppenwijken onderwijs geeft,' legde Mburu uit. 'Alex en Frank zijn twee leerlingen van me. En dat,' hij gebaarde naar de kleinere jongen, 'is een van de slimste kinderen van de Mburu Foundation. Simon Chucks Bello, zoals jullie waarschijnlijk al geraden hadden.'

Simon Chucks Bello was een opvallende verschijning. Zijn stoffige kroeshaar stond alle kanten uit, alsof hij net een stroomstoot had gehad. Hij droeg een rood t-shirt met een afbeelding van de Eiffeltoren, waaronder in grote letters het woord PARIS stond. Het was een paar maten te groot en hing als een zak om zijn magere, knokige lichaam. Door de grote spleet tussen zijn twee voortanden had hij een brutalere, meer door de wol geverfde uitstraling dan hij anders gehad zou hebben. De knieën onder zijn gerafelde korte broek waren geschaafd en vertoonden littekens, de teennagels van zijn blote voeten waren gebarsten en afgebroken. Maar op de een of andere manier leek dat allemaal bij te dragen aan zijn charme.

Hoewel Simon Bello op dit moment nou niet bepaald stond te lachen.

Jaeger probeerde het ijs te breken. Hij keek naar de tv. 'Ben je een fan van Man U? Ze krijgen vandaag klop.'

Het joch keek hem aan. 'Je wilt over voetbal praten, omdat je denkt dat dat helpt. Ik vind Man U goed. Jij vindt Man U goed. En daardoor zijn we opeens vrienden. Daardoor lijken we hetzelfde.' Hij zweeg even. 'Vertel me nou maar gewoon waar je voor gekomen bent, mister.'

Jaeger stak zijn handen in de lucht alsof hij zich overgaf. Dat joch was me er eentje. Hij mocht dat wel. 'We hebben een verhaal gehoord. Om te beginnen willen we alleen maar weten of dat verhaal waar is.'

Simon Bello rolde met zijn ogen. 'Ik heb dit verhaal al duizend keer verteld. Moet het nog een keer?'

Met hulp van Mburu haalden ze de jongen over een sterk verkorte versie van zijn verhaal te geven. Dat bleek volkomen overeen te komen met wat Falk had verteld – met één opvallende uitzondering. De jongen had het voortdurend over 'de baas', zoals hij hem noemde; de mzungu die de lakens had uitgedeeld op het eiland, die toezicht hield op alle gruwelijkheden die daar plaatsvonden.

'Dus Kammler was erbij,' mompelde Narov.

Jaeger knikte. 'Dat lijkt erop. Het verbaast me eigenlijk niets dat Falk dat detail weglaat. Het is niet bepaald iets wat je van een vader verwacht.'

Vervolgens schetste Jaeger in grote lijnen zijn voorstel aan de jongen. Ze wilden hem weghalen uit de sloppenwijk, gewoon lang genoeg om er zeker van te zijn dat hij veilig was. Ze vreesden dat degenen die hem ontvoerd hadden terug zouden komen, zeker als ze hoorden dat hij nog in leven was.

Als reactie vroeg de jongen om een Fanta. Jaeger bestelde voor hen allemaal wat te drinken. Aan de manier waarop de jongen zijn koude flesje betastte, zag Jaeger wat een zeldzame traktatie dat was.

'Je moet mij helpen,' zei Simon toen het flesje leeg was.

'Daarom zijn we hier,' antwoordde Jaeger. 'Als we hier eenmaal weg zijn…'

'Nee, je moet me nu helpen,' onderbrak de jongen hem. 'Jij helpt mij, ik help jou. Ik heb nu hulp nodig.'

'Waarmee dan?'

'Ik heb een broer. Hij is ziek. Je moet hem helpen. Jij bent een mzungu. Jij kan het betalen. Dus: jij helpt mij, ik help jou.'

Jaeger keek Mburu vragend aan. Bij wijze van antwoord ging die staan. 'Kom. Loop maar achter me aan.'

Hij ging hen voor naar een kraampje aan de overkant van de straat. Daar zat een jongen van een jaar of negen in zijn eentje linzen uit een kom te lepelen. Hij was zo mager als een lat en de hand die de lepel vasthield trilde hevig. Hij verzoop in het zwarte T-shirt van de Mburu Foundation dat om zijn uitgeteerde boven-lichaam hing.

Jaeger nam aan dat dit de broer was waar Simon Bello het over had. 'Hij heeft malaria,' zei hij. 'Dat zie ik meteen aan dat trillen van hem.'

Mburu vertelde dat de jongen Peter heette en al een aantal weken ziek was. Ze hadden geprobeerd hem over te halen naar een dokter te gaan, maar die kon hij niet betalen. Zijn moeder was dood en zijn vader was verslaafd aan changa'a: het illegale drankje dat ze in de sloppenwijk stookten.

Jaeger zag dat Peter dringend hulp nodig had. Ook ontging het hem niet dat de jongen ongeveer net zo oud was als Luke was ge-weest toen hij ontvoerd was. Hij keek Simon Bello aan. 'Oké, we brengen hem naar een dokter. Waar is de dichtstbijzijnde?'

Voor het eerst zag hij de jongen lachen. 'Ik wijs de weg wel.'

Voor ze vertrokken nam Julius Mburu afscheid van hen. 'Met Alex en Frank kan jullie niets overkomen, maar kom nog even gedag zeggen voordat jullie vertrekken.'

Jaeger bedankte hem en toen volgden Narov, Dale en hij Simon Bello, Peter en de jongens van Mburu door het doolhof van smalle, slingerende steegjes. Hoe verder ze zich in de sloppenwijk begaven, hoe meer de stank van de open riolering hen overweldigde. Dat gold ook voor de herrie van al die opeengepakte mensen. Het werkte enorm claustrofobisch en Jaeger ging ervan duizelen.

Hier en daar werd hun voortgang belemmerd door golfplaten vol graffiti die waren vastgespijkerd aan bij elkaar gescharreld zwerfhout. Toen Simon Bello er een openhield zodat ze verder konden lopen, vroeg Jaeger waar die voor dienden.

Simons gezicht betrok. 'Om de smerissen tegen te houden als ze mensen bijeen willen drijven. Net als toen ze mij hebben gepakt.'

67

Naar westerse maatstaven was het Miracle Medical Centre een smerige, verlopen, miserabele plek. Maar voor de mensen hier gold dat duidelijk niet.

Toen ze in de rij voor de dokter gingen staan, kregen Jaeger, Narov en Dale een paar verbijsterde blikken toegeworpen. Voor het raam had zich een groep kinderen verzameld die wijzend naar binnen tuurden.

Alex ging een paar geroosterde maiskolven halen. Hij brak ze in vuistgrote stukken en gaf de eerste aan Jaeger. Zodra ze de sappige korrels naar binnen hadden gewerkt, gingen de jongens om beurten lachend jongleren met de kale kolfjes. Simon Chucks Bello bleek de grootste grappenmaker van allemaal. Hij beëindigde zijn jongleeract met een bizarre schuifeldans waar ze allemaal van in een deuk lagen. Sterker nog, ze maakten zo veel kabaal dat de dokter zijn hoofd om de deur stak en zei dat ze wat stiller moesten zijn.

Niemand leek zich grote zorgen te maken om Peter. Opeens besefte Jaeger met een schok dat dit normaal was voor deze jongens – zo ziek worden dat je eraan dood kon gaan. Het gebeurde voortdurend. Je had geen geld om de dokter te betalen; nou en? Wie wel? Hoe groot was nou de kans dat een witte kerel je meenam naar het ziekenhuis? Nagenoeg nul.

Na een kort onderzoek vertelde de dokter dat Peter hoogstwaarschijnlijk malaria én tyfus had. Ze zouden hem voor de zekerheid een week moeten opnemen om te zorgen dat hij erbovenop kwam. Jaeger wist waar de dokter op doelde: het zou geld gaan kosten.

'Hoeveel?' vroeg hij.

'Negenhonderdvijftig shilling,' antwoordde de dokter.

Jaeger rekende snel uit hoeveel dat in dollars was: vijftien. Hij gaf de dokter een briefje van duizend en bedankte hem voor zijn diensten.

Toen ze wegliepen, kwam er een jonge verpleegkundige achter hen aan rennen. Jaeger vroeg zich af wat er aan de hand was. Misschien hadden ze bedacht dat ze best iets meer konden rekenen, aangezien hij geen enkel bezwaar had gemaakt tegen het tarief.

Ze stak haar hand naar hem uit. Er zat een briefje van vijftig in. Ze kwam hem zijn wisselgeld geven.

Jaeger staarde vol verbazing naar het briefje. Mburu had gelijk; deze eerlijkheid te midden van al deze ellende... Het was nederig makend. Hij gaf het geld aan Simon Bello. 'Alsjeblieft. Trakteer je vrienden maar op een drankje.' Hij woelde door het haar van de jongen. 'En? Wil je het een tijdje met ons proberen? Of wil je liever bij je broer in de buurt blijven?'

Simon fronste. 'Mijn broer?'

'Ja, dat zei je toch?'

Hij keek Jaeger aan alsof die hem in de maling nam. 'Duh. Peter is niet mijn échte broer. Hij is mijn bró, mijn gettobroertje.'

'Juist.' Dat had hij kunnen weten. 'Maar wil je met ons mee nu we je geholpen hebben met je géttobroertje?'

'Ach, ja. Ik denk het wel. Als Julius het goed vindt.'

Op de weg terug naar de auto ging Jaeger naast Narov en Dale lopen. 'De getuigenis van die jongen is cruciaal als we Kammler willen pakken, maar waar moeten we hem naartoe brengen? We kunnen hem het beste op een heel erg afgelegen plek verstoppen, toch?'

Dale haalde zijn schouders op. 'Die jongen heeft geen paspoort, geen papieren... niet eens een geboortebewijs. Hij weet niet hoe oud hij is en wanneer hij precies geboren is. Dus ik denk niet dat hij op korte termijn ver weg kan.'

Jaeger moest opeens denken aan iets wat Falk König in het voorbijgaan had gezegd. Hij wierp een blik op Narov. 'Weet je nog die plek waar König het over had? Amani. Een afgelegen, geïsoleerd strandresort. Volkomen afgezonderd.' Hij wendde zich tot Dale. 'Amani Beach Resort aan de Indische Oceaan, ver ten zuiden van Nairobi. Zou je dat even kunnen bekijken? Als het er goed uitziet, kun je hem daarnaartoe brengen. Tot we zijn papieren geregeld hebben.'

'Dat is in ieder geval beter dan hier.'

Ze sloegen een steeg in op weg naar de auto. Opeens hoorde Jaeger een sirene loeien. Hij zag de jongens verstijven van angst. Een paar tellen later hoorden ze de knal van een pistool. Eén schot, dichtbij, galmde door de kronkelende steeg. Voeten dreunden alle kanten op; sommige weg van het onheil, andere – voornamelijk jeugdigen – er juist naartoe.

'Smerissen,' siste Simon Bello. Hij gebaarde dat Jaeger en de anderen hem moesten volgen terwijl hij wegsloop en in een hoekje dook. 'Als je nog twijfelt over wat ik verteld heb over die smerissen, dan moet je nu opletten.' Hij priemde een vinger in de richting van de aanzwellende menigte.

Jaeger zag een Keniaanse politieman met een pistool in zijn hand. Voor hem op de grond lag een jongen. Hij was in zijn been geschoten en smeekte om genade.

Simon legde gespannen fluisterend uit wat er gebeurde. Hij had de gewonde jongen herkend. Die had geprobeerd een gangster te worden, maar bleek minder stoer te zijn dan hij dacht. Hij was een schooier, maar geen doorgewinterde schurk. Wat de smeris betreft, die was berucht. De inwoners van de sloppenwijk kenden alleen zijn bijnaam: Scalp. Scalp was degene die leiding had gegeven aan het bijeendrijven van Simon Bello en de andere jongens.

Met het verstrijken van de seconden groeide de menigte, maar iedereen was bang voor Scalp. Hij zwaaide dreigend met zijn pistool en schreeuwde dat de gewonde jongen moest gaan staan. Die kwam wankelend overeind met zijn bebloede been; zijn gezicht was vertrokken van pijn en doodsangst. Scalp duwde hem voor zich uit door de steeg naar de top van de heuvel, waar de politieauto's stonden te wachten – én meer smerissen met wapens.

Er trok een golf van woedende verontwaardiging door de menigte. Scalp voelde de pulserende dreiging om zich heen. De smerissen wisten maar al te goed dat één vonkje hier genoeg was voor een enorme uitbarsting van geweld. Scalp begon de gewonde jongen te slaan met zijn pistool om hem sneller te laten lopen. De menigte drong steeds verder op en opeens leek er iets te knappen bij Scalp. Hij hief zijn pistool en schoot in het andere been van de jongen. Die zakte jankend van de pijn op de grond.

Een paar mensen stoven naar voren, maar Scalp zwaaide dreigend in hun gezicht met zijn pistool.

De gewonde jongen smeekte met twee geheven handen om genade. Scalp leek echter verdwaasd door bloeddorst, dronken door de macht van zijn pistool. Hij schoot nogmaals, nu op het lichaam van de jongen. Toen boog hij zich voorover en drukte het pistool tegen zijn hoofd.

'Hij is er geweest,' zei Simon Bello met opeengeklemde kaken. 'Het duurt niet lang.'

Heel even leek de menigte zijn adem in te houden. Toen verscheurde een schot de stilte en weerkaatste in de steeg vol opeengedrukte, razende mensen. Die verloren nu hun beheersing; mensen renden krijsend van woede naar voren. Scalp hief zijn wapen en begon in de lucht te schieten om hen achteruit te drijven. Tegelijkertijd schreeuwde hij in zijn radio om versterking.

Toen zijn collega's omlaag kwamen denderen, voelde Jaeger dat de boel elk moment kon ontploffen. En het laatste waar ze nu behoefte aan hadden, was daarin verstrikt raken. Hij had geleerd dat voorzichtigheid soms wel dégelijk het verstandigst was. Ze moesten Simon Bello in veiligheid brengen. Dat was hun prioriteit.

Hij greep de jongen vast, schreeuwde naar de anderen dat ze hem moesten volgen, en koos het hazenpad.

68

De grote, krachtige Audi schoot met een halsbrekende snelheid over de Autobahn. Raff had hen opgehaald op het vliegveld en had duidelijk haast. Feitelijk hadden ze dat allemaal en aangezien Raff net zo'n goede bestuurder was als elk van hen, maakte Jaeger zich niet echt druk.

'Dus jullie hebben die jongen gevonden?' vroeg Raff, zonder zijn ogen van de donkere weg af te halen.

'Inderdaad.'

'Is het echt waar?'

'Het verhaal dat hij ons heeft verteld... Niemand verzint zoiets en zeker geen weeskind uit een sloppenwijk.'

'Ben je nog iets nieuws te weten gekomen?'

'Wat König vertelde is zo'n beetje het hele verhaal. De jongen heeft er een paar details aan toegevoegd. Niets van grote betekenis. Maar, zijn we al dichter bij de vondst van dat eiland? Kammlers eiland?'

Raff glimlachte. 'Ja, misschien wel.'

'Hoe bedoel je?' drong Jaeger aan.

'Wacht maar op de briefing in Falkenhagen. Maar hoe is het nu met die jongen? Is hij veilig?'

'Dale is met hem in een hotel. Aangrenzende kamers. Het Serena-hotel. Weet je nog?'

Raff knikte. Jaeger en hij waren daar een keer of twee geweest toen ze met het Britse leger in Nairobi waren. Voor een hotel in het centrum van de stad was het een zeldzaam rustige plek. 'Ze kunnen daar niet blijven.' Dat was een open deur. 'Ze worden opgemerkt.'

'Ja, dat hadden wij ook bedacht. Dale neemt hem mee naar een afgelegen resort. Amani Beach, een paar uur ten zuiden van Nairobi. Dat is het beste wat we voorlopig konden bedenken.'

Twintig minuten later reden ze het donkere en verlaten terrein op van de Falkenhagen-bunker. Op de een of andere manier voelde het goed om hier terug te zijn, ondanks de gruwelijke beproeving die Jaeger hier had moeten doorstaan.

Hij stootte Narov aan. Zij had de hele reis op de achterbank van de Audi liggen dommelen. Ze hadden de afgelopen vierentwintig uur amper een oog dichtgedaan. Na de vlucht met de jongen uit de explosieve sloppenwijk waren ze continu onderweg geweest.

Raff keek op zijn horloge. 'De briefing is om één uur. Je hebt nog twintig minuten. Ik zal jullie naar je kamers brengen.'

Op zijn kamer plensde Jaeger wat water in zijn gezicht. Geen tijd om te douchen. Hij had zijn schaarse persoonlijke bezittingen hier achtergelaten: zijn paspoort, telefoon en portefeuille. Aangezien hij onder pseudoniem naar Katavi was gereisd, had hij afstand moeten doen van alles wat naar Will Jaeger verwees.

Peter Miles had een MacBook Air op zijn kamer laten neerzetten en hij wilde graag zijn e-mail checken. Hij wist dat hij via ProtonMail – een streng beveiligd mailsysteem – zijn berichten kon bekijken zonder dat hij het risico liep dat Kammler en diens mensen dat in de gaten hadden. Vóór de ontdekking van ProtonMail waren al hun vorige communicatiesystemen gehackt. Ze hadden een concept-e-mailsysteem gebruikt waarmee berichten nooit daadwerkelijk werden verzonden; je logde er alleen maar op in met een gezamenlijk wachtwoord en las de concepten. Als er geen berichten werden verstuurd, zou het veilig moeten zijn. Dat was het dus niet. Kammlers mensen hadden het gehackt en gebruikt om Jaeger te kwellen; met foto's van de gevangen Leticia Santos en van zijn gezin.

Jaeger kon de neiging – de angstaanjagende verleiding – niet weerstaan om er nu in te kijken. Hij hoopte dat Kammlers mensen op de een of andere manier een fout zouden maken; dat ze iets zouden mailen, een foto of zo, waaruit hij iets zou kunnen afleiden over hun verblijfplaats. Iets waarmee hij hen – én zijn gezin – zou kunnen opsporen.

In de map concepten zat één bericht. Zoals altijd was dat leeg en bevatte het alleen een koppeling naar een Dropbox-map. Dit maakte ongetwijfeld deel uit van Kammlers aanhoudende psychologische oorlogsvoering.

Jaeger haalde diep adem. Hij werd bekropen door een angstig voorgevoel. Met trillende handen klikte hij op de link en meteen werd er een foto gedownload. Regel na regel vulde die het scherm.

De foto toonde een donkerharige, uitgemergelde vrouw die knielde naast een jongen. Ze droegen beiden alleen ondergoed. Zij had een arm beschermend om het kind heen geslagen.

De jongen was Jaegers zoon Luke. Zijn schouders waren smal en gebogen, alsof ze ondanks zijn moeders beschermende houding het leed van de wereld torsten. Hij hield een afgescheurde reep laken voor zich, als een spandoek. Daarop was geschreven: HELP ONS, PAPA.

Het beeld vervaagde en werd vervangen door een wit scherm waarop in zwart een bericht was getypt:

Ga je gezin zoeken.
Wir sind die Zukunft.

Wir sind die Zukunft: wij zijn de toekomst. Dit was Hank Kammlers visitekaartje.

Jaeger balde zijn handen tot vuisten om ze op te laten houden met trillen, en sloeg er toen een paar keer mee tegen de muur. Hij twijfelde of hij hiermee door kon gaan. Hij trok dit niet meer. Elk mens heeft zijn breekpunt.

69

Op Jomo Kenyatta Airport, in Kenia, werd een Boeing 747 vracht-toestel geladen. Een vorkheftruck tilde kist na kist met het KRP-logo erop het ruim in.

Zodra de kist geladen was, zou hij naar de oostkust van de Verenigde Staten vliegen, naar Dulles in Washington. De farmaceutische industrie in de VS importeerde jaarlijks ongeveer 17.000 primaten voor dierproeven. In de loop der jaren had KRP een flink stuk van die markt weten te veroveren.

Een andere KRP-vlucht was gepland naar Peking, een derde naar Sydney en een vierde naar Rio de Janeiro… Binnen nog geen achtenveertig uur zouden al die vluchten geland zijn en was het kwaad geschied.

Kammler haatte de Russen bijna net zo erg als de Britten. In de sneeuwhopen aan het oostelijke front was Hitlers Wehrmacht uiteindelijk een halt toegeroepen. Het Russische Rode Leger had een cruciale rol gespeeld in de daaropvolgende nederlaag. En dus was Moskou Kammlers tweede grote doelwit, na Londen. Er was net een 747-vrachtvliegtuig geland op de luchthaven Vnoekovo, even ten zuidwesten van de stad. Sergei Kalenko, het hoofd van de quarantaineafdeling van Vnoekovo, was druk bezig met het transport van de gekooide primaten naar de nabijgelegen hokken.

Dit was echter Vladimir Poetins Rusland, waar over alles wel op de een of andere manier te onderhandelen viel. Kalenko had opdracht gegeven dat zesendertig kisten – met even zo vele groene meerkatten – apart opgeslagen moesten worden.

Centrium, het grootste Russische testbedrijf voor de farmaceutische industrie, had geen proefdieren meer en elke dag uitstel kostte het bedrijf zo'n vijftigduizend dollar. Geld deed wonderen in Rusland en daarom had Kalenko er ook geen moeite mee om een deel van zijn vracht de quarantaine te laten omzeilen. Het risico leek hem verwaarloosbaar. KRP had tenslotte nog nooit een ongezonde lading gestuurd en hij verwachtte dan ook niet dat dat nu wel het geval was.

De kooien werden snel op een semi-dieplader gezet en bedekt met een matgroen canvasdoek. Kalenko stak een stapel bankbiljetten in zijn zak en het voertuig haastte zich door de ijzige nachtlucht van Moskou.

Kalenko wachtte tot hij de rode achterlichten niet meer zag en stak toen zijn hand in de grote zak van zijn overjas. Net als veel luchthavenarbeiders nam hij af en toe een slok wodka om de geestdodende kou op afstand te houden. Nu trakteerde hij zichzelf op een extra grote slok om zijn financiële meevaller te vieren.

De verwarming in de semi-dieplader van Centrium was defect, waardoor de bestuurder de hele dag op vergelijkbare wijze tegen de kou had gestreden. Op weg naar de enorme vestiging van Centrium reed hij nu de eerste van een reeks deprimerende buitenwijken in aan de zuidoostelijke rand van de stad.

Opeens raakte hij in een slip op een bevroren weggedeelte. Als gevolg van de alcohol was zijn reactiesnelheid iets te traag, waardoor de wagen van de weg af schoot en de besneeuwde berm af denderde. Het canvas scheurde los en de lading slingerde van de wagen. De apen krijsten van angst en woede. De cabinedeur was door de klap opengeslingerd en de bebloede en verdwaasde chauffeur tuimelde naar buiten in de sneeuw.

De deur van een van de kooien werd door een doodsbange hand op een kier gezet. Kleine doch sterke vingers betastten de vreemde, glinsterende en vooral koude grond. Het verwarde dier rook de vrijheid, maar zou het echt kunnen lopen op dat witte tapijt?

Op de weg boven bleven auto's staan. Gezichten tuurden over het talud. Sommigen filmden wat ze zagen met hun mobiele telefoon, maar een of twee mensen deden een poging om te helpen. De apen hoorden hen het talud afglijden. Het was nu of nooit.

De eerste aap brak zijn kooi uit en schoot met een wolk poedersneeuw in zijn kielzog zo snel mogelijk naar een donker plekje. Ook uit de andere kooien ontsnapten apen, die allemaal achter de eerste aan renden. Tegen de tijd dat de versufte chauffeur in staat was te tellen, miste hij twaalf apen. Twaalf groene meerkatten waren ontsnapt in een besneeuwde Moskouse buitenwijk; bang, hongerig en koud. De chauffeur kon met geen mogelijkheid alarm slaan, want hij had de strenge quarantainewet overtreden. Kalenko, Centrium en hij zouden verschrikkelijk in de problemen komen als de politie werd gewaarschuwd. De apen moesten zichzelf maar zien te redden.

De troep ontsnapte apen had zich verzameld op de rivieroever van de Moskva, waar ze dicht tegen elkaar aan schurkten om warm te blijven. Op die oever liep een oude vrouw. Toen ze de apen zag, dacht ze dat ze hallucineerde en begon te rennen. Ze gleed echter uit en viel, waardoor het brood dat ze net gekocht had uit haar boodschappentas rolde. De uitgehongerde apen stoven eropaf. De beduusde vrouw probeerde ze weg te slaan.

Een groene meerkat ontblootte zijn tanden, maar de vrouw liet zich daar niet door uit het veld slaan. Het beest beet door de handschoen heen en liet een bloederig spoor achter op haar hand. De vrouw gilde het uit. Apenspeeksel vermengd met bloed druppelde uit de wond.

Na een kreet van de zelfbenoemde leider van de troep gristen de apen zo veel mogelijk brood bij elkaar en gingen ervandoor, op jacht naar meer voedsel.

Een paar honderd meter verder langs de rivier lag een buurthuis, waar Moskouse kinderen na school samboles kregen. Sambo was een vechtsport uit de Sovjettijd die door de KGB was geperfectioneerd en nu een toenemende populariteit genoot onder de burgers.

De apen werden aangetrokken door het geluid en de warmte. Na enig aarzelen ging de leider de troep voor door een open raam. Een warmtekanon blies hete lucht in de zaal waar de kinderen aan de laatste oefeningen bezig waren.

Een van de apen nieste. Piepkleine druppeltjes werden met de hete lucht de zaal in geslingerd, waar de zwetende, hijgende vechtsportertjes ze gretig inademden.

70

Peter Miles stond op om het woord te nemen. Als je bedacht hoe groot de druk was waar ze allemaal onder stonden, zag hij er opmerkelijk kalm uit. Jaeger voelde zich op dit moment allesbehalve kalm. Hij moest en zou dat afschuwelijke beeld van zijn vrouw en zoon – HELP ONS, PAPA – uit zijn hoofd krijgen, zodat hij zich kon concentreren op wat er komen ging. Het enige positieve was dat hij dit keer wél iets af had kunnen leiden van de foto, waardoor de kans bestond dat hij zijn gezin kon opsporen.

'Welkom, allemaal,' begon Miles. 'In het bijzonder de teruggekeerde William Jaeger en Irina Narov. Er zijn verschillende nieuwe gezichten hier. Wees gerust, ze zijn allemaal betrouwbare leden van ons netwerk. Ik zal hen gaandeweg voorstellen. Voel je vrij om vragen te stellen.'

Hij begon met een korte samenvatting van de dingen die Jaeger en Narov ontdekt hadden, zowel in Katavi als in de sloppenwijk van Nairobi, en kwam toen bij de kern van de zaak. 'Falk König heeft onthuld dat zijn vader, Hank Kammler, een uiterst geheim exportbedrijf leidt – Katavi Reserve Primates – vanaf een eiland voor de kust van Oost-Afrika. De apen worden de wereld over gevlogen om als proefdieren te dienen voor de farmaceutische industrie. De mate van geheimhouding rond dit gebeuren is ongehoord.

Dus, hoe groot is de kans dat dit bedrijf tevens dient als Kammlers laboratorium voor biologische oorlogsvoering? Zeer groot, zo blijkt. Tijdens de oorlog heeft Kurt Blome, de peetvader van het Gottvirus, een onderzoeksinstituut voor virussen op het eiland

Riems – voor de Duits-Baltische kust – gebruikt om biologische wapens te testen. Op een eiland kun je ziektekiemen namelijk testen zonder dat je de kans loopt dat ze ontsnappen. Kort gezegd: een eiland is een volmaakt geïsoleerde kweekkamer.'

'Maar we weten nog steeds niet wat Kammler van plan is met het virus,' zei Hiro Kamishi, zoals altijd de rust zelve.

'Dat is zo,' bevestigde Miles. 'Maar met het Gottvirus beschikt Kammler over het weerzinwekkendste wapen om Hitlers Reich te laten herleven. Dat alleen is al een uiterst angstaanjagend scenario, ongeacht wat hij er precies mee van plan is.'

'Weten we al wat meer over dat virus?' vroeg Joe James. 'Waar het vandaan komt? Hoe we het onschadelijk kunnen maken?'

Miles schudde zijn hoofd. 'Helaas niet. Ondanks al ons onderzoek is nergens bewijs te vinden dat het ooit heeft bestaan. De twee SS-officieren die het ontdekt hebben – Herman Wirth en Otto Rahn – zijn officieel overleden aan "onwillige manslag". Volgens regeringsdocumenten zijn ze tijdens een wandeling in de Duitse Alpen verdwaald en doodgevroren in de sneeuw. Volgens Blomes verslagen waren de twee mannen echter de ontdekkers van het Gottvirus en zijn ze aan de gevolgen daarvan overleden. Kortom: de nazi's hebben alle verwijzingen naar het virus uit de dossiers verwijderd.'

'Dus de vraag is: waar ligt Kammlers eiland?' zei Jaeger. 'Ik heb begrepen dat we de positie ervan mogelijk bepaald hebben?'

'Voor dit soort werk heb je niet veel land nodig,' zei Miles bij wijze van antwoord. 'Als je uitgaat van de omvang van Riems, dan liggen er ongeveer duizend mogelijke kanshebbers voor de kust van Oost-Afrika. En dat maakte het opsporen ervan een behoorlijke uitdaging, totdat we...' Hij liet zijn blik over de toehoorders dwalen en bleef hangen bij een opvallend individu. 'Ik geef het woord aan Jules Holland. Hij kan zichzelf het beste voorstellen.'

Een slonzige man banjerde naar voren. Met zijn overgewicht, sjofele kleding en warrige grijze haar in een staartje, leek hij ietwat misplaatst in de voormalige commandobunker van de Sovjet-Unie.

Hij draaide zich naar zijn publiek en lachte, waardoor zijn vooruitstekende tanden goed te zien waren. 'Jules Holland, maar voor iedereen die me goed kent, de Rattenvanger, of kortweg de Rat. Een computerhacker die werkt voor de *good guys*. Meestal dan. En behoorlijk effectief, als ik zo vrij mag zijn. En doorgaans nogal duur. Maar nu ben ik hier vanwege de goede diensten van Will Jaeger.' Hij maakte een lichte buiging. 'En ik moet zeggen dat ik erg blij ben jullie van dienst te kunnen zijn.'

De Rat wierp een blik op Peter Miles. 'Deze meneer heeft me op de hoogte gebracht van alle details. Dat waren er niet veel: zoek een eiland dat iets groter is dan een postzegel, waar een gestoorde nazi aan zijn biologische wapen zou kunnen sleutelen.' Hij zweeg even. 'Ik heb gemakkelijkere opdrachten gehad en het vereiste een nogal onorthodoxe aanpak. We weten niet of het al dan niet een laboratorium voor biologische oorlogsvoering is, maar wél dat daarvandaan apen geëxporteerd worden. En dat was de crux. De apen vervulden een sleutelrol.'

Holland streek de sluike haarplukken die aan het elastiekje waren ontsnapt uit zijn gezicht. 'De apen worden in en rond het Katavireservaat gevangen en vanaf daar naar het eiland gevlogen. Welnu, elke vlucht laat een spoor achter. Talloze vluchten laten talloze sporen achter. Dus ik, ehm… heb een ongeoorloofd bezoek gebracht aan de computer van de Tanzaniaanse luchtverkeersleiding. Dat bleek uiterst vruchtbaar.

In de afgelopen paar jaar zijn er ruim vijfendertig KRP-vluchten naar dezelfde locatie gevlogen.' Hij zweeg even. 'Op zo'n honderd mijl voor de kust van Tanzania ligt Mafia Island. Jawel, net als die Siciliaanse boeven. Het is een piepklein geïsoleerd eiland in het uiterste zuiden van een archipel. Tot zo'n twintig jaar geleden was Mafia Island onbewoond. De enige bezoekers waren lokale vissers die daar aanlegden om hun houten boten te repareren. Het is dicht bebost, maar heeft geen natuurlijke waterbron, dus niemand kon er lang blijven.

Twintig jaar geleden is het eiland gekocht door een buitenlandse privé-eigenaar. Kort daarna kwamen ook de vissers er niet meer. Degenen die het eiland sindsdien bevolken, zijn niet echt vriendelijk; beter gezegd, samen met de mensen kwam er een apenpopulatie wonen die zeer ongastvrij bleek te zijn. Een groot deel ervan was ernstig ziek en zag eruit als zombies. Bovendien bloedden ze veel.'

Holland keek zijn toehoorders somber aan. 'Het eiland kreeg een bijnaam die naar ik vrees zeer toepasselijk is: Pesteiland.'

71

'Pesteiland is Kammlers exportvoorziening voor primaten,' legde Holland uit. 'Dat bewijzen de dossiers van de luchtverkeersleiding alleen al. Wat het verder nog is en wat we eraan doen... Tja, ik vermoed dat dat aan jullie is.' Zijn ogen richtten zich op Jaeger. 'En voor je het vraagt, vriend: ja, ik heb mijn handtekening achtergelaten: gehackt door de Rat. Wijsheid komt met de jaren, zeggen ze, maar ik lijk het nog steeds niet te kunnen laten.'

Jaeger glimlachte. Die goeie ouwe Rattenvanger. Een dissidente geest wiens leven werd gekenmerkt door het overtreden van de wet.

Holland liep terug naar zijn stoel en Peter Miles nam zijn plek weer in. 'Jules deed het overkomen als een simpele klus, maar het was verre van dat. Dankzij jou, Jules, is de locatie bekend. Sta nu even stil bij het doemscenario. Op de een of andere manier verscheept Kammler zijn virus van zijn eiland en verspreidt het over de wereld. Hij en zijn handlangers zijn ingeënt. Zij zitten de apocalyps op een veilige plek uit. Ongetwijfeld ergens onder de grond. Sterker nog, waarschijnlijk in een faciliteit als deze.

Ondertussen gaat het Gottvirus aan de slag. De ziektekiem die er voor zover wij weten het dichtst bij in de buurt komt is ebola. De fatale dosis van het Zaïre-ebolavirus is vijfhonderd besmettelijke deeltjes. Dat aantal zou uit één enkele menselijke cel afkomstig kunnen zijn. Met andere woorden: één besmet iemand wiens bloed is getransformeerd tot een virale brij, kan miljárden medemensen besmetten.

Een minieme hoeveelheid ebola kan via de lucht een hele stad platleggen. Het is net zoiets als plutonium. Sterker nog, het zou nog veel gevaarlijker zijn, want in tegenstelling tot plutonium lééft het. Het plant zich voort door celdeling en vermenigvuldigt zich exponentieel. Dat is het doemscenario met ebola, een virus dat we al bijna dertig jaar hebben kunnen bestuderen. Dit… is totaal onbekend. Een onvoorstelbaar felle killer.'

Miles zweeg. Hij kon zijn bezorgdheid niet langer verbergen. 'Als het Gottvirus zich nestelt in de bevolking zal het grote verwoestingen aanrichten. De wereld die wij kennen zal ophouden te bestaan. Als Kammler erin slaagt het op de mensheid los te laten, kan hij – ingeënt – die verwoesting uitzitten en vervolgens verrijzen in een gloednieuwe wereld. Dus vergeef me alsjeblieft het melodrama, dames en heren, maar Kammler en zijn virus moeten tegengehouden worden.'

Hij gebaarde naar een muizige man met grijs haar die tussen de toehoorders zat. 'Oké, dan geef ik nu het woord aan Daniel Brooks, het hoofd van de CIA. En bij wijze van introductie zou ik graag nog even melden dat steun van bovenaf zojuist nog veel belangrijker is geworden.'

'Dames, heren,' begon Brooks nors. 'Ik zal het kort houden. Jullie hebben geweldig werk verricht. Verbijsterend werk. Maar het is nog steeds niet genoeg om kolonel Hank Kammler, het plaatsvervangend hoofd van mijn dienst, te grazen te nemen. Daarvoor hebben we onomstotelijk bewijs nodig, en op het moment zou die faciliteit op dat eiland evengoed een bonafide ziektebestrijdingscentrum voor een apenexportbedrijf kunnen zijn.'

Brooks keek dreigend. 'Hoe afschuwelijk ik het ook vind, ik moet omzichtig te werk gaan. Kammler heeft machtige vrienden, tot aan de president van de Verenigde Staten toe. Ik kan niet achter hem aan gaan als ik geen harde bewijzen heb. Bezorg me dat bewijs, dan krijgen jullie alle steun die het Amerikaanse leger en de inlichtingendienst kunnen leveren. En ondertussen kunnen we jullie wel van dienst zijn, onofficieel dan, hè?'

Brooks ging weer zitten en Miles bedankte hem. 'Nog één ding,' zei Miles. 'Jaeger en Narov zijn vertrokken uit Katavi in een Toyota van de Katavi Lodge. Hun landrover vertrok tegelijkertijd een andere kant op met daarin twee personeelsleden van de lodge. Een paar uur na vertrek werd die opgeblazen door een Reaperdrone. Hank Kammler heeft daar de opdracht toe gegeven en dacht ongetwijfeld dat Jaeger en Narov erin zaten. Kort gezegd: hij weet dat we achter hem aan zitten. De jacht is geopend, jullie op hem, en hij op ons.

Even voor de goede orde: als je gewone communicatiemiddelen gebruikt, zal hij je vinden. Hij kan gebruikmaken van de slimste techneuten van de CIA. Bij gebruik van een onveilig e-mailsysteem achterhaalt hij je adres en kun je het wel schudden. Het is nu doden of gedood worden. Gebruik alleen de beveiligde middelen. Altijd.'

Miles keek hen stuk voor stuk aan. 'Vergis je niet, je tekent je doodvonnis als je dat niet doet.'

72

Achtduizend kilometer verder, aan de andere kant van de Atlantische Oceaan, legde de architect van het kwaad de laatste hand aan een gewichtig bericht. Kammlers Weerwolven – de ware zonen van het Reich; degenen die zeven decennia lang standvastig waren gebleven – stonden op het punt daarvoor beloond te worden. En wel op een overweldigende manier.

Kolonel Hank Kammler liet zijn blik over de afsluitende alinea's gaan en schaafde die voor het laatst bij.

Roep je gezin bij elkaar. Baan je een weg naar je toevluchtsoord. Het is begonnen. Het is losgelaten. Over zes weken zal het toeslaan. Die tijd heb je voordat degenen die niet bij ons horen storm zullen gaan oogsten. Wij, de uitverkorenen, staan aan de vooravond van een nieuw tijdperk. Een nieuwe dageraad.

Een nieuw millennium waarin de zonen van het Reich – de ariërs – de ons toekomende erfenis voor eens en altijd opeisen.

Hier start onze wederopbouw, in de naam van de Führer.

We moeten vernietigen om te scheppen.

De glorie van het Reich zal van ons zijn.

Wir sind die Zukunft.

HK.

Kammler las het. Het was goed. Hij klikte op VERZENDEN en leunde achterover op zijn leren stoel. Zijn blik dwaalde naar een ingelijste foto op zijn bureau. De man van middelbare leeftijd in streepjespak toonde een opvallende gelijkenis met Kammler. Ze hadden dezelfde smalle haviksneus, dezelfde ijsblauwe, arrogante ogen, dezelfde blik die het gemak verried waarmee ze aannamen dat macht en privilege hun geboorterecht waren en dus tot op hoge leeftijd aan hen verschuldigd waren. Het was niet moeilijk om je voor te stellen dat ze vader en zoon waren.

'Eindelijk,' fluisterde Kammler, bijna alsof hij tegen de foto sprak. 'Wir sind die Zukunft.' Heel even bleef zijn blik nog hangen bij de ingelijste persoon, maar feitelijk keek hij naar binnen. Londen, dacht Kammler. Londen, de zetel van de Britse regering, de plek van het oorlogskabinet van wijlen Winston Churchill, van waaruit hij het verzet tegen Hitlers glorieuze Reich had geleid toen elk openlijk verzet vergeefs leek.

Die vervloekte Britten hadden het net lang genoeg volgehouden om de Amerikanen bij de oorlog te betrekken. Zonder hen zou het Derde Reich uiteraard gezegevierd hebben en duizend jaar de dienst hebben uitgemaakt, precies zoals de Führer het bedoeld had.

Londen. Het was niet meer dan terecht dat de ellende daar zou beginnen.

Kammler tikte op zijn toetsenbord en opende IntelCom. Hij klikte zijn contact aan en wachtte tot er werd opgenomen. 'Hoe is het met mijn beestjes?' vroeg hij, toen dat gebeurde. 'Gedijen de olifanten een beetje, ondanks de hebzucht van de inwoners?'

'De olifantenpopulatie wordt met de dag sterker,' antwoordde Falk König. 'Steeds minder uitval, zeker sinds onze vrienden Bert en Andrea...'

'Houd toch op!' onderbrak Kammler hem. 'Ze mogen dan die Libanese dealer en zijn bende hebben uitgeschakeld, maar hun motieven waren niet geheel onbaatzuchtig, dat kan ik je verzekeren.'

'Dat vroeg ik me al af…' Falks stem stierf weg. 'Maar hoe dan ook, ze hebben iets goeds gedaan.'

Kammler snoof. 'Dat is niets vergeleken met wat ik van plan ben. Ik ga ze allemaal om zeep brengen. Tot aan de laatste stroper, de laatste handelaar en de laatste koper, állemaal.'

'Waarom neem je Bert en Andrea niet in dienst?' vroeg König. 'Het zijn goede mensen. Professionals. En oprechte dierenliefhebbers, zeker Andrea. Ze zijn voormalige militairen en zoeken werk. Als je de stropers wilt verslaan, kun je hen goed gebruiken.'

'Dat is niet nodig,' snauwde Kammler. 'Jij mocht ze wel, hè?' Zijn stem droop nu van het sarcasme. 'Zijn jullie nu dikke vrienden?'

'Ergens wel, ja,' antwoordde König defensief.

Kammler sloeg een mildere toon aan, maar dat maakte het alleen maar meer sinister. 'Is er iets wat je me niet verteld hebt, mijn jongen? Ik weet dat we geneigd zijn soms van mening te verschillen, maar in hoofdpunten zijn we het met elkaar eens. Natuurbescherming. De kuddes. Daar gaat het om. Katavi loopt toch geen gevaar?'

Kammler bespeurde de aarzeling van zijn zoon. Hij wist dat hij bang voor hem was, of eigenlijk meer voor het soort mensen dat hij bij tijd en wijle naar Katavi toe stuurde, zoals de huidige werknemer, meneer Jones. 'Je weet dat je beter niets voor me achter kunt houden, hè?' zei Kammler slijmerig. 'Dat gaat ten koste van het wild. Jouw olifanten. Jouw neushoorns. Onze geliefde dieren. Dat weet je toch?'

'Nou… Ik heb hun verteld over die jongen.'

'Welke jongen?'

'Uit de sloppenwijk. Kwam hier een paar maanden geleden opeens opdagen. Niets bijzonders…' Weer stierf Königs stem weg.

'Als het niets bijzonders was, kun je het me best vertellen, toch?' zei Kammler, wiens zoetsappige toon nu een dreigend kantje kreeg.

'Het was gewoon een verhaal over een of andere jongen die als verstekeling op een van de vluchten zat... Niemand snapte er iets van.'

'Een kind uit de slóppenwijk, zei je?' Kammler was een tijdlang stil. 'Dat moeten we tot op de bodem uitzoeken... Nou ja, ik kom snel naar je toe. Binnen de komende achtenveertig uur. Dan kun je me alles vertellen. Eerst moet ik hier nog een paar dingen afhandelen. Er is een verpleegkundige naar je op weg, die je een injectie moet geven. Een herhalingsvaccinatie voor een kinderziekte. Je was nog te jong om je het te kunnen herinneren, maar geloof me, het is de moeite waard om die voorzorgsmaatregel te nemen.'

'Maar ik ben vierendertig, vader,' protesteerde König. 'Er hoeft niet meer voor mij gezorgd te worden.'

'Ze is al op weg,' antwoordde Kammler op een toon die geen tegenspraak duldde. 'Ik kom vlak na haar terug naar mijn toevluchtsoord. En ik verheug me erop alles van je te horen over die jongen als ik er ben. We hebben een hoop bij te praten...' Kammler nam afscheid en verbrak de verbinding.

Falk was nou niet bepaald de zoon die hij gewenst had, maar zo erg was hij nu ook weer niet. Ze deelden de passie voor natuurbehoud. En in Kammlers nieuwe wereld zou de wilde natuur, het milieu – de gezondheid van de planeet – op de eerste plaats komen. De gevaren die de wereld bedreigden, zoals de opwarming van de aarde, overbevolking, uitsterving en de vernietiging van habitats, zouden als eerste aangepakt worden. Kammler had met behulp van computersimulaties het dodental van de aanstaande pandemie berekend. De wereldbevolking zou bijna volkomen uitgeroeid worden. Er zouden nog maar enkele honderdduizenden zielen overblijven.

Het menselijke ras vormde een ware plaag voor de aarde. Dat zou verdelgd worden door de plaag der plagen. Het was gewoon volmaakt.

Ongetwijfeld zouden enkele geïsoleerde bevolkingsgroepen de ramp overleven. Stammen op afgelegen, zelden bezochte eilanden of diep in het oerwoud. En dat was natuurlijk ook de bedoeling. Het Vierde Reich zou uiteraard inboorlingen – Untermenschen – nodig hebben om als slaven te dienen.

Hopelijk zou Falk, zodra de pandemie zich had voltrokken, het licht zien. Hoe dan ook, hij was alles wat Kammler had. Zijn vrouw was tijdens de bevalling gestorven en Falk was hun eerste en enige kind. Kammler was vastbesloten om hem bij de komst van het Vierde Reich een waardig erfgenaam te maken.

Hij belde een ander nummer op IntelCom.

'Jones.'

'Je hebt een nieuwe opdracht,' zei Kammler. 'Er heeft in de Katavi Lodge een verhaal de ronde gedaan over een of ander kind uit de sloppenwijk. Ik wil daar het fijne van weten. Er zijn twee personeels-leden die alles doen voor een paar biertjes. Probeer eerst Andrew Asoko. Als hij niets weet, praat je met Frank Kikeye. Breng me op de hoogte van je bevindingen.'

'Komt voor elkaar.'

'Nog één ding. Er komt vandaag een verpleegkundige om Falk in te enten. Zorg dat hij die krijgt. Het kan me niet schelen als je hem moet dwingen; hij moet die injectie krijgen. Begrepen?'

'Begrepen. Een injectie. Een verhaal over een kind.' Hij zweeg even. 'Maar wanneer mag ik nou iets leuks doen, zoals Jaeger te grazen nemen?'

'De twee opdrachten die ik je net gegeven heb, zijn van cruciaal belang,' snauwde Kammler. 'Voer die eerst uit.'

Hij verbrak de verbinding. Hij mocht die Jones helemaal niet, maar hij was een efficiënte killer en dat was het enige wat telde. En tegen de tijd dat hij zijn eerste loonstrookje ging claimen, zou hij zo goed als dood zijn, net als de rest van de mensheid… met uitzondering van de uitverkorenen.

Maar dat verhaal over dat kind was zorgelijk. Een paar maanden geleden had Kammler bericht gekregen dat een graf op het eiland was omgewoeld. Ze hadden aangenomen dat dat het werk van wilde dieren was geweest. Maar zou het kunnen dat iemand het had overleefd en was ontsnapt?

Enfin, Jones zou dit tot op de bodem uitzoeken. Kammler zette zijn zorgen opzij. De wederopstanding van het Reich was bijna daar.

73

Jaeger wist maar al te goed dat als je een kleine eenheid elitesoldaten heel snel en heel onopvallend op een afgelegen bestemming wilde krijgen, een verkeersvliegtuig de manier was om dat te doen. Een eenheid kon over landen en continenten gevlogen worden in een doorsnee passagiersvliegtuig, op een kruishoogte die openstond voor commerciële vervoerders. Zodra ze zich boven het doelwit bevonden, konden ze met een parachute uit het vliegtuig springen en van de radar blijven, terwijl het toestel verder vloog naar zijn bestemming alsof er niets was gebeurd.

Jaeger en zijn team hadden gebruikgemaakt van het aanbod van CIA-directeur Daniel Brooks en waren op het laatste moment toegevoegd aan de passagierslijst van vlucht 675 van Lufthansa, die van luchthaven Schönefeld in Berlijn zou vliegen naar Perth in Australië. Bij aankomst daar zou vlucht DLH 675 zes passagiers minder hebben. Die zouden onderweg, ergens voor de kust van Oost-Afrika om 04:00 uur plaatselijke tijd, van boord zijn gegaan.

Tijdens een vlucht kunnen de deuren van een passagiersvliegtuig niet geopend worden, omdat de druk in de cabine veel hoger is dan buiten het vliegtuig. Dat geldt echter niet voor de deuren van de laadruimte. Koffers leven niet en hebben geen lucht nodig om te ademen, dus in de laadruimte wordt geen hogere druk gecreeerd. Jaeger en zijn team zouden van daaruit in de ijle blauwe lucht springen.

Het team was in paren verspreid over het toestel en Jaeger en Narov hadden de mazzel clubclass te vliegen: de enige stoelen die daar op de korte termijn beschikbaar waren geweest. Meer tijd had Brooks niet gehad om hen op die vlucht te krijgen. Dat was tekenend voor de stilzwijgende medewerking van bedrijven die het hoofd van de CIA genoot.

De piloot van vlucht DLH 675, een voormalig vlieger van de Duitse luchtmacht, zou de deur van zijn laadruimte openen ter hoogte van bepaalde gps-coördinaten en daarbij de alarmsignalen in de wind slaan. Het was geen gevaarlijke manoeuvre en de deuren zouden maar een paar seconden op een kier staan.

Jaeger en zijn team zouden zich in de personeelsruimte van het toestel verkleden, ver uit het zicht van de andere passagiers. In het laadruim van de Boeing 747 lag een rij volgepropte rugzakken, naast een stapel parachutespullen en wapens. Na hun sprong zou de deur sluiten en het toestel verder vliegen alsof er niets gebeurd was.

De reden voor deze gehaaste en ultrageheime ingreep was simpel: de tijd drong en als Mafia Island inderdaad de plek van Kammlers lab was, zou het daar vast streng beveiligd zijn. Hij had ongetwijfeld spullen van de CIA geannexeerd – satellieten, drones, spionagevliegtuigen – om het eiland van bovenaf continu in de gaten te houden, nog los van de veiligheidsmaatregelen die hij op de grond had genomen.

Op het dichtbegroeide eiland zou een gewapend treffen altijd van dichtbij plaatsvinden; het zicht in het oerwoud bedroeg hooguit enkele tientallen meters. In het laadruim van de 747 lagen derhalve zes MP7's van Heckler & Koch, een zeer klein volautomatisch wapen. Met een lengte van slechts 638 millimeter was het uitermate geschikt voor vuurgevechten op korte afstand en in de jungle. Elk wapen was voorzien van een demper om de karakteristieke knal te onderdrukken. Omdat het was voorzien van een magazijn voor veertig patronen kon je met de MP7 echt een vuist maken, zeker als je schoot met de voor dit wapen gemaakte kogels. De DM11 Ultimate Combat had een met een legering bedekte stalen kern, waardoor hij ideaal was voor het penetreren van welke gebouwen of bunkers dan ook die Kammler op het eiland mocht hebben neergezet.

Jaegers team bestond uit zes personen en ze verwachtten zwaar in de minderheid te zijn. Niets nieuws onder de zon, dus.

Lewis Alonzo en Joe James hadden de spullen voor de sprong geregeld. Uit een vliegtuig springen op veertigduizend voet of hoger vereist een zeer gespecialiseerde uitrusting. Hiro Kamishi – die een CBRN-defensiespecialist was – had de beschermende pakken uitgezocht die ze nodig zouden hebben.

Een aanval op een dergelijke plek was beslist geen peulenschil. De jungle was een van de meest vijandige omgevingen om in te opereren, en dit was geen gewone jungle. Hier krioelde het ongetwijfeld van Kammlers beveiligers én diens laboranten. Bovendien zou het er heel goed kunnen wemelen van zieke en besmette apen, in welk geval het beschouwd diende te worden als één grote biologische gevarenzone van de vierde categorie. Dat is het gevaarlijkste niveau; de organismen zijn dan besmettelijk en dodelijk en er bestaan geen medicijnen of vaccins tegen. Alles wees erop dat dat op Pesteiland het geval was.

Slechts één beet van een besmette aap, één keer struikelen en je handschoen, masker of laars openhalen aan een scherpe tak, één treffer van een kogel dan wel een granaatscherf die je beschermende pak openreet; al die dingen stelden hen bloot aan besmetting met een ziektekiem waar geen medicijn tegen was.

Daarom zouden ze zich hullen in Biosafety Level 4-pakken, die vergelijkbaar waren met wat astronauten droegen. Daar werd continu schone lucht in gepompt die zorgde voor overdruk, zodat er geen ziektekiemen konden binnendringen, ook niet als er een gat in het pak kwam. Alleen moest je dat gat dan wel zo snel mogelijk dichten. Daarom had elk teamlid een rol gaffer-tape bij zich; iets wat altijd wel van pas kwam.

Jaeger zakte onderuit in zijn luxe stoel en probeerde alle zorgen van zich af te zetten. Hij moest zich ontspannen, zich concentreren en weer opladen. Hij dommelde net in toen Narov hem klaarwakker

maakte. 'Ik hoop dat je ze vindt,' zei ze zacht. 'Allebei. In leven.'
'Dank je,' mompelde Jaeger. 'Maar deze missie... gaat over meer dan mijn gezin.' Hij keek Narov scherp aan. 'Het gaat om ons allemaal.'

'Dat weet ik. Maar voor jou is je gezin... Hen vinden... Liefde is de sterkste menselijke emotie.' Ze keek Jaeger aan met een intense blik. 'Ik kan het weten.'

Ook Jaeger was zich bewust van de intieme band die ze hadden gekregen. Het was alsof ze in de afgelopen weken onafscheidelijk waren geworden, alsof de een niet kon functioneren zonder de ander. Hij wist maar al te goed dat dat allemaal zou veranderen als hij Ruth en Luke kon redden.

Narov glimlachte meewarig. 'Hoe dan ook, ik heb al te veel gezegd. Zoals altijd.' Ze haalde haar schouders op. 'Het is uiteraard onmogelijk, dus we moeten het vergeten. We moeten óns vergeten en ten strijde trekken.'

74

Een Boeing 747-400 vliegt op een kruishoogte van ongeveer 45.000 voet. Als je een sprong van die hoogte – ruim drieduizend meter hoger dan Mount Everest – wilt overleven, heb je zeer geavanceerde spullen nodig, om het nog maar niet te hebben over de training. De crème de la crème van de speciale eenheden had daar een compleet nieuw systeem voor bedacht, genaamd HAPLSS, oftewel het *High Altitude Parachute Life Support System*.

Op 45.000 voet is de atmosfeer zo ijl dat je uit een tank moet ademen, anders sterf je binnen de kortste keren de verstikkingsdood. Alleen moet die tank dan wel de juiste combinatie van gassen bevatten, want anders kan de springer last krijgen van caissonziekte, vernoemd naar de grote duikerklokken (caissons) waarin mensen aan de fundering van bruggen werkten.

Tijdens een normale sprong van zo'n dertigduizend voet bedraagt de eindsnelheid – de maximumsnelheid van je vrije val – ongeveer 320 kilometer per uur. Maar hoe ijler de lucht, hoe sneller je valt. Bij een hoogte van 45.000 voet kan de eindsnelheid oplopen tot 440 kilometer per uur. Als Jaeger en zijn team bij die snelheid probeerden hun parachute te openen, zouden ze óf zwaar gewond raken als gevolg van de klap óf te maken krijgen met een aan flarden gescheurd valscherm. Kortom, als ze hun parachute boven de 35.000 voet bij de eindsnelheid opentrokken, was de kans klein dat ze levend beneden kwamen. Daarom was de standaardprocedure bij HAPLSS dat je eerst een vrije val maakte van ruim twintigduizend voet, totdat de compactere lucht je val vertraagde.

Omdat Jaeger erop had gestaan dat het doelwit vanuit de lucht in de gaten werd gehouden, had Peter Miles contact gezocht met Hybrid Air Vehicles, van de Airlander 50, het grootste luchtschip ter wereld. De Airlander was gevuld met helium, niet met waterstof. In tegenstelling tot de zeppelin *Hindenburg* uit de Eerste Wereldoorlog kon het luchtschip dus niet uiteenspatten in een vuurbal. De honderdtwintig meter lange en zestig meter brede Airlander was ontworpen voor *Persistent Wide-Area Surveillance,* oftewel langdurige inspectie boven grote oppervlakten, en uitgerust met geavanceerde radar en infraroodscanners. Met een kruissnelheid van zo'n 200 kilometer per uur en een bereik van 3500 kilometer was de Airlander in staat de reis naar de kust van Oost-Afrika te maken. Bovendien had de bemanning tijdens de missie naar de Amazone al nauw samengewerkt met Jaegers team.

Wanneer de Airlander de bestemming bereikt had, zou het toestel daar tijdens de hele missie blijven zweven. Het luchtschip hoefde niet recht boven Mafia Island te vliegen om dat in de gaten te houden; het kon zijn taken tot op zeventig kilometer afstand nog vervullen. Bovendien hadden ze een prima dekmantel voor het geval Kammler de aanwezigheid van het luchtschip opmerkte. Onder het water van dit deel van de Indische Oceaan lag een van de grootste gasvoorraden van de aarde. De Chinezen – in de hoedanigheid van China National Offshore Oil Corporation – inspecteerden verschillende concessies in het gebied. Officieel was de Airlander hier op verzoek van die CNOOC om vanuit de lucht toezicht te houden.

Ongeveer zesendertig uur geleden was de Airlander boven Mafia Island aangekomen. Sindsdien hadden ze tientallen surveillancefoto's doorgestraald gekregen. Bijna het volledige eiland leek dichtbegroeid, met uitzondering van de landingsbaan, die net lang genoeg was voor een Buffalo of een vergelijkbaar toestel. De apenverblijven, labs en andere accommodaties van Kammler leken geraffineerd verborgen; ofwel onder het dikke bladerdak, ofwel onder de grond. Dat beloofde de missie van het team dubbel zo zwaar te maken en daardoor waren de extra mogelijkheden die de Airlander bood des te meer welkom.

De Airlander 50 die naar Oost-Afrika was gezonden, was eigenlijk een uiterst geheime nieuwe conceptversie van het luchtschip. Achter de cockpit, die onder de enorme romp hing, was een laadruimte die normaal gesproken gereserveerd was voor welke zware vracht het luchtschip dan ook diende te vervoeren. Deze Airlander was echter iets anders. Het was een vliegend vliegdekschip en geschutsplatform met dodelijke eigenschappen. Twee Britse Taranisdrones – uitgerust met ultramoderne stealthtechnologie – waren geparkeerd in de laadruimte, die tevens dienstdeed als een uitstekend geoutilleerd vliegdek. Met een vleugelwijdte van ruim negen meter en een lengte van ruim elf meter was de Taranis – vernoemd naar de gelijknamige Keltische god van de donder – een derde van het formaat van de Amerikaanse Reaper. En met een snelheid van Mach 1 – zo'n twaalfhonderd kilometer per uur – was hij twee keer zo snel in de lucht. Met twee inwendige raketlanceerbuizen kon de Taranis behoorlijke klappen uitdelen. Bovendien maakte de stealthtechnologie de drone vrijwel onzichtbaar voor elke vijand.

Deze aanpassing was geïnspireerd door een luchtschip van voor de Tweede Wereldoorlog, de ZR-5 USS Macon, het eerste 'vliegende vliegdekschip' ter wereld. Op basis van een technologie die inmiddels decennia oud was, beschikte de Macon over een trapeze onder de sigaarvormige romp, waaraan Sparrowhawk-dubbeldekkers hun vanghaak moesten vasthaken, waarna ze naar binnen gehaald konden worden in de hangar.

Deze Airlander had tevens een AW-159 Wildcat aan boord; een snelle en zeer wendbare Britse helikopter die acht manschappen kon vervoeren. De helikopter kon Jaeger en zijn team weghalen van Mafia Island zodra de missie voltooid was. Jaeger hoopte vurig dat ze dan inderdaad met zijn achten zouden zijn, dus dat Ruth en Luke bij hen waren.

Hij was ervan overtuigd dat zijn vrouw en zoon vastgehouden

werden op het eiland. Sterker nog, hij had daar bewijs van, hoewel hij dat aan niemand had verteld. Dat wilde hij ook niet, want er stond te veel op het spel en hij wilde niet dat iemand hem afleidde van zijn belangrijkste doel.

Op de foto die Kammler hem gemaild had, zaten Ruth en Luke geknield in een kooi. Aan de zijkant daarvan was een vervaagde tekst te zien: Katavi Reserve Primates. Jaeger, de Jager, kwam dichterbij.

75

Springen door een donkere spleet van een halfopen laadruim van een 747 was als het springen door het oog van een naald, maar er zat niets anders op. Jaeger wierp zich in het kolkende, lege zwart en raakte meteen de slipstream van de 747 die op orkaansterkte was. Hij werd woest rondgedraaid, terwijl de grote straalmotoren vlak boven hem brulden als een draak. Een paar tellen later was het ergste voorbij en schoot hij als een menselijke raket op de aarde af.

Vlak onder hem zag hij nog net het spookachtige silhouet van Lewis Alonzo, de man die vlak voor hem was gesprongen. Jaeger bracht zichzelf in een stabiele positie en maakte toen met zijn hoofd naar beneden een duikvlucht in een poging Alonzo in te halen.

Zijn lichaam nam een deltavorm aan; met zijn armen tegen zijn lichaam en zijn benen gestrekt achter zich leek hij een reuzenpijl die afschoot op de zee. Op vijftien meter van Alonzo veranderde hij van houding; de stervorm diende om hem te vertragen en zijn positie te stabiliseren. Vervolgens draaide hij zijn hoofd naar boven, in de slipstream, om te kijken of hij Narov zag, nummer vijf in de rij. Ze was zestig meter achter hem, maar liep die afstand snel in. Achter haar was nog één menselijke pijl te zien: de laatste man, Hiro Kamishi.

Ver boven Kamishi zag hij nog net de spookachtige vorm van Lufthansa vlucht 675 met geruststellend knipperende lichten door de lucht bewegen. Heel even dwaalden zijn gedachten af naar de slapende, etende of naar een film kijkende passagiers, die in zalige onwetendheid verkeerden over de kleine rol die ze speelden in het drama. Een drama dat de loop van al hun levens zou bepalen.

Na de sprong van 45.000 voet zouden Jaeger en zijn team een vrije val maken van slechts zestig seconden. Hij wierp een snelle blik op zijn hoogtemeter. Hij moest hun hoogte in de gaten houden, want anders zouden ze de hoogte waarop ze hun chute moesten openen missen, met alle potentieel desastreuze gevolgen van dien.

Tegelijkertijd schoot het aanvalsplan door zijn hoofd. Het punt waarop ze gesprongen waren lag zo'n tien kilometer ten oosten van het doelwit, boven open zee. Op die manier konden ze ongezien onder hun chutes zweven, maar waren toch dicht in de buurt van Pesteiland.

Het bijeenhouden van de groep was prioriteit nummer één. Het zou nagenoeg onmogelijk zijn om iemand die ze tijdens de vrije val uit het oog verloren weer terug te vinden.

Ver onder zich zag Jaeger de eerste chute openspringen in het donker. Raff, de eerste springer, had als taak gehad de exacte landingsplek te bepalen. Jaeger stak zijn hand uit naar zijn uittrekparachute, een stukje stof in de vorm van een miniparachute dat hij moest lostrekken van zijn bovenbeen en loslaten in de slipstream, zodat die op zijn beurt de hoofdparachute los zou trekken. Maar zijn gehandschoende hand leek geen grip te krijgen. Een paar tellen later denderde hij langs Alonzo, terwijl hij steeds wanhopiger probeerde bij dat verdomde ding te komen. Wat niet lukte. Er moest iets voor geschoven zijn, een riempje of een ander deel van zijn uitrusting.

Jaeger had nu al ruim meer dan duizend voet verloren. Elke seconde bracht hem dichter bij een verpletterende val in het water, dat met deze snelheid zou aanvoelen als beton. Water mocht er zacht en meegaand uitzien als je in een bad stapte, maar er met tientallen meters per seconde op klappen was fataal. De adrenaline spóót werkelijk door Jaegers aderen. 'Tijd om te trekken, Jaeger!' schreeuwde hij tegen zichzelf. 'Trekken, verdomme!'

76

Wat er ook gebeurd was bij Jaegers sprong of tijdens zijn vrije val, de uittrekparachute was gewoon onvindbaar. Dat was Jaeger nu wel duidelijk. En ook dat er geen tijd meer was. Er stond hem nog maar één ding te doen.

Hij reikte naar achteren en trok de noodriemen los om zich van zijn hoofdparachute te bevrijden. Die verdween in de duisternis boven hem. Vervolgens activeerde hij zijn noodparachute door aan de lus bij zijn rechterschouderriem te trekken. Even later klonk er geklapper, alsof het grootzeil van een schip opbolde door de wind, en ontvouwde zich een grote lap zijde boven hem.

Roerloos hangend in de stilte prevelde Jaeger een dankgebed. Toen gooide hij zijn hoofd in zijn nek om het reservescherm te bekijken. Het leek in orde.

Hij was drieduizend voet ingelopen op de anderen en dat betekende dat hij zijn val enorm moest vertragen. Hij gaf een scherpe ruk aan het stuurmechanisme om de volledige lengte van de chute met lucht te vullen en verrichtte een paar kleine aanpassingen om zijn vaart te minderen.

Toen tuurde hij naar beneden om te kijken of hij Raff zag. Niet met het blote oog. Dus schoof hij zijn nachtkijker van zijn helm naar beneden en zette die op de infraroodstand. Hij was op zoek naar het vage schijnsel van een IR firefly, een knipperende infraroodlamp. Dat was nergens te bekennen. Jaeger moest van de vierde plek zijn gezakt naar de eerste. Aan de achterkant van zijn helm zat ook zo'n lampje bevestigd, dus hopelijk konden de anderen zich daarop oriënteren.

Hij knipte het licht van zijn gps-apparaat aan. Daarop stond een stippellijn van zijn huidige positie tot de plek waar ze van plan waren te landen. Hij liet het licht branden; op deze hoogte – zo'n twintigduizend voet – kon niemand dat vanaf de grond zien. Hij schatte dat hij met een snelheid van ongeveer dertig knopen in westelijke richting meedreef met de wind. Over acht minuten zouden ze boven Pesteiland moeten zijn.

Onder zijn Gore-Tex HAPLLS-pak droeg Jaeger een speciale uitrusting tegen de kou, waaronder een paar warme zijden handschoenen onder zijn dikke overwanten. Desondanks verkrampten zijn handen van de kou toen hij zijn koers aanpaste om te zorgen dat de anderen hem konden zien. Binnen een paar minuten verschenen er vijf IR fireflies aan de sterrenhemel boven hem: de groep was compleet. Hij liet Raff de leiding overnemen en ze zweefden verder, zes eenzame gestalten op het donkere dak van de wereld.

Op grond van de surveillancefoto's van de Airlander leek er maar één betrouwbare plek te zijn om neer te komen met de chutes: de korte, onverharde landingsbaan. Die werd waarschijnlijk zwaar bewaakt, maar het was het enige stukje terrein zonder bomen. Daar was hij niet blij mee geweest. Dat gold ook voor de anderen. Het was alsof je in het hol van de leeuw landde.

Vervolgens had Kamishi hun vervolgacties geschetst, die na de landing van levensbelang waren. Ze zouden een plek moeten vinden waar ze zich van hun HAPLLS-springpak in hun Biosafety Level 4-pak konden verkleden. Bij de uitrusting zaten ook FM54-maskers – dezelfde die ze bij de bevrijding van Leticia Santos hadden gebruikt – die met een breukvaste s-profielslang verbonden waren met op batterijen werkende filters op hun rug. Die filters pompten schone lucht in hun logge ruimtepakken: olijfgroene Trellchem EVO 1B's, gemaakt van Nomex met een rubberen toplaag die bestand was tegen chemicaliën. Die boden honderd procent bescherming.

Tijdens die verkleedpartij zou het team uiterst kwetsbaar zijn en daarmee was de landingsbaan uitgesloten als plek om neer te komen. Daardoor was er nog maar één optie over: een smalle strook wit zand aan de westkant van het eiland. Op de surveillancefoto's leek Copacabana, zoals ze het waren gaan noemen, net haalbaar. Bij eb was er zo'n vijftien meter zand tussen de jungle en de azuurblauwe zee. Als het allemaal volgens plan verliep, zouden ze zich daar verkleden om vervolgens de jungle in te gaan voor een verrassingsaanval op Kammlers voorziening.

Er moest echter een persoon achterblijven op het strand om een 'natte-decontaminatielijn' in te richten, bestaande uit een geïmproviseerde ontsmettingstent voorzien van schrobmiddelen. Zodra de missie voltooid was en het team uit de jungle kwam, zouden ze hun pakken moeten onderdompelen in emmers zeewater voorzien van EnviroChem: een krachtig chemisch middel dat virussen doodde. Vervolgens moesten ze de pakken uittrekken en zich een tweede keer afschrobben, nu om hun blote huid te ontsmetten. Daarna stapten ze over de streep die schoon en vuil scheidde naar de hopelijk veilige en onbesmette vloedlijn en lieten hun CBRN-uitrusting achter. En aangezien Kamishi hun CBRN-specialist was, kreeg hij deze schone taak toebedeeld.

Jaeger wierp een blik naar rechts, in de richting van Pesteiland, maar hij zag nog steeds niets. Zijn chute werd geteisterd door een windvlaag en regendruppels vielen als scheermesjes zijn onbedekte huid aan. Het enige wat hij zag, was een onheilspellende, ondoordringbare duisternis.

77

Terwijl hij de route volgde die Raff aangaf, spookten de beelden van Ruth en Luke door Jaegers hoofd. De komende paar uur zou alles duidelijk worden. De vraag die hem de afgelopen drie jaar had gekweld, stond op het punt beantwoord te worden. Hij kreeg óf het schijnbaar onmogelijke voor elkaar en redde Ruth en Luke, óf hij zou de weerzinwekkende waarheid ontdekken: dat een van hen dood was, of allebei. En als dat laatste het geval was, wist hij bij wie hij terecht kon.

Hun recente missie en Narovs biecht – haar traumatische familiegeschiedenis, haar band met Jaegers opa, haar autisme, haar toenemende genegenheid – hadden hem gevaarlijk dicht bij haar in de buurt gebracht. En hij wist zeker dat hij zich, als hij te dicht bij haar kwam, zou branden.

Jaeger en zijn medespringers bevonden zich nog steeds op zo'n grote hoogte dat ze volledig onvindbaar waren voor elk gangbaar verdedigingssysteem. Radar ketst af op massieve, hoekige objecten – de vleugels van een vliegtuig, de rotorbladen van een helikopter – maar buigt zich simpelweg om een mensenlichaam heen en vervolgt ongestoord zijn weg. Ze waren nagenoeg stil tijdens het zweven, dus het risico dat ze gehoord werden was klein. Verder droegen ze allemaal zwarte kleren en hingen onder zwarte chutes, dus vanaf de grond waren ze praktisch onzichtbaar.

Ze naderden een hoge wolkenbank, die zich opstapelde boven zee. Ze waren al eerder door een natte laag gevlogen, maar die was niet zo compact als deze. De enige optie was er recht doorheen.

Terwijl hij door de dikke, grijze en verblindende massa gleed, voelde Jaeger steeds meer ijskoude druppeltjes condenseren op zijn blote huid en als kleine beekjes over zijn gezicht stromen. Tegen de tijd dat hij door de bewolking heen brak, had hij het ijskoud.

Raff zag hij meteen; hij zweefde op gelijke hoogte voor hem. Maar toen hij achteromkeek, was Narov nergens te bekennen, en de anderen ook niet. In tegenstelling tot de vrije val, waarin alle communicatie onmogelijk is vanwege de ziedende slipstream, kun je wel radiocontact met elkaar maken als je onder een parachute hangt. Jaeger drukte op het zendknopje en zei: 'Narov, met Jaeger. Waar ben je?'

Hij herhaalde de oproep een paar keer, maar er kwam geen antwoord. Raff en hij waren de rest van de groep kwijtgeraakt en de kans was groot dat ze nu buiten het bereik van hun radio waren.

Raffs stem klonk in zijn oor. 'Laten we doorgaan. We reorganiseren op IP.' Dat laatste betekende *impact point*, in dit geval Copacabana.

Raff had gelijk. Er was geen sodemieter aan te doen en te veel radioverkeer zou ertoe kunnen leiden dat ze opgemerkt werden.

Een paar minuten later zag Jaeger dat Raff versnelde en verticaal in spiralen naar beneden zeilde, op weg naar de smalle zandstrook op het eiland onder hen. Met een zachte plof kwam hij op het zand terecht.

Op een hoogte van driehonderd meter drukte Jaeger op de twee metalen hendels om zijn rugzak los te maken. Die viel af om een meter of zes onder hem te blijven hangen. Kort daarna hoorde hij hem op de grond terechtkomen. Hij spreidde zijn chute om zijn val te breken en een paar tellen later ploften zijn schoenen op een stuk zand dat surrealistisch blauwwit gloeide in het maanlicht. Hij rende een stuk naar voren toen de grote lap zijde naar beneden kwam en in een bundel op het strand viel.

Meteen haalde hij zijn MP7 van zijn rechterschouder en laadde het wapen door. Hij was op enkele tientallen meters van Raff geland en mankeerde niets. 'Klaar,' zei hij in zijn radio.

Ze kwamen bij elkaar op het verzamelpunt. Even later kwam Hiro Kamishi uit de sterrenhemel vallen en hij landde vlakbij. Maar van de rest van Jaegers team ontbrak elk spoor.

78

Hans Kammler bestelde een fles Le Parvis de la Chapelle uit 1976. Niet al te opzichtig, maar niettemin een rode, Franse kwaliteitswijn. De neiging om een fles dure champagne te openen had hij onderdrukt. Er was veel te vieren, maar hij begon niet graag te vroeg. Gewoon, voor de zekerheid.

Hij schakelde zijn laptop in en terwijl die tot leven kwam, liet hij zijn blik dwalen over het schitterende tafereel beneden. Bij de waterpoel was het druk. De logge, ronde, glimmende nijlpaarden lagen tevreden te soezen in de modder. Een kudde elegante Roanantilopen – of waren het de sabelantilopen? Kammler kon die twee nooit zo goed uit elkaar houden – snuffelde bij de oever, beducht voor krokodillen.

Alles leek goed in het paradijs, wat zijn jubelstemming nog een extra boost gaf. Hij tikte op de toetsen van de laptop en opende de e-mailaccount waar Jaeger nog maar een paar dagen geleden op gekeken had. Kammler hield dat regelmatig in de gaten. Hij kon zien naar welke berichten Jaeger had gekeken en wanneer.

Er verscheen een frons op zijn gezicht. De meest recente berichten die hij samen met Steve Jones bekokstoofd had, moesten nog geopend worden. Kammler opende er een en genoot van de grimmige inhoud, maar baalde er tegelijkertijd van dat zijn vijand het nog niet gezien had.

In beeld verscheen het opvallende kaalgeschoren hoofd van Jones die hurkte achter Jaegers vrouw en zoon. Hij had zijn gespierde armen om hun schouders geslagen en glimlachte op een uiterst sinistere manier. Onder de foto verschenen nu woorden. DE HARTELIJKE GROETEN VAN EEN OUDE VRIEND.

Jammer, hield Kammler zich voor, dat Jaeger daar nog niet van had kunnen genieten. Het was een meesterzet. Maar nu vroeg hij zich opeens af waar Jaeger was.

Hij keek op zijn horloge. Hij verwachtte gezelschap. Stipt op tijd liet de kolossale gestalte van Steve Jones zich in de stoel tegenover hem zakken, waardoor hij voor een groot deel Kammlers uitzicht blokkeerde. Dat was typisch iets voor die kerel. Hij had de gevoeligheid – de tact – van een dinosaurus. Kammler wierp een blik op de wijn. Hij had maar om één glas gevraagd. 'Goedenavond. Ik neem aan dat je liever een Tusker drinkt?' Dat was een Keniaans biermerk dat populair was bij toeristen en expats.

Jones kneep zijn ogen samen. 'Voor geen goud. Dat is Afrikaans, en dus uilenzeik. Ik wil wel een Pilsner.'

Kammler bestelde het biertje. 'Vertel!'

'Die kerel, Falk König, heeft zijn injectie gehad. Hij stribbelde een beetje tegen, maar legde zich er al snel bij neer.'

'En die jongen? Weet je daar al iets over?'

'Het schijnt dat hier inderdaad een kind is opgedoken,' zei Jones, terwijl hij een slok van het gearriveerde bier nam. 'Ongeveer een halfjaar geleden, als verstekeling op een transportvliegtuig. Hij had een waanzinnig verhaal dat volgens mij totale onzin is.'

Kammlers koude reptielenogen boorden zich in die van Jones. 'Dat mag dan zo zijn, maar ik wil het horen. Van begin tot eind.'

Jones' versie van het verhaal kwam overeen met wat König aan Jaeger en Narov had verteld. Aan het eind ervan wist Kammler zo'n beetje alles, ook hoe de jongen heette. En uiteraard twijfelde hij er niet aan dat het verhaal voor honderd procent klopte.

Hij voelde de koude klauwen van onzekerheid, van een onmogelijk gevaar te elfder ure, aan hem trekken. Stel dat Jaeger dit verhaal ook had gehoord? Wat had hij daar dan uit afgeleid? En waar had hem dat naartoe gebracht? Zat er iets in het verhaal van de jongen wat Kammlers ultieme plan onthulde? Hij dacht het niet. Dat kon toch niet? De zeven vluchten waren al geland op de gekozen bestemmingen. Hun vracht was uitgeladen en voor zover Kammler wist, zaten alle dieren nu in quarantaine. En dat betekende dat de geest uit de fles was en niemand die er meer in kon stoppen. Niemand kon de wereldbevolking redden van wat zich nu, op dit moment, aan het verspreiden was. Onzichtbaar. Onvindbaar. Onvermoed, zelfs. Over een paar weken zou het zijn lelijke kop opsteken.

De eerst symptomen leken op die van de griep. Niet bepaald alarmerend. Maar dan zou de eerste bloeding komen. Ver voor die tijd zou de hele wereldbevolking besmet zijn. Het virus zou zich naar alle hoeken van de aarde verspreid hebben en niet tegen te houden zijn.

En toen schoot het hem opeens te binnen. Dat gebeurde met zo'n schok dat Kammler zich verslikte in zijn wijn. Zijn ogen puilden uit en zijn hartslag sloeg op hol, terwijl hij stilstond bij iets wat volkomen ondenkbaar was. Hij pakte een servetje en depte afwezig op zijn kin. Het was vergezocht. Nagenoeg onmogelijk. Maar niettemin bestond er een kleine kans.

'Gaat het wel?' vroeg Jones. 'U ziet eruit alsof u een spook hebt gezien.'

Kammler wuifde de vraag weg. 'Stil,' zei hij. 'Ik moet nadenken.' Hij klemde zijn kaken op elkaar en knarste met zijn tanden. Er schoot van alles door zijn hoofd terwijl hij probeerde te bedenken hoe hij dit nieuwe gevaar dat hij in geen velden of wegen had zien aankomen het beste kon bestrijden.

Uiteindelijk richtte hij zijn blik op Jones. 'Alle opdrachten die ik je heb gegeven trek ik in. Je concentreert je nu nog maar op één ding. Je moet die jongen voor me vinden. Het kan me niet schelen wat het kost, waar je naartoe moet, welk vriendje van je je daarbij nodig hebt… maar vínd hem. Vind dat verdomde kind en leg hem voorgoed het zwijgen op.'

'Duidelijk,' bevestigde Jones. Het was heel wat anders dan achter Jaeger aan gaan, maar het was in ieder geval wel een soort klopjacht.

Iets om zijn tanden in te zetten. 'Ik heb een startpunt nodig. Een aanwijzing.'

'Daar wordt allemaal voor gezorgd. Die sloppenwijkbewoners gebruiken mobieltjes. Mobiel internet. Ik zal mijn beste mensen naar hem laten uitkijken. Zoeken. Hacken. In de gaten houden. Die vinden hem vast. En als dat gebeurt, ga jij ernaartoe en maakt er uiterst omzichtig een einde aan. Begrepen?'

Jones lachte wreed. 'Volkomen.'

'Oké, ga je voorbereidingen treffen. Je moet op reis, hoogstwaarschijnlijk naar Nairobi. Je hebt hulp nodig. Zoek mensen. Bied hun wat nodig is, maar zorg dat dit gebeurt.'

Jones vertrok met zijn halflege glas bier in zijn hand. Kammler stortte zich op zijn laptop. Zijn vingers schoten over het toetsenbord om via IntelCom een telefonische verbinding te maken. Die werd gelegd met een nietszeggend grijs kantoor in een complex van grijze laagbouw, verstopt in een strook met grijze bomen op het afgelegen platteland van Virginia, aan de oostkust van de Verenigde Staten.

Dat kantoor zat barstensvol met de meest geavanceerde technologie om communicatie te onderscheppen en traceren. Aan de muur naast de ingang hing een koperen bord. Daarop stond: CIA – *Division of Asymmetric Threat Analysis (DATA)*, de afdeling asymmetrische dreigingsanalyse van de CIA.

Er werd opgenomen. 'Met Harry Peterson.'

'Ik ben het,' zei Kammler. 'Ik stuur je een bestand over een specifieke persoon. Ja, vanaf mijn vakantieadres in Afrika. Je dient alle mogelijk middelen te gebruiken – internet, e-mail, mobiele telefoons, reis- en paspoortgegevens, álles – om hem te vinden. De laatst bekende locatie zou de sloppenwijk Mathare in de Keniaanse hoofdstad Nairobi zijn.'

'Begrepen, meneer.'

'Dit heeft absoluut de allerhoogste prioriteit, Peterson. Jij en je mensen moeten alles uit jullie handen laten vallen, echt alles, om je op deze taak te concentreren. Duidelijk?'

'Jawel, meneer.'

'Zodra je iets weet, breng je me op de hoogte. Het maakt niet uit hoe laat het is, neem meteen contact met me op.'

'Begrepen, meneer.'

Kammler verbrak de verbinding. Zijn hartslag ging weer in de richting van normaal. Nou niet overdrijven, hield hij zichzelf voor. Het was beheersbaar, net als elke dreiging. Kon geëlimineerd worden. De toekomst lag nog steeds volledig in zijn handen.

79

Er klonk gekraak in Jaegers oortje. Een inkomend bericht.

'We zijn je kwijtgeraakt in de wolk.' Het was Narov. 'We zijn met z'n drieën, maar het heeft even geduurd voor we elkaar gevonden hadden. We zijn neergekomen op de landingsbaan.'

'Begrepen,' antwoordde Jaeger. 'Blijf uit het zicht. Wij komen naar jullie toe.'

'Eén ding: er is hier niemand.'

'Wat?'

'De landingsbaan is volkomen verlaten.'

'Oké, houd je gedeisd. Laat je infraroodlampen in de knipperstand staan.'

'Geloof me, er is hier geen levende ziel,' herhaalde Narov. 'Het lijkt wel of de hele plek... Het is hier verlaten.'

'We komen eraan.'

Jaeger en Raff troffen voorbereidingen voor vertrek; Kamishi moest de natte-decontaminatielijn bewaken. Jaeger legde de onderdelen voor zijn wandeling over Pesteiland klaar op het zand. Het dikke materiaal van zijn Trellchem-pak glom onheilspellend in het maanlicht. Daarnaast zette hij de rubberen overlaarzen met de rubberen overhandschoenen. Zijn rol o zo belangrijke gaffer-tape legde hij op een rots ernaast. Hij keek naar Raff. 'Ik eerst.'

Jaeger stapte eerst met zijn voeten in het pak, trok dat op tot zijn oksels en stak er zijn armen en schouders in. Met hulp van Raff trok hij zijn rits dicht en zette vervolgens de grote kap op, waar zijn hoofd volledig onder verdween. Hij gebaarde naar de tape en stak zijn handen uit. Raff plakte de manchetten van zijn pak vast aan de rubberen handschoenen en deed hetzelfde met de pijpen en Jaegers laarzen. Die tape was hun eerste verdedigingslinie.

Jaeger haalde een hendel over en zette zijn respirator aan. Met een vaag gezoem bliezen de elektrische motortjes schone, gefilterde lucht in zijn pak tot de rubberen laag stijf werd. Het voelde nu al warm, onhandig en beklemmend, en het bleek bovendien nogal lawaaierig als hij zich probeerde te bewegen.

Kamishi hielp Raff in zijn pak en al snel waren ze klaar om de jungle in te gaan. Even aarzelde Raff. Hij keek Jaeger aan. Onder zijn kap zat zijn gezicht, net als dat van Jaeger, achter een FM54-masker. Zo waren ze dubbel beschermd.

Jaeger zag Raffs lippen bewegen. Zijn stem weergalmde vervormd in zijn oortje. 'Ze heeft gelijk. Narov. Er is hier niemand. Dat voel ik. Dit eiland is verlaten.'

'Dat weet je niet,' wierp Jaeger tegen. Hij moest zijn stem verheffen om zich verstaanbaar te maken met die pompende lucht.

'Er is hier niemand,' herhaalde Raff. 'Heb jij ook maar één lichtje gezien tijdens het landen? Beweging? Iets?'

'Toch moeten we het checken. Eerst de landingsbaan en dan Kammlers labs. Alles.'

'Ja, dat weet ik. Maar geloof me: er is hier geen mens.'

Jaeger keek hem aan. 'Waar zou het op wijzen als je gelijk hebt? Wat betekent het?'

Raff schudde zijn hoofd. 'Geen idee, maar het kan geen goed nieuws zijn.'

Jaeger voelde dat ook, maar er knaagde nog iets anders aan hem, iets waar hij onpasselijk van werd: als dit eiland verlaten was, waar had Kammler Ruth en Luke dan heen gebracht?

Als astronauten strompelden ze naar de donkere bosrand, maar dan zonder het grote voordeel van gewichtsloosheid. Ze hadden ieder hun korte MP7 over hun schouder voor hun borst hangen.

Zodra ze onder het bladerdak waren, werd al het licht tegenge-

340

houden en zagen ze geen hand voor ogen meer. Jaeger zette de lamp aan die bevestigd was aan zijn MP7 en een lichtstraal doorboorde de duisternis. Voor hem lag een bijna ondoordringbare muur van broeierige vegetatie, een oerwoud vol kruipplanten, gigantische waaiervormige palmbladeren en klimplanten zo dik als een dijbeen. Godzijdank hoefden ze zich hier maar een paar honderd meter doorheen te hakken om bij de landingsbaan te komen.

Jaeger had nog maar een paar onhandige passen onder het bladerdak gezet toen hij achter zich iets voelde bewegen. Vanuit de donkere boomtakken schoot er een vreemde gestalte op hem af; de sprong was bizar acrobatisch, soepel en vastberaden. Jaeger hief zijn rechterhand om de gestalte tegen te houden en haalde uit met zijn linker naar de keel van het schepsel: een typische krav maga-stoot.

Bij een handgevecht moest je meteen hard toeslaan; achter elkaar uithalen naar de meest kwetsbare plekken van je tegenstander, waarvan de hals het belangrijkst was. Dit beest was echter veel te behendig, of misschien werd Jaeger door zijn pak te veel belemmerd in zijn bewegingen. Hij had het gevoel dat hij vastzat in een plas met teer.

Zijn tegenstander ontweek de eerste klappen en meteen daarna voelde hij iets heel sterks rond zijn nek slingeren dat begon te knijpen. De kracht van dat ding was, gezien zijn formaat, ongelooflijk. Jaeger voelde de adrenaline door zijn bloed spuiten, terwijl zijn pak plooide en verboog, en vier sterke ledematen zich om zijn hoofd sloten. Hij probeerde die met zijn handen los te wrikken toen er opeens een woest gezicht met rode ogen grauwend voor hem verscheen. Het beest beukte met zijn lange gele hoektanden tegen de kap.

Om welke reden dan ook vinden apen mensen in ruimtepakken extra angstaanjagend en uitdagend. En zelfs een kleine aap als deze kon behoorlijk tekeergaan, daarvoor was Jaeger tijdens de briefing in Falkenhagen al gewaarschuwd. En al helemaal als hij bezeten was geraakt door een virale infectie.

Jaeger haalde uit naar zijn ogen, een van de meest kwetsbare onderdelen van het lichaam. Zijn gehandschoende vingers maakten contact en hij drukte zijn duimen diep naar binnen. Ook dat was een klassieke krav maga-beweging, en eentje die geen bijzondere behendigheid of snelheid vereiste. Zijn duimen glipten en zwenkten in een gladde, vettige natheid; dat voelde hij zelfs door zijn handschoenen heen. Er lekte bloed uit de oogkassen van het beest.

Hij duwde zijn duimen nog dieper en wipte er een levende oogbal uit. Eindelijk liet de aap zich krijsend van de pijn van hem af vallen. Als laatste liet hij zijn staart los, die in een wurggreep om Jaegers nek had gezeten. Het beest probeerde wanhopig beschutting te zoeken, hoe gewond en doodziek het ook was. Jaeger richtte zijn MP7 en schoot in één keer raak. De aap viel dood op de bosgrond.

Jaeger bukte om het beest te bekijken en zwaaide zijn lichtstraal over het levenloze lichaam. Onder de spaarzame beharing was de huid van het dier bedekt met gezwollen rode plekken. En op de plek die door de kogel was opengereten, zag Jaeger een enorme plas bloed. Maar geen gewoon bloed. Het was zwart, rottend en draderig.

De lucht brulde in Jaegers oren als een sneltrein die door een lange, donkere tunnel dendert. Hoe zou het zijn om met zo'n virus te leven? Je ging dood, maar had geen idee waaraan. Je brein een koortsachtige, razende brij. Jaeger huiverde. Het was hier niet pluis.

'Gaat het, jongen?' vroeg Raff over de radio.

Jaeger knikte somber en gebaarde toen naar voren. Ze liepen verder.

De apen en de mensen op dit vervloekte eiland waren nauwe verwanten, hun gedeelde afstamming ging ontelbare millennia terug in de tijd. Maar nu had een nog veel oudere levensvorm het op hen beide gemunt. Die was onzichtbaar, maar vele malen sterker dan zij.

80

Donal Brice tuurde door de tralies van de dichtstbijzijnde kooi. Zenuwachtig krabde hij in zijn baard. De grote, sjokkende bonk van een kerel werkte nog maar net op de quarantaineafdeling van luchthaven Dulles in Washington en wist nog niet helemaal zeker hoe het hele vervloekte systeem werkte.

Als nieuweling had hij alleen nog nachtdiensten gedraaid, maar dat leek hem niet meer dan logisch en eigenlijk was hij ook heel blij met de baan. Het was niet gemakkelijk geweest om werk te vinden. Brice had pijnlijk weinig zelfvertrouwen en was geneigd dat te verbloemen met een bulderende lach. Dat werkte niet altijd even goed tijdens sollicitatiegesprekken, zeker niet omdat hij vaak lachte om de verkeerde dingen. Kortom, hij had het getroffen met deze baan in het apenverblijf en was vastbesloten er een succes van te maken.

Maar Brice vermoedde dat wat hij nu voor zich zag geen goed nieuws was. Een van de apen zag er ernstig ziek uit. Belabberd.

Zijn dienst zat er bijna op en hij was het apenhuis in gegaan om de beesten hun ontbijt te geven; zijn laatste taak voordat hij uitklokte en naar huis ging. De onlangs gearriveerde dieren maakten een hels kabaal, bonkten op de tralies, stampten door hun kooien en krijsten: *we hebben honger*. Maar dat gold niet voor dit kereltje.

Brice liet zich op zijn hurken zakken en bekeek de groene meerkat van dichtbij. Hij zat ineengedoken aan de achterkant van de kooi en had een vreemde, glazige uitdrukking op zijn anders zo schattige koppie. Het arme beest had ook nog een loopneus. Nee, dit kereltje was niet in orde.

Brice pijnigde zijn hersenen; wat was ook alweer de procedure bij een ziek dier? O ja, het moest geïsoleerd worden buiten het hoofdgebouw om te voorkomen dat de ziekte zich verspreidde.

Brice was een enorme dierenliefhebber. Hij woonde nog bij zijn ouders en ze hadden allerlei dieren thuis. Wel voelde hij zich ietwat ambivalent ten opzichte van zijn werk hier, want hij was graag dicht bij de apen, zeker weten, maar hij was niet zo blij met het feit dat ze hier waren om medicijnen op ze te testen.

Hij liep naar het magazijn en pakte de lange stok met de injectiespuit die vereist was bij het verplaatsen van een ziek dier. Hij vulde de spuit, liep terug naar de kooi, stak de stok naar binnen en bracht de naald zo voorzichtig mogelijk bij de aap naar binnen. Hij haalde de hendel aan zijn kant van de stok over om het verdovingsmiddel in te spuiten. Een minuutje later kon Brice de kooi – waar op de zijkant Katavi Reserve Primates, de naam van de exporteur stond – openmaken om het verdoofde dier eruit te halen.

Hij droeg het naar de isolatieruimte. Hij had weliswaar een paar plastic handschoenen aangetrokken, maar droeg verder geen bescherming; zeker niet de pakken en maskers die opgestapeld lagen in een hoek van het magazijn. Er was nog geen enkele ziekmelding geweest in het apenhuis, dus waarom zou hij?

Toen hij het comateuze dier in een isolatiekooi legde, schoot hem opeens iets te binnen wat een vriendelijke collega hem verteld had. Als een dier ziek was, kon je dat meestal aan zijn adem ruiken. Hij vroeg zich af of hij dat moest proberen. Misschien leverde hem dat punten op bij zijn baas. Hij boog zich de kooi in en wapperde de adem van de aap met zijn hand naar zijn neusgaten, terwijl hij diep inhaleerde, precies zoals zijn collega hem verteld had. Hij rook echter niets bijzonders, afgezien van de schrale stank van urine en oud eten in de kooi.

Hij haalde zijn schouders op, sloot en vergrendelde de kooi en keek op zijn horloge. Hij was een paar minuten over tijd. En eerlijk gezegd had Brice haast, want het was vandaag zaterdag, dé grote dag op de stripbeurs Awesome Con in het centrum. Hij had flink wat geld neergeteld voor een kaartje voor het 'Geekend', en om toegang te krijgen tot het Power Rangers 4-Pack VIP-evenement. Hij moest opschieten.

Een uur later was hij bij het Walter E. Washington Convention Centre, na een snelle stop thuis om zijn werkkleding uit te trekken en zijn kostuum op te halen. Zijn ouders hadden gemopperd dat hij na een nacht werken veel te moe was, maar hij had hun beloofd dat hij die avond vroeg naar bed zou gaan.

Hij parkeerde zijn auto en ging het gebouw in, waar het lage geruis van de gigantische airco een soort geruststellende ondertoon vormde bij het geklets en gelach. Het was al behoorlijk vol.

Eerst ging hij naar het restaurant om te ontbijten, want hij had vreselijke trek. Daarna zocht hij een kleedhokje op om even later terug te keren als... de Hulk.

Drommen kinderen kwamen op hem af. Ze drukten zich tegen hem aan om op de foto te komen met hun superheld – zeker omdat de Hulk in levenden lijve veel vrolijker en grappiger was dan op tv.

De rest van de dag deed Donal Brice wat hij het liefste deed: bulderend lachen op een plek waar iedereen dat blijkbaar heerlijk vond en niemand het tegen hem gebruikte. Hij lachte en ademde de hele dag, ademde en lachte, en de gigantische airco recyclede de lucht die hij uitademde... Mengde die met de lucht van duizenden andere nietsvermoedende zielen.

81

'We hebben misschien iets,' kondigde Harry Peterson, de directeur van de afdeling asymmetrische dreigingsanalyse van de CIA – DATA – aan via IntelCom.

'Vertel,' beval Hank Kammler. Zijn stem klonk vreemd galmend. Hij zat in een ruimte die was uitgehakt in een van de vele spelonken dicht bij de BV222, zijn dierbare oorlogsvliegtuig. De omgeving was spartaans, maar opmerkelijk goed uitgerust voor een plek tussen de gigantische rotswanden diep onder de top van Burning Angels. Het was zowel een ondoordringbaar fort als een geavanceerd technisch zenuwcentrum. De perfecte plek om de komende gebeurtenis uit te zitten.

'Oké, iemand met de naam Chucks Bello heeft een e-mail verstuurd,' vertelde Peterson. 'DATA heeft die opgepikt met behulp van zoektermen gebaseerd op combinaties van namen. Er is meer dan één Chucks Bello actief op het internet, maar deze trok onze aandacht. Er zijn verschillende regio's in de sloppenwijken van Nairobi. Een daarvan, Mathare, lichtte op door de communicatie van die Chucks Bello.'

'En dat betekent?' vroeg Kammler ongeduldig.

'Dat we er voor negenennegentig procent van overtuigd zijn dat dit uw mannetje is. Chucks Bello heeft een e-mail verstuurd naar Julius Mburu, die een naar hem vernoemde stichting leidt. Een liefdadigheidsorganisatie in Mathare. Voor kinderen. Een groot deel daarvan is wees. Ik zal de e-mail aan u doorsturen. Dit moet degene zijn die u zoekt.'

'En heb je ook een plek?'

'Jazeker. De afzender van de e-mail was guest-at-amanibeach-retreat-punt-com. Op ongeveer zeshonderdvijftig kilometer ten zuiden van Nairobi. Het is een luxe en exclusief resort aan de Indische Oceaan.

'Mooi. Stuur me de gegevens. En blijf graven. Ik wil echt honderd procent zeker weten dat dit degene is die we zoeken.'

'Begrepen, meneer.'

Kammler verbrak de verbinding. Hij tikte AMANI BEACH RESORT in op Google en klikte vervolgens op de website. Daarop waren foto's te zien van een halvemaanvormig strand aan verbijsterend blauw water. Aan de rand daarvan lag een glinsterend zwembad, voorzien van een bar en ligstoelen met parasols. Plaatselijk personeel in traditioneel ogende batikkleding serveerde verfijnde maaltijden aan buitenlandse gasten.

Hier kwam nooit een kind uit een sloppenwijk. Als de jongen daar was, moest iemand hem ernaartoe gebracht hebben. En dat kon alleen maar Jaegers groep zijn en maar om één reden: om hem te verbergen. En als ze hem afschermden, hadden ze zich misschien inderdáád gerealiseerd welke hoop een arm kind uit de Afrikaanse sloppenwijken de mensheid kon bieden.

Kammler checkte zijn inbox. Hij klikte op het bericht van Peterson en liet zijn blik dwalen over de e-mail van Simon Chucks Bello.

Die gast Dale heeft me *maganji* gegeven. Echt geld dus, hè. Man, Jules, ik ga je terugbetalen. Alles wat ik je schuldig ben. En weet je wat ik dan ga doen? Ik ga een jumbojet huren met een casino en een zwembad en dansmeisjes van overal – Londen, Parijs, Brazilië en Rusland en China en Mars en zelfs uit Amerika, ja, busladingen Miss USA's – en dan zijn jullie allemaal uitgenodigd want jullie zijn mijn bro's en dan blijven we boven de stad hangen en laten lege bierflesjes omlaag vallen, zodat iedereen weet wat een cool feestje we hebben, en achter de jumbo hangen we zo'n doek waarop staat: VERJAARDAGSFEESTJE MOJO JUMBO — ALLEEN OP UITNODIGING!

En Mburu had geantwoord:

Ja, maar je weet niet eens hoe oud je bent, Moto, dus hoe weet je nou wanneer je jarig bent? En waar moet al die poen vandaan komen? Je hebt heel veel maganji nodig om een jumbo te huren, hoor. Doe nou maar gewoon rustig aan, houd je gedeisd en doe wat de mzungu tegen je zegt. Er is nog genoeg tijd om te feesten als dit allemaal voorbij is.

'Moto' was blijkbaar de bijnaam van dat joch. En hij werd blijkbaar goed behandeld door zijn mzungu-weldoeners. Sterker nog, het kind werd zo in de watten gelegd dat het zelfs een verjaardagsfeestje plande.

Dat dacht ik niet, Moto. Vandaag is het míjn feestje.

Driftig tikkend legde Kammler via IntelCom verbinding met Steve Jones. Na een paar keer overgaan nam die op.

'Luister, ik heb een locatie,' siste Kammler. 'Je moet daarnaartoe met je team om het gevaar te elimineren. Er hangt een Reaper boven je als je versterking nodig hebt, maar het gaat maar om één sloppenkind en iemand die voor hem zorgt. Dus het moet kinderspel zijn, als je begrijpt wat ik bedoel.'

'Begrepen. Stuur me de details. We zijn onderweg.'

Kammler tikte een korte e-mail met een link naar het resort en stuurde die naar Jones. Vervolgens googelde hij het woord 'amani'. Dat bleek Swahili voor 'vrede'. Hij glimlachte. Dat zou niet lang meer duren. Die vrede zou wreed verstoord worden.

82

Jaeger beukte uit alle macht met zijn schouder tegen de laatste deur. Hij was ziedend; de woede raasde door zijn aderen als een brandend zuur. Hij stopte even omdat het logge pak achter de deurpost bleef haken, maar toen was hij erdoorheen en scheen met de lamp op zijn wapen door het donkere interieur. Het licht weerkaatste op planken met glimmende onderzoeksapparatuur, waarvan Jaeger het grootste deel totaal niet herkende.

Het lab was verlaten. Er was geen levende ziel te bekennen. Net als in de rest van het complex. Geen bewakers. Geen wetenschappers. De enige tegen wie hij en zijn team hun wapens hadden ingezet waren de doodzieke apen.

Het was griezelig, ijzingwekkend, om deze plek zo verlaten aan te treffen. Jaeger voelde zich ongelooflijk belazerd. Tegen alle verwachtingen in hadden ze Kammlers hol gevonden, maar Kammler en zijn mensen waren gevlogen voordat gerechtigheid en vergelding konden zegevieren. Jaeger voelde zich echter vooral gekweld door de verlatenheid, het gebrek aan leven. En er was nergens een spoor van Ruth en Luke te bekennen.

Hij stapte naar voren en de achterste in de rij sloot de deur achter hen. Dat was een voorzorgsmaatregel om te voorkomen dat besmetting van de ene naar de andere ruimte ging.

Op het moment dat de deur in het slot viel, hoorde Jaeger een scherp, oorverdovend gesis. Het kwam van vlak boven de deurpost en het klonk als een vrachtwagen die de remmen ontluchtte. Als een explosie van samengeperste lucht. Tegelijkertijd voelde hij een golf van kleine speldenprikjes in zijn huid dringen. Zijn hoofd en hals, die beschermd werden door het dikke rubber van het FM54-masker, leken in orde en het filter achter op zijn pak had klaarblijkelijk zijn rug afgeschermd. Maar zijn armen en benen stonden in brand.

Hij keek omlaag; de piepkleine gaatjes waren duidelijk zichtbaar. Hij was geraakt door iets wat door een boobytrap was geactiveerd en de stof van het Trellchem-pak had doorboord. Hij moest aannemen dat dat ook bij de andere teamleden was gebeurd.

'Dichtplakken!' schreeuwde hij. 'Plak de gaten dicht! Help elkaar!' Enigszins paniekerig draaide hij zich naar Raff toe en begon stukken gaffer-tape af te scheuren om de gaatjes in het pak van de grote Maori af te plakken. Toen hij daarmee klaar was, deed Raff het bij hem.

Jaeger had al die tijd de luchtdruk in zijn pak in de gaten gehouden. Die was positief gebleven; het filter had automatisch schone lucht naar binnen geblazen, dat door de gaatjes weer naar buiten was gegaan. Die uitwaartse druk zou elke besmetting op afstand gehouden moeten hebben.

'*Sitrep*,' riep Jaeger.

Een voor een deden teamleden verslag van de situatie. Alle pakken waren getroffen, maar ze waren allemaal weer netjes dichtgeplakt. En ook de luchtdruk leek bij iedereen intact te zijn gebleven. Toch had Jaeger een tintelend gevoel op de plekken waar het spul door zijn pak was gekomen en zich in zijn huid had geboord. Hij wist dat het tijd was om te vertrekken; ze moesten terug naar de natte-decontaminatielijn op het strand om de schade te beoordelen. Net toen hij daartoe het bevel wilde geven, gebeurde er iets totaal onverwachts.

Na een zacht gezoem baadde het lab opeens in een verblindend halogeenlicht. Aan een wand van de kamer kwam een gigantische flatscreen flakkerend tot leven en verscheen er een persoon.

Er was geen twijfel mogelijk. Dit was Hank Kammler.

'Gaan jullie nu alweer weg, heren?' Zijn stem galmde door het laboratorium terwijl hij zijn armen spreidde. 'Welkom... Welkom in mijn wereld. Voordat jullie een overhaast besluit nemen, wil ik even het een en ander uitleggen. Dat was een luchtdrukbom met piepkleine glasscherfjes. Geen explosieven. Jullie huid zal ongetwijfeld tintelen op de plekken waar die zich naar binnen hebben geboord. De menselijke huid is een geweldige barrière tegen infectie; een van de beste. Maar niet als die doorboord is.

Het ontbreken van explosieven betekent dat het middel, het droge virus, ongedeerd en levensvatbaar is gebleven. Toen het glas met een druk van vierhonderd bar jullie huid binnendrong, bevatte dat het inerte virus. Kortom, jullie zijn allemaal besmet en ik denk dat ik jullie niet hoef te vertellen met welke ziektekiem.'

Kammler lachte. 'Gefeliciteerd. Jullie behoren tot mijn eerste slachtoffers. Maar nu wil ik graag dat jullie goed beseffen in welke hachelijke situatie jullie verkeren. Wellicht besluiten jullie dat het beter is om op dit eiland te blijven. Als jullie namelijk de wijde wereld in trekken, zijn jullie massamoordenaars. Jullie zijn besmet en nu al besmettelijk. Dus je zou kunnen zeggen dat jullie geen andere keus hebben dan te blijven om hier te sterven, en in dat geval doet het me deugd jullie te kunnen vertellen dat hier meer dan genoeg eten is opgeslagen.

Uiteraard is het Gottvirus al losgelaten,' vervolgde Kammler. 'Of misschien moet ik zeggen ontkétend. Op dit moment baant het zich een weg naar alle uithoeken van de aarde. Dus jullie zouden me ook kunnen helpen; hoe meer dragers, hoe beter, zal ik maar zeggen. De keuze is aan jullie. Maar maak het jezelf nu maar even gemakkelijk, want dan zal ik een verhaaltje vertellen.'

Waar Kammler dit praatje ook afstak, hij scheen er enorm van te genieten. 'Er waren eens twee SS-wetenschappers die een bevroren lijk vonden. Ze was perfect geconserveerd, tot en met haar lange gouden haar. Mijn vader, SS-generaal Hans Kammler, gaf haar een naam van een oeroude noordse godin: Var, ofwel de Geliefde. Var was de vijfduizend jaar oude voorouder van het arische volk. Helaas was ze ziek geworden voordat ze stierf. Ze was besmet met een raadselachtige ziektekiem.

Bij de Deutsche Ahnenerbe in Berlijn hebben ze haar ontdooid en schoongemaakt, in een poging haar toonbaar te maken voor de Führer. Maar het lijk begon vanbinnen uit elkaar te vallen. Haar organen – lever, nieren, longen – leken uitgevallen en ontbonden te zijn. Haar hersenen waren verpulverd tot een brij. Kortom, ze was een soort zombie toen ze struikelde, in een ijskoude spleet viel en stierf.

De mannen die de opdracht hadden van haar een perfecte arische voorouder te maken, wisten niet wat ze moesten doen. Toen struikelde een van hen, de archeoloog en pseudowetenschapper Herman Wirth, tijdens zijn werkzaamheden, stak zijn handen uit om zijn val te breken, maar sneed daarbij zichzelf en zijn collega Otto Rahn met een microscoopglaasje. Niemand maakte zich er druk om, totdat beide mannen ziek werden en stierven.'

Kammler richtte zijn ogen op zijn verre publiek. 'Ze stierven terwijl er uit al hun lichaamsopeningen dik, zwart, rottend bloed kwam en met een afgrijselijke zombieachtige uitdrukking op hun gezicht. Niemand hoefde autopsie te verrichten om te weten wat er gebeurd was. Een vijfduizend jaar oude dodelijke ziekte was in het diepgevroren poolijs levensvatbaar gebleven en weer tot leven gekomen. Var had haar eerste slachtoffers geëist.

De Führer noemde deze ziektekiem het Gottvirus, omdat het nog nooit door iemand gezien was. Het was duidelijk het virus der virussen. Dit was in 1943. De mensen van de Führer besteedden de volgende twee jaar aan het perfectioneren van het Gottvirus met het vaste voornemen daarmee de geallieerde troepen terug te drijven. Helaas slaagden ze daar niet in. We hadden de tijd niet mee... Maar nu, vandaag, hebben we de tijd wél mee.'

Kammler glimlachte. 'Dus heren – en dame, meen ik – nu weten jullie precies hoe jullie gaan sterven. En jullie weten welke keuze je hebt. Op dat eiland blijven en rustig sterven, of helpen mijn geschenk over de wereld te verspreiden. Want kijk, jullie Britten hebben het nooit begrepen: jullie kunnen het Reich, de ariërs, niet verslaan. Het heeft zeven decennia geduurd, maar we zijn terug. En we hebben overleefd om te veroveren. Jedem das Seine, mijn vrienden. Iedereen krijgt wat hij verdient.'

Toen hij zich naar voren boog om de verbinding te verbreken, aarzelde Kammler opeens. 'O, nou was ik het toch bijna vergeten… William Jaeger, ik neem aan dat je verwacht had je vrouw én kind op mijn eiland te vinden, is het niet? Nou, wees gerust: ze zijn er inderdaad. Ze hebben behoorlijk wat tijd van mijn gastvrijheid genoten en het is hoog tijd dat je met hen verenigd wordt.

Uiteraard zijn zij, net als jullie, ook besmet. Ongedeerd, maar niettemin besmet. We hebben hen een paar weken geleden geïnjecteerd. Zo ben jij in staat hen te zien sterven. Ik bedoel, ik wilde niet dat jullie als een gelukkig gezinnetje zouden sterven. Nee, zij moeten als eersten doodgaan, zodat jij het met eigen ogen kunt zien. Je kunt hen vinden in een bamboe kooi in de jungle. Ik meen gehoord te hebben dat ze al behoorlijk ver heen zijn.'

Kammler haalde zijn schouders op. 'Dat was het. *Auf Wiedersehen*, vrienden. En ik zeg het nog één keer: Wir sind die Zukunft.'

83

Vanuit de bamboe constructie haalde een gestalte met een scherpe stok onophoudelijk uit naar Jaegers gezicht. De gestalte draaide in het rond en hanteerde het lompe wapen als een eeuwenoude gladiator zijn speer. Ze vloekte. Slingerde beledigingen naar zijn hoofd waar Jaeger haar nooit toe in staat had geacht.

'OPSODEMIETEREN! WEGWEZEN! IK HAK JE IN MOOTJES, VUILE... VUILE KLOOTZAK! BLIJF VAN MIJN ZOON AF, ANDERS SNIJD IK JE VERROTTE HART ERUIT!'

Jaeger huiverde. Hij herkende de vrouw van wie hij hiel amper; de vrouw naar wie hij de afgelopen drie jaar onophoudelijk had gezocht. Haar lange haar was dof en samengeklit tot dreadlocks, haar gezicht uitgeteerd en getekend. Haar kleren hingen als vuile vodden om haar magere schouders. Mijn god, hoelang hadden ze haar zo vastgehouden? Gekooid als een dier in de jungle.

Hij liet zich voor de geïmproviseerde constructie op zijn hurken zakken en bleef maar steeds hetzelfde zeggen in een poging haar gerust te stellen. 'Ik ben het. Will. Je man. Ik ben naar je toe gekomen, zoals ik beloofd heb. Ik ben er.' Maar telkens weer haalde ze met die stok uit naar zijn gekwelde gezicht.

Aan de achterkant van de kooi zag Jaeger een uitgemergelde Luke vooroverliggen. Hij was waarschijnlijk buiten bewustzijn, terwijl Ruth alles deed wat in haar macht lag om hem te beschermen tegen wat zij beschouwde als haar vijanden. Dat beeld brak zijn hart.

Ondanks alles merkte hij dat hij nu meer van haar hiel dan hij ooit voor mogelijk had gehouden, en vooral vanwege de begeesterde, wanhopige, heftige manier waarop ze haar zoon verdedigde. Maar was ze krankzinnig geworden? Hadden de afschuwelijke opsluiting en het virus haar gebroken? Jaeger wist het niet. Het enige wat hij wilde, was haar in zijn armen nemen en vertellen dat ze nu veilig waren. In ieder geval tot het Gottvirus toesloeg.

'Ik ben het, Ruthy. Will,' zei hij nog maar eens een keer. 'Ik heb je gezocht. Ik heb jullie gevonden. Ik ben naar jou en Luke toe gekomen. Om jullie naar huis te brengen. Je bent nu veilig…'

'Je liegt, klootzak!' Ruth schudde heftig met haar hoofd en haalde weer uit met de stok. 'Jij bent die klootzak van een Jones… Je komt hier voor mijn kind…' Ze zwaaide weer dreigend met de stok. 'BLIJF MET JE POTEN VAN MIJN ZOON AF, WANT IK…'

Jaeger stak zijn hand weer naar haar uit, maar toen besefte hij pas hoe hij eruitzag in zijn ruimtepak met een kap en dikke rubberen handschoenen. Ach, natuurlijk. Ze had geen idee wie hij was. In dit pak kon hij net zo goed een van de mensen zijn die haar gefolterd hadden. En zijn stem was door het masker en de kap zo vervormd dat hij klonk als een buitenaards wezen, dus daar kon ze hem ook niet aan herkennen.

Meteen trok hij de kap van zijn hoofd. Lucht stroomde uit het pak, maar het kon Jaeger geen reet schelen. Hij was besmet, had niets meer te verliezen. Met koortsachtige bewegingen maakte hij de respirator los en trok het masker van zijn gezicht. Smekend keek hij haar aan. 'Ik ben het, Ruth. Ik ben het echt.'

Haar mond viel open en ze schudde vol ongeloof haar hoofd, hoewel hij zag dat het langzaam tot haar doordrong. Ze liet de stok vallen, wierp zich met haar laatste restje energie tegen de tralies en slaakte een doordringende, verstikte kreet die Jaeger door merg en been ging.

Wanhopig, vol ongeloof, stak ze haar handen naar hem uit. Jaeger pakte die vast. Vingers verstrengelden zich door de tralies heen. Hun hoofden kwamen samen, smachtend naar een liefdevolle aanraking, naar intimiteit.

Naast Jaeger bewoog iemand. Het was Raff. Zo discreet mogelijk maakte hij de kooi open en stapte opzij. Jaeger boog zich naar binnen en trok haar zo dicht mogelijk tegen zich aan zonder haar pijn te doen. Hij voelde hoe warm ze was; de koorts van de infectie brandde in haar lichaam. Hij bleef haar vasthouden toen ze in tranen uitbarstte. Ze bleef maar huilen. En ook Jaeger liet zijn tranen de vrije loop.

Zo behoedzaam mogelijk tilde hij Luke de kooi uit. Jaeger hield zijn uitgemergelde zoon in een arm, terwijl hij met zijn andere Ruth overeind hield. Langzaam zakten ze met zijn drieën op hun knieën; Jaeger hield hen allebei stevig vast.

Luke reageerde nog steeds niet en Jaeger legde hem op de grond, terwijl Raff hun EHBO-spullen pakte. Toen de grote Maori zich over de roerloze jongen boog, zag Jaeger tranen in zijn ogen glinsteren. Samen behandelden ze Luke, terwijl Ruth snikte en praatte.

'Er was een man, Jones... Die was slecht, door en door slecht. Wat hij zei dat hij ons ging aandoen... Wat hij ons heeft aangedaan... Ik dacht dat jij hem was.' Ze keek opeens angstig om zich heen. 'Is hij hier nog? Zeg dat hij hier niet meer is.'

'Alleen wij zijn hier nog.' Jaeger trok haar tegen zich aan. 'En niemand zal jou iets doen. Geloof me. Niemand zal jou ooit nog iets aandoen.'

84

De Wildcat klauwde zich door de ochtendnevel en won snel aan hoogte. Jaeger zat gehurkt op de koude stalen vloer aan het hoofdeinde van een paar brancards en hield de hand van zijn vrouw en zoon vast. Ze waren allebei doodziek. Hij wist niets eens zeker of Ruth hem nog wel zou herkennen. Ze had een wazige, afwezige blik in haar ogen; de blik die hij ook in de ogen van de aap had gezien, voordat hij die uit zijn lijden had verlost.

Hij werd overmand door een verschrikkelijke vermoeidheid en een somber gevoel van hopeloosheid; golven van uitputting, vermengd met een verpletterend gevoel van mislukking overspoelden hem. Kammler was hen telkens één stap voor geweest. Hij had hen in de val gelokt en weer uitgespuugd, als dode, lege omhulsels. En op Jaeger had hij op een ultieme manier wraak genomen door ervoor te zorgen dat zijn laatste dagen onvoorstelbaar gruwelijk zouden zijn.

Jaeger was verlamd van verdriet. Drie lange jaren zoeken naar Ruth en Luke. En nu had hij hen eindelijk gevonden... Maar zo... Voor het eerst van zijn leven flitste er een afschuwelijke gedachte door zijn hoofd: zelfmoord. Als hij gedwongen was om Ruth en Luke op zo'n weerzinwekkende manier aan hun eind te zien komen, kon hij beter samen met hen sterven en door eigen toedoen.

Jaeger besloot dat hij dat zou doen. Als zijn vrouw en zoon hem voor de tweede keer werden afgenomen – en dit keer voorgoed – zou hij kiezen voor een vroegtijdige dood en een kogel door zijn kop schieten. Dan had hij Kammler in ieder geval van zijn laatste zege beroofd.

Ze hadden er niet lang over gedaan om te besluiten het eiland te verlaten. Ze hadden daar niets kunnen doen; niets voor Ruth en Luke, en niets voor elkaar, laat staan voor de mensheid. Niet dat ze zichzelf voor de gek hielden. Er was geen geneesmiddel. Niet voor dit: een vijfduizend jaar oud virus dat uit de dood was opgewekt. Iedereen in dat toestel was ten dode opgeschreven, net als de overgrote meerderheid van de wereldbevolking.

Zo'n drie kwartier eerder was de Wildcat op het strand geland. Voordat ze aan boord gingen, was ieder teamlid door de decontaminatietent gegaan, waar ze hun pak hadden afgespoeld en weggegooid. Daarna hadden ze zichzelf doordrenkt met EnviroChem en de glassplinters verwijderd. Niet dat ze daarmee het feit dat ze besmet waren ongedaan hadden kunnen maken. Ze waren nu allemaal virusbommen, precies zoals Kammler had gezegd. Voor de niet-geïnfecteerden was elke ademhaling van hen een potentieel doodvonnis.

Daarom hadden ze ervoor gekozen hun FM54-maskers op te houden. De respirators filterden niet alleen de lucht die ze inademden; met dank aan een doe-het-zelfaanpassing van Hiro Kamishi gebeurde dat nu ook met de lucht die ze uitademden, waardoor voorkomen werd dat ze het virus zouden verspreiden.

Ze hadden ieder een bepaald filter over de uitlaat van de respirator geplakt en dat betekende dat het Gottvirus binnen de grenzen van de respirator bleef hangen, dus rond ogen, mond en neus. En dat betekende weer een groter risico op een snellere zelfinfectie, waardoor ze de kans liepen versneld symptomen te gaan vertonen. Kortom, in het streven anderen niet te besmetten, riskeerden ze een sneller verloop van hun eigen ziekte. In het licht van een gedoemde wereldbevolking, leek dat er echter niet veel toe te doen.

Jaeger voelde een hand op zijn schouder. Die was van Narov. Met een gepijnigde, holle blik keek hij haar even aan, en richtte toen zijn aandacht weer op Ruth en Luke. 'We hebben hen gevonden,' zei hij. 'Maar het is allemaal zo verdomd uitzichtloos…'

Narov hurkte naast hem. Haar opvallende, heldere, ijsblauwe ogen waren nu op gelijke hoogte met die van hem. 'Misschien niet.' Haar stem klonk verstikt. 'Hoe heeft Kammler dit virus over de wereld verspreid? Denk na. Hij zei dat het virus al was ontketend. "Op dit moment baant het zich een weg naar alle uithoeken van de aarde." Dat betekent dat hij het tot wapen heeft getransformeerd. Hoe heeft hij dat voor elkaar gekregen?'

'Wat maakt het uit? Het zit al in het bloed van mensen.' Jaeger liet zijn blik op zijn vrouw en kind dwalen. 'Het zit in hún bloed. Neemt hen over. Wat doet het ertoe hoe het zich verspreidt?'

Narov schudde haar hoofd en pakte zijn schouder steviger vast. 'Denk na. Pesteiland was verlaten, en niet alleen door mensen. Alle apenkooien waren leeg. Zo heeft hij het virus de wereld in gestuurd, met die KRP-transporten. Geloof me, ik weet het zeker. En de weinige apen die al ziekteverschijnselen vertoonden, heeft hij losgelaten in de jungle op het eiland.

De Rattenvanger kan die transportvluchten traceren,' vervolgde Narov. 'De apen zitten misschien nog in quarantaine. Dat houdt het virus niet volledig tegen, maar als we die apenverblijven kunnen platbranden, zorgen we misschien in ieder geval voor vertraging.'

'Maar wat maakt het uit?' herhaalde Jaeger. 'Het virus waart al rond, tenzij die transporten nog in de lucht zijn en we ze op de een of andere manier kunnen tegenhouden. Ja, we winnen er misschien een beetje tijd mee. Een paar dagen. Maar zonder geneesmiddel blijft de uitkomst hetzelfde.'

Narovs gezicht betrok. Ze had zich vastgeklampt aan die hoop, maar het was een hersenschim. 'Ik haat verliezen,' mompelde ze. Ze maakte de beweging om een staart in haar haar te maken, alsof ze in actie wilde komen, maar herinnerde zich toen dat ze de respirator nog op had. 'We moeten het proberen. Echt. Dat is ons werk, Jaeger.'

Dat was zo, maar de vraag was hoe. Jaeger voelde zich totaal verslagen. Hij had het gevoel dat er niets meer was om voor te vechten nu Ruth en Luke naast hem langzaam werden verteerd door het virus. Toen de ontvoerders hen de eerste keer bij hem hadden weggerukt, had hij nagelaten hen te beschermen. Hij had zich vastgeklampt aan de hoop hen te vinden en in veiligheid te brengen. Maar nu hij dat gedaan had, voelde hij zich dubbel machteloos, volkomen waardeloos.

'We kunnen Kammler niet laten winnen.' Narovs vingers boorden zich nog dieper in Jaegers schouder. 'Waar leven is, is hoop. Een paar dagen kunnen al verschil maken.'

Jaeger keek Narov wezenloos aan.

Ze gebaarde naar Ruth en Luke op de brancards. 'Waar leven is, is hoop. Jij moet ons leiden. Actie ondernemen. Jij, Jaeger. Jíj. Voor mij. Voor Ruth. Voor Luke. Voor elk mens dat liefheeft, lacht en ademt. Kom in actie, Jaeger. We zullen strijdend ten onder gaan.'

Jaeger zei geen woord. De wereld leek op te houden met draaien, de tijd stond stil. Toen kneep hij aarzelend in Narovs hand en ging staan. Op benen die van pap leken, strompelde hij naar de cockpit. Met een stem die blikkerig en buitenaards klonk door het FM54-masker zei hij tegen de piloot: 'Verbind me met Miles in de Airlander.'

De piloot deed wat hem gevraagd was en overhandigde hem de radio.

'Met Jaeger. We komen naar huis.' Zijn stem was van staal. 'We hebben twee zieken bij ons, allebei geïnfecteerd. Kammler heeft zijn apen van het eiland gehaald. Via die apen verspreidt hij het virus. Laat de Rat de vluchten traceren. We moeten de apenverblijven lokaliseren en onschadelijk maken.'

'Begrepen,' antwoordde Miles. 'Laat het maar aan mij over.'

Jaeger wendde zich tot de piloot van de Wildcat. 'We moeten twee ernstig zieken afleveren bij de Airlander, dus laat me maar eens zien hoe snel dit ding kan.'

De piloot duwde de gashendels naar voren. Terwijl de Wildcat hoogte maakte, voelde Jaeger zijn gemoedstoestand omslaan.
Strijdend ten onder. Ze zouden de strijd aangaan en die misschien verliezen, maar je was pas gestorven als je dood was, zoals
Baden-Powell, de grondlegger van scouting, gezegd scheen te hebben. Ze hadden nog enkele weken om zijn gezin en de mensheid
te redden.

85

Gestalten schoten heen en weer door het helverlichte ruim van de Airlander. Stemmen galmden, brulden bevelen die weerkaatsten tegen de gestroomlijnde Taranisdrones. De piloot van de Wildcat zette de motor uit, zodat het alles overstemmende geronk van de rotorbladen langzaam wegstierf.

Jaeger stapte tegelijk met het medisch team uit de helikopter. Ze brachten Ruth naar een Isovac 2004CN-PUR8C, een draagbare isolatietent voor patiënten. Die bestond uit een cilinder van transparant plastic met vijf hoepelvormige ringen, die op een brancard met wielen was geplaatst. Daarin kon je mensen die besmet waren met een Level 4-ziektekiem isoleren en toch verzorgen. En op dit moment hadden Ruth en Luke dringend behoefte aan alle zorg die ze konden krijgen.

Aan de zijkanten van de plastic cilinder zaten gaten waaraan dikke rubberen handschoenen waren bevestigd, zodat medici hun handen naar binnen konden steken om de patiënt te verzorgen zonder het risico te lopen besmet te worden. Ook zat er een luchtsluis in, zodat medicijnen toegediend konden worden. Bovendien was er een aansluiting voor een infuus en beademing. Luke lag al stevig ingepakt in zijn tent, verbonden aan het infuus.

Voor Jaeger was dit het zwaarste moment op de donkerste dag uit zijn leven. Hij had het gevoel dat hij zijn vrouw en kind weer helemaal opnieuw ging verliezen, terwijl hij ze net gevonden had. Hij kreeg de afschuwelijke associatie, dat die isolatietenten de lijkzakken van Ruth en Luke waren, maar niet uit zijn hoofd. Het was alsof ze al dood waren verklaard, of in ieder geval ten dode opgeschreven.

Ruth werd eerst met haar voeten de tent in geschoven, als een patroon in een geweer. Vroeg of laat zou hij haar hand moeten loslaten. Haar slappe hand. Hij hield die tot het laatste moment vast, zijn vingers verstrengeld met de hare. En toen, net op het moment dat hij haar wilde loslaten, voelde hij iets. Verbeeldde hij het zich, of hadden de uitgestrekte vingers van zijn vrouw een teken van leven, van bewustzijn vertoond?

Opeens schoten haar ogen open. Jaeger staarde erin en een onmogelijk sprankje hoop lichtte op in zijn hart. De zombieachtige blik was weg. Hij zag aan haar zeegroene ogen met de typische gouden vlekjes dat zijn vrouw weer terug was. Haar ogen schoten heen en weer en namen alles in zich op. Ze begreep alles. Haar lippen bewogen. Jaeger boog zich ernaartoe, zodat hij haar kon verstaan.

'Kom dichterbij, lieverd,' fluisterde ze.

Hij boog zich nog verder, totdat hij haar bijna met zijn lippen raakte.

'Zoek Kammler. Zoek zijn uitverkorenen,' mompelde ze. Vuur laaide op in haar ogen. 'Zoek degenen die hij heeft laten inenten…'

Toen leek het heldere moment voorbij. Jaeger voelde haar vingers verslappen en zag haar ogen dichtvallen. Hij wierp een blik op de medici en knikte, zodat ze haar verder naar binnen konden schuiven.

Hij stapte achteruit toen ze de tent dichtritsten. Even, heel even, had ze geweten wie hij was. Jaegers hersens draaiden op volle toeren. *Zoek Kammler en degenen die hij heeft laten inenten.* Geniaal, Ruth! Zijn hart sloeg op hol. Misschien, heel misschien, was dit het sprankje hoop.

Hij wierp een laatste blik op zijn geliefden en liet hen toen naar de ziekenboeg van de Airlander rijden. Vervolgens riep hij zijn team bij elkaar op het vliegdek. Jaeger kwam meteen ter zake.

'Luister goed. Mijn vrouw was net heel even bij bewustzijn. Jullie weten dat ze heel lang in handen van Kammler is geweest en alles heeft gezien.' Hij keek hen een voor een aan en liet zijn blik toen rusten op Miles. 'Ze zei: "Zoek Kammler. Zoek degenen die hij heeft laten inenten." Daar moet ze mee bedoelen dat dat een remedie zou kunnen opleveren. Maar is dat mogelijk? Is dat haalbaar, wetenschappelijk gesproken?'

'Zouden we een geneesmiddel kunnen extraheren? In theorie wel,' antwoordde Miles. 'We zouden in staat moeten zijn het tegengif waarmee Kammler zichzelf en zijn volgelingen heeft laten inenten te kopiëren en daarmee onszelf in te enten. Het zou geen kleinigheid zijn om op tijd genoeg vaccins te produceren, maar als we een paar weken hebben, moet het haalbaar zijn. Waarschijnlijk. We moeten Kammler vinden, of een van zijn volgelingen. Zo'n beetje meteen...'

'Oké, aan de slag,' zei Narov. 'Kammler heeft dit vast voorzien en is op ons voorbereid. We moeten alle uithoeken van de aarde uitkammen om hem op te sporen.'

'Ik zal Daniel Brooks op de hoogte brengen,' meldde Miles. 'We laten de CIA en alle andere geheime diensten meteen beginnen met zoeken. We...'

'Ho ho.' Jaeger stak zijn hand op. 'Wacht even.' Hij had zojuist een ongelooflijk helder moment gehad en dat moest hij vasthouden. Hij keek zijn teamleden opgewonden aan. 'We hebben het al. Het geneesmiddel. Of de bron ervan.'

Er werd gefronst. Waar had Jaeger het in hemelsnaam over?

'Die jongen. Uit de sloppenwijk. Simon Chucks Bello. Hij heeft het overleefd, omdat Kammlers mensen hem ingeënt hadden. Hij is immúún. Die immuniteit zit in zijn bloed. Wij hebben die jongen. Nou ja, Dale heeft hem. Via hem kunnen we het tegengif isoleren. Kweken. Op grote schaal produceren. Die jongen is de oplossing.'

Toen hij aan de ogen van zijn team zag dat ze het zich met een flits realiseerden, voelde Jaeger een vlaag van energie door zich heen trekken. Hij keek naar Miles. 'We moeten de Wildcat weer in gereedheid brengen. Neem contact op met Dale. Laat hem die jongen ergens heen brengen waar we naartoe kunnen vliegen om hem op te pikken. Uit de buurt van drukke stranden, op een strook zand die gemakkelijk toegankelijk is.'

'Begrepen. Ik neem aan dat je hen rechtstreeks hiernaartoe brengt?'

'Ja, maar zeg wel dat ze zich verborgen moeten houden, voor het geval Kammler toekijkt. Hij is ons steeds een stap voor geweest. Dat mag dit keer niet gebeuren.'

'Ik zal de drones lanceren en laten rondcirkelen boven de plek waar Dale zit,' zei Miles.

'Doe dat maar, ja. Meld me de coördinaten van de plek waar we hen kunnen oppikken zodra je die hebt. Ergens ten noorden of zuiden van Amani aan het strand. Zeg tegen Dale dat hij zich pas mag vertonen als hij ons oogwit ziet.'

'Begrepen. Ik zal het regelen.'

Jaeger en zijn team haastten zich naar het ruim van de Airlander, waar hij de piloot van de Wildcat aanklampte. 'We moeten weer weg. Vlieg ons naar Ras Kutani. Ergens ten westen van hier. We gaan mensen oppikken bij een resort dat Amani Beach heet.'

'Geef me vijf minuten,' antwoordde de piloot, 'dan kunnen we gaan.'

86

De drie Nissan Patrol-fourwheeldrives scheurden naar het zuiden; hun massieve banden ratelden als machinegeweren over het onverharde wegdek vol kuilen. De stofpluimen die ze achter zich opwierpen waren van kilometers ver te zien – als er tenminste iemand keek.

Op de passagiersstoel van de voorste auto zat de dreigende gestalte van Steve Jones. Zijn gladgeschoren hoofd glom in het vroege zonlicht. Hij voelde zijn telefoon trillen. Ze waren amper dertig kilometer van het vliegveld vandaan en godzijdank hadden ze nog steeds bereik.

'Jones.'

'Hoe ver nog naar Amani?' wilde Kammler weten.

'Hooguit twintig minuten.'

'Te lang,' snauwde hij. 'Dit kan niet wachten.'

'Wat kan niet wachten?'

'Ik heb er een Reaper boven hangen en die heeft een invliegende Wildcat opgepikt. Snel. Hij is er misschien al over vijf minuten. Misschien is het niets, maar dat risico kan ik niet lopen.'

'Wat stelt u voor?'

'Ik ga dat resort raken. Amani. En ik zal een Hellfire afsturen op die Wildcat.'

Steve Jones was even met stomheid geslagen. Zelfs hij was geschrokken van wat hij net gehoord had. 'Maar we zijn er bijna. Een kwartiertje als we hem op zijn staart trappen. Schiet gewoon die heli neer.'

'Dat kan ik niet riskeren.'

'Maar u kunt toch niet een bom laten vallen op een strandresort. Het zit daar vol met toeristen.'

'Ik heb je niet om advies gevraagd,' gromde Kammler. 'Ik waarschuw je voor wat er gaat gebeuren.'

'Zo stort u zeven ton bagger over ons uit.'

'Schiet op dan! Dood dat kind en iedereen die in de weg staat. We zijn hier in Afrika, hè? In Afrika duurt het heel lang voor de cavalerie is uitgerukt, áls dat al gebeurt. Als je het goed doet, wacht je een vette cheque. Als je het verpest, doe ik het wel in mijn eentje met de Reaper.'

De verbinding werd verbroken. Jones keek ietwat bezorgd om zich heen. Hij begon de indruk te krijgen dat hij voor een of andere gestoorde machtswellusteling werkte. Plaatsvervangend hoofd van de CIA of niet, die Kammler had ze niet allemaal op een rijtje. Maar het geld was goed. Te goed om te klagen. Hij had nog nooit zo veel verdiend door zo weinig te doen. En bovendien had Kammler hem een dubbele bonus beloofd als hij kon bewijzen dat het kind gemold was. Jones wilde koste wat kost alles opstrijken.

Trouwens, Kammler had waarschijnlijk gelijk. Wie zou zich nou naar de plaats des onheils haasten, helemaal in deze uithoek van Afrika? Tegen de tijd dat iemand die moeite had genomen, zouden hij en zijn mannen allang verdwenen zijn.

Hij wendde zich tot de chauffeur. 'Dat was de baas. Schiet een beetje op. We moeten daar pronto zijn.'

De bestuurder gaf plankgas. De snelheidsmeter kroop naar bijna honderd kilometer per uur. Het voelde alsof de grote Nissan elk moment uit elkaar kon scheuren op de hobbelige zandweg. Het kon Jones geen reet schelen. Het waren toch maar huurauto's.

87

De Wildcat landde op het natte zand en zwiepte een hoge pluim zeeschuim de lucht in. Het werd eb en het strand was het stevigst waar het nog kletsnat was.

De piloot liet de rotorbladen draaien toen Jaeger, Narov, Raff, James, Kamishi en Alonzo eruit sprongen. Ze waren geland op een ongelooflijk schitterende plek. Dale was met de jongen naar het zuiden gegaan, voorbij een uitstekende rots, zodat ze uit het zicht van het resort waren. Hier schoten de lage kliffen de zee in en was het rode gesteente door de golven in dramatische vormen geërodeerd.

Ze waaierden uit en namen een defensieve positie in achter de stenen uitsteeksels. Jaeger haastte zich naar voren. Er kwam een gestalte op hem af. Het was Dale en naast hem liep Simon Chucks Bello, op dit moment de meest gezochte persoon op aarde.

Na een paar dagen in Amani zag het haar van de jongen er nog woester uit; het was stijf gaan staan door de blootstelling aan zand, zon en zout. Hij droeg een verbleekte korte broek die hem twee maten te groot was en had een zonnebril op die hij volgens Jaeger vast van Dale had geleend. Simon Chucks Bello was een coole gast. En hij had geen idee hoe belangrijk hij op dit moment voor de gehele mensheid was.

Jaeger stond op het punt hem op te pakken en de vijftig meter naar de wachtende helikopter rennend af te leggen, toen er een koude rilling over zijn rug liep. Zonder enige waarschuwing kliefde iets de nevelige wolk zeewater boven de helikopter doormidden; het jankende geluid van de daling scheurde door Jaegers bewustzijn.

De raket boorde zich door het dak van de Wildcat die ontplofte met een verblindende flits.

Jaeger staarde gehypnotiseerd naar de omhoog- en opzij schietende rookpluim van destructie; de knal van de ontploffing dreunde in zijn oren en galmde heen en weer over het strand. Het was allemaal in nog geen seconde voorbij.

Hij had genoeg aanslagen met Hellfires meegemaakt om het gillende, gierende wolfachtige gehuil van de raket te herkennen. Hij en zijn team – en Simon Chucks Bello – waren nu het doelwit van zo'n wapen, wat betekende dat er een Reaper boven hun hoofd moest hangen. 'HELLFIRE!' schreeuwde hij. 'Ga terug! Schuil onder de bomen!'

Hij dook in dik struikgewas en trok het kind en Dale met zich mee. Simon Chucks Bello was verstijfd van angst. De pupillen in zijn opengesperde ogen waren ongelooflijk groot.

'Houd de jongen goed vast!' schreeuwde Jaeger naar Dale. 'Kalmeer hem. En wat je ook doet, raak hem niet kwijt.'

Toen rolde hij op zijn rug, haalde de compacte Thuraya uit zijn broekzak en toetste de verkorte code voor de Airlander in. Miles nam bijna meteen op. 'De heli is geraakt! Er moet een Reaper boven ons hangen.'

'We zitten erbovenop. De Taranis is al in een fel luchtgevecht verwikkeld met een Reaper.'

'Dat moet-ie winnen, anders zijn we er geweest.'

'Begrepen. En nog wat. We hebben drie fourwheeldrives gespot die op weg zijn naar het resort. Ze rijden snel; nog zo'n minuut of vijf en ze zijn bij de poort. Ik denk niet dat ze met goede bedoelingen komen.'

Shít. Kammler moest naast drones ook nog grondtroepen ingeschakeld hebben. Maar dat was logisch; hij zou nooit kunnen achterhalen of het kind was omgekomen door een niet-verifieerbare Reaperaanval op tienduizend voet.

'Zodra we zijn drones uitgeschakeld hebben, kunnen we de Taranis afsturen op dat wegkonvooi,' ging Miles verder. 'Maar die zijn dan waarschijnlijk al bij jullie in de buurt.'

'Oké. Er liggen wat boten langs de pier aan het strand,' vertelde Jaeger hem. 'Ik ga er een pakken en vaar weg met het kind. Kun jij de Airlander laten zakken om ons op zee op te pikken?'

'Momentje, ik geef je even aan de piloot.'

Jaeger sprak even met de piloot van de Airlander. Zodra het geregeld was, kwam hij in beweging. 'Hier komen!' schreeuwde hij in zijn radio. 'Allemaal hier komen!'

Binnen de kortste keren was het team weer compleet. Ze hadden zich allemaal goed verschanst en de aanval van de Hellfire overleefd.

'Oké, we gaan. Opschieten.' Het team wist heel goed dat het niet om uitleg moest vragen en sprintte in Jaegers kielzog over het strand. 'Houd de jongen tussen ons in!' schreeuwde Jaeger over zijn schouder. 'Scherm hem af van geweervuur. Hij is de enige die ertoe doet!'

88

Een kort machinegeweersalvo galmde door het resort, een paar honderd meter verder aan het strand. Amani had bewakers en misschien probeerden die weerstand te bieden, maar om de een of andere reden betwijfelde Jaeger dat. De schoten waren hoogstwaarschijnlijk afkomstig van Kammlers mannen die probeerden binnen te komen.

Jaeger duwde Dale en de jongen aan boord van een RIB. Het was een groot, gestroomlijnd en zeewaardig exemplaar en hij hoopte vurig dat de tank vol benzine zat. 'Zet de motor aan!' gilde hij naar Dale.

Hij liet zijn blik langs de steiger glijden. Er lagen een stuk of tien boten waarmee wellicht de achtervolging ingezet kon worden. Te veel om onschadelijk te maken, zeker nu Kammlers grondtroepen er elk moment konden zijn.

Hij stond net op het punt zijn team op te dragen uit hun dekking te komen toen de eerste gestalten het zand op schoten. Jaeger telde er zes, maar er kwamen er met de seconde meer. Ze scanden het strand met hun wapens, maar Raff, Alonzo, James en Kamishi waren sneller. Hun MP7's knalden en twee verre figuren vielen op de grond. Het eerste woeste tegenvuur kliefde door de lucht. Het zand spoot alle kanten op en de lange eruptie eindigde in het water bij Jaegers voeten.

Narov rende bukkend naar hem toe. 'Wegwezen!' schreeuwde ze. 'Schiet op! Wij houden ze wel tegen. SCHIET OP!'

Even aarzelde Jaeger. Dit ging tegen zijn instinct en alles wat hij geleerd had in. Je liet nooit iemand achter. Dit was zijn team. Hij kon hen niet zomaar in de steek laten.

'SCHIET NOU OP!' schreeuwde Narov. 'RED DE JONGEN!'

Zonder iets te zeggen, dwong Jaeger zichzelf om zich af te draaien van zijn team. Op zijn teken gaf Dale gas en de boot schoot weg bij de steiger, gevolgd door een reeks kogels.

Jaeger speurde naar Narov. Ze sprintte over de steiger en schoot de motoren van de boten die er lagen lek. Ze probeerde ervoor te zorgen dat Kammlers mannen niet achter hen aan konden gaan, maar op deze manier stelde ze zichzelf wel bloot aan het geweervuur.

Toen de boot om de punt van de steiger heen voer, nam ze een aanloop en sprong. Een fractie van een seconde vloog ze met ge-strekte armen naar de boot door de lucht en toen viel ze in het water.

Jaeger bukte, pakte haar bij haar kraag en trok de kletsnatte Na-rov met één machtige beweging aan boord. Op de bodem van de boot hapte ze naar lucht en hoestte zeewater op.

De RIB naderde het eerste koraalrif. Ze waren nu al ver buiten het bereik van gericht geweervuur. Jaeger hielp Dale de zware bui-tenboordmotor op te tillen en naar binnen te buigen, zodat die uit het water hing en het koraal niet raakte. De romp bonkte over het ondiepe water, door een smalle opening in het rif, en toen vaarden ze de open zee erachter op.

Dale zette de motor in de hoogste versnelling en de boot spoot weg. Ze lieten het brandende wrak van de Wildcat, plus de overle-den bemanning achter op het in rook gehulde strand. Jaeger bleef zich echter pijnlijk bewust van het feit dat het grootste deel van zijn team op dat strand in de val zat en verwikkeld was in een gevecht op leven en dood.

Narov keek hem aan. 'Ik heb altijd een hekel gehad aan strand-vakanties,' schreeuwde ze om boven de herrie van de motor uit te komen. 'De jongen leeft nog. Focus je daarop. Niet op je team.'

Jaeger knikte. Narov kon blijkbaar zijn gedachten lezen. Hij wist niet zeker of hij daar blij mee was.

Hij keek naar Simon Chucks Bello. De jongen was met grote ogen van angst in het laagste punt van de boot gekropen. Hij leek nu een stuk minder cool; meer de weesjongen die hij in feite was. Sterker nog, hij zag lijkbleek. Jaeger twijfelde er niet aan dat dit de eerste keer was dat dit kind uit de sloppenwijk op een boot zat. Toch hield hij zich opmerkelijk goed. Opeens moest Jaeger denken aan wat Falk König had gezegd: *ze kunnen wel tegen een stootje, daar in die sloppenwijken.* Zeg dat wel.

Jaeger vroeg zich af waar König nu was, en waar uiteindelijk zijn loyaliteit lag. Ze zeggen dat bloed kruipt waar het niet gaan kan, maar hij vermoedde toch dat Falk aan de goede kant stond. Desondanks zou hij de toekomst van de mensheid er niet om durven verwedden.

Hij wendde zich tot Narov en stak een vinger in de richting van de jongen. 'Houd hem gezelschap. Kalmeer hem. Dan regel ik dat we opgepikt worden.'

Met de Thuraya belde hij Peter Miles en werd overspoeld door opluchting toen hij diens kalme stem hoorde. 'Ik zit op een boot met het kind,' schreeuwde Jaeger. 'We varen met dertig knopen in oostelijke richting. Zie je ons?'

'Ja, via de Taranis. En het zal je deugd doen om te horen dat er geen Reapers meer zijn.'

'Mooi! Geef me een locatie waar je ons kunt oppikken.'

Miles gaf hem de gps-coördinaten van een plek op ongeveer dertig kilometer uit de kust, in internationale wateren. Aangezien de Airlander van tienduizend voet naar zeeniveau moest dalen, kon het ook niet dichterbij.

'De helft van mijn team levert op het strand een achterhoedegevecht. Kun je de drones ernaartoe sturen om Kammlers mannen in mootjes te hakken?'

'Er is nog maar één Taranis over en bovendien heeft die geen raketten meer na dat luchtgevecht. Maar hij kan wel laag heen en weer vliegen met Mach 1, om ze het zand heet onder de voeten te maken.'

'Doe maar. Houd het team in de gaten. Wij zijn veilig. Het kind is veilig. Bied hun alle mogelijke steun.'

'Begrepen.'

De mannen van Kammler zouden zich doodschrikken van die laagvliegende drone. Daar moest Jaegers team gebruik van maken om te ontsnappen.

Hij gunde zichzelf nu even een moment van ontspanning. Hij leunde tegen de reling van de boot en vocht tegen de vermoeidheid. Zijn gedachten dwaalden af naar Ruth en Luke. Hij dankte God dat ze allebei nog leefden. En dat Simon Bello ook nog leefde. Het was bijna een wonder dat die jongen hier veilig in de boot zat. Hij was cruciaal voor het overleven van Jaegers geliefden.

89

Terwijl ze over de zee stoven, dacht Jaeger aan de bemanning van de Wildcat. Geen fijne manier om te eindigen, maar het was in ieder geval in één klap voorbij geweest. Zij hadden dit offer gebracht om de mensheid te redden, ze waren helden en dat zou hij niet vergeten. Hij moest er nu voor zorgen dat hun offer niet voor niets was geweest. En dat Raff, Alonzo, Kamishi en James levend van dat strand kwamen.

Jaeger hield zichzelf voor dat ze uitstekende soldaten waren, tot de besten behoorden. Als iemand daar weg kon komen, waren zij dat. Maar die open strook zand bood weinig dekking en ze waren ver in de minderheid. Was hij er maar bij om schouder aan schouder met zijn team te vechten...

Hij maakte een gedachtesprong naar de man die dit allemaal op zijn geweten had, de architect van het kwaad – Kammler. Ze hadden nu ongetwijfeld genoeg bewijs om hem voorgoed achter slot en grendel te krijgen. En zijn baas, Daniel Brooks, had nu vast de jacht geopend. Maar Kammler had daar hoogstwaarschijnlijk rekening mee gehouden, zoals Narov zei, en zou zich verborgen houden op een plek waar niemand hem ooit zou kunnen vinden.

Het oproepsignaal van de Thuraya haalde Jaeger uit zijn gepeins. Hij nam op.

'Met Miles. Ik ben bang dat je gezelschap krijgt. Een snel motorjacht loopt op jullie in. Het zijn de mensen van Kammler. Op de een of andere manier hebben ze Amani weten te verlaten.'

Jaeger vloekte. 'Kunnen we hen voor blijven?'

'Het is een Sunseeker Predator 57. Die haalt een snelheid van veertig knopen. Ze kunnen elk moment bij jullie zijn.'

'Kun je iets doen met de Taranis?'

'Die heeft geen raketten meer,' zei Miles.

Opeens schoot Jaeger iets te binnen. 'Luister, weet je nog die kamikazepiloten? Die Japanners die tijdens de Tweede Wereldoorlog hun kist met opzet in geallieerde schepen vlogen. Zou die dronebestuurder iets vergelijkbaars kunnen doen? De overgebleven Taranis er met een snelheid van Mach 1 tegenaan laten knallen?'

Miles ging het vragen. Een paar tellen later was hij weer aan de lijn. 'Het kan. Het is niet iets waar ze op getraind hebben, maar de piloot vermoedt dat het haalbaar is.'

'Geweldig,' zei Jaeger opgelucht. 'Maar dat betekent wel dat we onze mannen op het strand in de steek laten, geen enkele dekking meer kunnen geven.'

'Dat is zo, maar er is geen andere optie. En die jongen heeft prioriteit. Het is niet anders.'

'Dat weet ik,' antwoordde Jaeger met tegenzin.

'Oké, we zullen de Taranis opnieuw instellen. Maar de Sunseeker nadert snel, dus bereid je voor op een vuurgevecht. Wij zullen de drone zo snel mogelijk gevechtsklaar maken.'

'Begrepen,' zei Jaeger.

'En om er absoluut zeker van te zijn dat de jongen niets overkomt, krijgen we twee F-16's naast ons zodra jullie hier aan boord zijn. Brooks heeft die van de dichtstbijzijnde Amerikaanse luchtmachtsbasis gehaald. Hij zegt dat hij klaar is om een boekje open te doen over Kammler.'

'Dat werd verdomme tijd.' Jaeger verbrak de verbinding en bracht zijn MP7 in gereedheid, terwijl hij naar Narov gebaarde hetzelfde te doen. 'We krijgen gezelschap. Snelle achtervolgingsboot. Kan elk moment zichtbaar zijn.'

De RIB spoot verder, maar al snel zagen ze de opvallende witte boeggolf in een wolk van schuim hun kant op komen. Narov en hij knielden achter het dolboord met de MP7 in de aanslag erbovenop. Op dit soort momenten zou Jaeger graag een langer wapen met een groter bereik hebben gehad.

De scherpe voorsteven van de Sunseeker sneed als een mes door de golven; de uitstroom van de motoren veroorzaakte een grote boog wit water in het kielzog. De mannen aan boord waren bewapend met AK-47's, die theoretisch gezien een effectief bereik van 350 meter hadden: twee keer zo veel als de MP7's.

Maar gericht schieten op een boot op hoge snelheid was lastig, zelfs voor de beste soldaten. Bovendien koesterde Jaeger de hoop dat Kammlers mannen die wapens ergens uit de buurt vandaan hadden, in welk geval ze waarschijnlijk niet scherp afgesteld waren.

De Sunseeker kwam snel dichterbij. Jaeger kon verschillende gestalten onderscheiden. Twee mannen zaten op het voordek, voor het gestroomlijnde stuurhuis, met hun wapens op de reling. In de stoelen hoog op de achtersteven zaten nog drie schutters.

De voorste mannen openden het vuur en stuurden een vlaag kogels in de richting van de voortsnellende RIB. Dale begon een reeks scherpe bochten te maken, in een poging de schutters in verwarring te brengen, maar de tijd drong en ze hadden nauwelijks opties meer.

Jaeger en Narov hielden hun wapens in de aanslag, maar schoten nog steeds niet. De Sunseeker bonkte dichterbij. Kogels kaatsten aan weerszijden van de RIB af op het wateroppervlak. Even keek Jaeger achterom. Simon Bello zat ineengedoken in de beenruimte.

Jaeger loste een kort salvo dat de romp van de Sunseeker bestookte, maar het leek geen enkel effect te hebben. Hij bedwong zijn zenuwen, concentreerde zich op zijn ademhaling en sloot zich af van alle andere gedachten. Na een blik op Narov vuurden ze allebei een tweede salvo af.

Jaeger zag dat een van de figuren op de boeg van de Sunseeker geraakt werd en vooroverviel. De andere schutter tilde hem op alsof hij een veertje was en gooide hem kil en meedogenloos overboord.

Het deed Jaeger ergens aan denken. Iets uit zijn verleden. Ook de manier van bewegen van de man en diens lichaamsbouw.

Toen schoot het hem te binnen. De nacht van de aanval, de nacht dat zijn vrouw en zoon werden ontvoerd. De grote, dreigende gestalte en de hatelijke stem achter het gasmasker. Instinctief wist hij het: dit was dezelfde man... De schutter op de boeg van de Sunseeker was Steve Jones, de man die er bijna in was geslaagd Jaeger te doden tijdens de selectie voor de SAS.

90

Jaeger boog zich naar het kind, het kostbare kind, dat plat op de bodem van de boot lag, waar hij beschermd was tegen het ergste geweervuur. Simon Chucks Bello kon daar helemaal niets zien en Jaeger was ervan overtuigd dat hij daar zowel fysiek als mentaal last van had. Hij had hem al een keer horen braken.

'Nog even volhouden, held!' schreeuwde hij met een bemoedigende glimlach naar de jongen. 'Ik zorg dat jou niets overkomt!'

De Sunseeker lag nu nog hooguit honderdvijftig meter achter hen; alleen de enorme deining beschutte de RIB tegen de kogels. Maar dat zou niet lang meer duren. Jones en zijn maten hoefden maar iets dichterbij te komen om raak te kunnen schieten. En wat het nog erger maakte, was dat Jaeger bijna zonder munitie zat.

Narov en hij hadden elk zes magazijnen leeggeschoten, dus zo'n 240 kogels in totaal. Dat leek heel veel, maar niet als je met twee korteafstandswapens een aanval probeerde af te slaan van een stelletje schutters op een snel varende achtervolgingsboot. Het was slechts een kwestie van tijd voor de RIB catastrofaal geraakt zou worden.

Jaeger kwam in de verleiding om de Thuraya te pakken en Miles te bellen, om te vragen waar die verdomde Taranis bleef. Maar hij wist dat hij op zijn hoede en doelgericht moest blijven. Zodra de Sunseeker weer zou opduiken op een golf moesten ze dubbel zo hard toeslaan.

Even later verscheen de gestroomlijnde motorboot inderdaad weer. Jaeger en Narov beantwoordden het woeste vuur. Ze zagen de onmiskenbare gestalte van Jones omhoogkomen en een lang repeterend salvo lossen. De kogels kliefden een kloof door de zee, die steeds dichter bij de RIB kwam. Jones was ongetwijfeld een eersteklas schutter en dit salvo zou doel treffen. Op het laatste moment stuurde Dale de boot over de top van een golf. De kogels schoten over hun hoofd heen.

Ze konden nu de motoren van de Sunseeker horen. Jaeger boog zich gespannen over zijn wapen en scande de horizon op zoek naar de plek waar de boot zou opduiken. Toen hoorde hij het. Een ontzagwekkende herrie, een donderend gebrul, alsof een aardbeving de bodem van de zee uiteenscheurde. Het weergalmde door de lucht en overstemde elk ander geluid.

Vlak daarna schoot er een pijlachtig iets door de lucht. De Adour-straalmotor van Rolls-Royce joeg de drone sneller dan het geluid vooruit. Je kon zien dat de bestuurder de koers van de Taranis voortdurend aanpaste aan het doelwit.

Jaeger hoorde een explosie van geweervuur; hun achtervolgers probeerden ongetwijfeld de drone uit de lucht te knallen. Hij kreeg Jones in het vizier van zijn MP7 en loste korte salvo's, die zijn aartsvijand meteen beantwoordde. Naast hem ontdeed ook Narov zich van haar laatste kogels.

Toen vingen zijn oren het misselijkmakende, holle geluid op van een kogel die zich met hoge snelheid in mensenvlees boort. Narov schreeuwde nauwelijks. Daar had ze geen tijd voor. Door de impact van het schot werd ze naar achteren geslingerd en viel ze over de rand van de boot in het water.

Terwijl haar bloederige gestalte verdween in de golven trof de Taranis doel. Een verblindende lichtflits werd een fractie van een seconde later gevolgd door een oorverdovende explosie. De motorboot was aan de achterkant getroffen. Vlammen laaiden op en hulden de Sunseeker in rook, terwijl de RIB voortdenderde over de golven.

Jaeger tuurde wanhopig in het water op zoek naar Narov, maar ze was nergens te bekennen. De boot voer op topsnelheid, dus ze zouden haar binnen de kortste keren kwijtraken.

'Draai om!' schreeuwde hij tegen Dale. 'Narov is geraakt en in het water gevallen!'

Dale had al die tijd naar voren gekeken om de boot door de golven te loodsen en had dus niet gezien wat er gebeurd was. Hij nam gas terug om te kunnen draaien op het moment dat de Thuraya overging. Jaeger nam op.

Het was Miles. 'De Sunseeker is geraakt, maar niet uitgeschakeld,' zei hij. 'Er zijn verschillende overlevenden en die beschikken over wapens.' Hij zweeg even, alsof hij vanaf zijn kant iets zag. 'En ik weet niet waarom jullie langzamer zijn gaan varen, maar geef plankgas. Jullie moeten de jongen in veiligheid brengen!'

Jaeger sloeg met zijn vuist op de rand van de boot. Als ze omkeerden naar het smeulende wrak van de Sunseeker om Narov te zoeken, was het risico te groot dat de jongen geraakt zou worden. Dat wist hij. Hij wist dat ze zo snel mogelijk door moesten varen, dat dat het beste was voor zijn gezin en voor de mensheid. Maar hij vervloekte zichzelf om de beslissing die hij hier gedwongen werd te nemen. 'Ga verder,' snauwde hij tegen Dale. 'Schiet op!'

Als om te benadrukken hoe verstandig dit besluit was, klonk er in de verte geweervuur. Een deel van Kammlers mannen, onder wie waarschijnlijk Jones, was blijkbaar vastbesloten om strijdend ten onder te gaan.

Jaeger kroop naar Simon Bello om de jongen te troosten, terwijl hij in de lucht tuurde op zoek naar de grote Airlander. Hij wist niet wat hij anders moest doen. 'Rustig maar, jongen. Kalm blijven. Het duurt nu niet lang meer. Deze ellende is zo voorbij.'

Simons reactie ging echter aan Jaeger voorbij, want inwendig ziedde hij van woede en frustratie.

Een paar minuten later kwam het luchtschip in zicht; het witte gevaarte kwam als een spookverschijning uit de hemel zakken. De piloot liet het bakbeest kundig centimeter voor centimeter richting het wateroppervlak zweven. De reusachtige, vijfbladige propellers, één op elke hoek van de romp van het luchtschip, zwiepten wolken schuim op toen de glijders van de Airlander de golven raakten. De piloot zakte nog iets verder, tot de open laadklep onder de deinende golven verdween. Met gierende turbinemotoren hield de piloot het toestel stabiel. De luchtstroom blies zeewater in de gezichten van de mensen in de RIB.

Jaeger nam de besturing van de boot over. Hij moest iets doen wat hij nog nooit eerder had gedaan. Hij had het alleen maar lang geleden een ander zien doen – een van zijn voormalige stuurmannen in de tijd dat hij net bij de marine zat – en die had er jarenlang voor getraind. Jaeger had echter maar één kans om de manoeuvre perfect uit te voeren.

Hij draaide de boot met de voorsteven recht naar het ruim. Vanaf de laadklep van de Airlander stak de loadmaster zijn duim naar hem op; het teken voor Jaeger om vol gas te geven. De boot spoot met zo'n schok vooruit dat hij in zijn stoel werd geperst. Ze konden nu elk moment op volle snelheid tegen de open laadklep van de Airlander knallen en Jaeger hoopte uit alle macht dat hij het goed had gedaan.

91

Vlak voordat de boot de klep zou raken, tilde Jaeger de buiten-boordmotor op tot de schroef uit het water was en zette hem toen uit. Het gigantische luchtschip doemde dreigend boven hem op. De boot raakte de klep met een harde schok, sprong omhoog, kwam met een misselijkmakende klap weer naar beneden en baande zich toen zwalkend een weg het ruim in. De boot schoot het vliegdek op, slipte opzij en kwam schokkend tot stilstand. Ze waren binnen.

Jaeger stak zijn duim op naar de loadmaster. De propellers brulden op volle kracht om het reusachtige luchtschip samen met de extra vracht omhoog te tillen. Ze stegen slechts een fractie; de golven klampten zich hongerig vast aan de glijders.

Jaeger draaide zich om en woelde door het haar van Simon Chucks Bello. Ze mochten hem dan gered hebben, maar hadden ze dat ook met de mensheid gedaan? Of Ruth en Luke? Kammler moest voorzien hebben dat ze achter de jongen aan zouden gaan, anders had hij toch niet het risico genomen die nietsontziende killers achter hen aan te sturen? Hij moest beseft hebben dat Simon Bello het antwoord was, de oplossing.

En diep vanbinnen was Jaeger ervan overtuigd dat de jongen inderdaad hun gemeenschappelijke redder zou zijn. Toch kon hij niet opgelucht ademhalen of tevreden zijn over zijn prestatie. Dat laatste afgrijselijke beeld van Narov die van de boot af werd geschoten brandde op zijn netvlies. Dat hij haar aan haar lot had overgelaten, vrat aan zijn geweten.

Hij tuurde over de rand van de laadklep. Het wateroppervlak

kolkte en spoot alle kanten op door de op topsnelheid draaiende propellers, maar het luchtschip leek vast te zitten. Hij keek somber opzij en zijn blik bleef rusten op een van de reddingsvlotten van de Airlander. In een flits vormde zich een plan in zijn hoofd.

Jaeger aarzelde nauwelijks. Hij schreeuwde naar Dale de jongen in veiligheid te houden, sprong uit de RIB, rukte het opgevouwen reddingsvlot los en rende naar de rand van de laadklep van de Airlander. Daar, boven een peilloze diepte, greep hij de radio van de loadmaster en nam contact op met Miles. 'Til dit beest de lucht in, maar niet hoger dan vijftig voet. Vlieg naar het westen, maar langzaam.'

Miles bevestigde het bericht en Jaeger voelde dat de vier propellers nog harder gingen draaien. Toch bleef de Airlander voor zijn gevoel nog eindeloos stilhangen, terwijl de golven op de romp beukten. Maar toen leek er een rilling door het luchtschip te gaan en maakte het zich eindelijk los uit de zuigende zee. Opeens waren ze in de lucht.

De Airlander draaide en gleed in westelijke richting over de golven. Jaeger tuurde ingespannen naar het zeeoppervlak en gebruikte zijn gps en de brandende Sunseeker als referentiepunten.

Eindelijk zag hij een piepklein hoofd tussen de golven opduiken. Ze waren er ongeveer honderd meter vandaan. Jaeger aarzelde geen moment. De sprong was waarschijnlijk meer dan vijftig voet – zo'n vijftien meter. Dat was hoog, maar als hij het op de juiste manier deed, kon hij het overleven. Cruciaal was het loslaten van het reddingsvlot. Anders zou het door de opwaartse druk daarvan voelen alsof hij tegen een muur knalde.

Jaeger liet het vlot vallen en sprong een paar tellen later naar beneden. Vlak voor hij het water raakte, perste hij zijn benen tegen elkaar, kromde zijn tenen, sloeg zijn armen over zijn borst en drukte zijn kin ertegenaan.

De klap sloeg alle lucht uit zijn longen, maar toen hij onder de golven zonk, was hij blij dat hij niets gebroken had. Een paar tellen later kwam hij boven water en hoorde het gesis van het zichzelf opblazende reddingsvlot; dat gebeurde automatisch als het in aanraking kwam met water.

Hij keek omhoog. De Airlander steeg op en liet met zijn kostbare lading het gevaar achter zich.

Het opgepompte reddingsvlot was in feite veel meer dan een vlot. Het leek meer een miniatuurversie van de boot waar hij net in had gezeten, inclusief een stevig dekzeil dat dichtgeritst kon worden en twee peddels. Jaeger klom aan boord en oriënteerde zich. Als voormalig marinecommando voelde hij zich op het water bijna net zo thuis als op het land. Hij bepaalde de positie waar hij Narov voor het laatst had gezien en begon te roeien.

Het duurde een paar minuten voor hij iets zag. Het was Narov, maar ze was niet alleen. Jaegers aandacht werd getrokken door de v-vormige rugvin die door het water kliefde en haar bloedende lichaam omcirkelde. Hij was hier ver voorbij de beschermende barrière van het koraalrif, die de stranden vrijwaarde van dergelijke roofdieren. Dit was zeker weten een haai en Narov zat in de problemen.

Jaeger tuurde over het water en zag zeker nog twee van zulke vlijmscherpe vinnen. Hij verdubbelde zijn inspanning; zijn schouders gilden van de pijn toen hij zichzelf dwong nóg sneller te roeien, in een wanhopige poging op tijd bij haar te komen.

Eindelijk was hij bij haar. Hij haalde zijn peddels binnenboord en trok haar met twee handen over de rand veilig het reddingsvlot in. Vervolgens lagen ze allebei op de bodem naar adem te happen. Narov bloedde hevig en Jaeger kon niet begrijpen hoe ze bij bewustzijn was gebleven.

Terwijl zij met gesloten ogen lag te hijgen, verzorgde Jaeger haar wond. Dit reddingsvlot beschikte over een basisoverlevingspakket en daar hoorde ook een verbanddoos bij. De kogel had haar schouder geraakt, maar voor zover Jaeger kon zien, was die er aan de andere kant weer uit gekomen zonder het bot te raken. Dat was een geluk bij een ongeluk. Hij stelpte het bloeden en verbond de wond.

Het was nu van levensbelang haar te laten drinken. Hij gaf haar een fles water en zei: 'Drink op. Hoe rot je je ook voelt, je moet drinken.'

Ze pakte de fles aan en nam een paar slokken. Ze keek hem aan en zei iets wat hij niet kon verstaan. Jaeger boog zich naar haar toe. Ze zei het nog een keer, maar het klonk als een schor gefluister. 'Je had wel wat eerder mogen komen... Waarom duurde het zo lang?'

Jaeger schudde zijn hoofd en glimlachte toen. Die Narov was echt ongelooflijk.

Ze probeerde een lach te onderdrukken, maar dat verzandde in een vochtig geproest. Haar gezicht vertrok van de pijn. Jaeger moest ervoor zorgen dat ze fatsoenlijke medische hulp kreeg, en snel. Maar net toen hij de peddels pakte om verder te gaan, hoorde hij het. Stemmen. Ze kwamen uit westelijke richting, vanachter een dikke rookwolk uit het brandende wrak van de Sunseeker. Jaeger wist zo goed als zeker van wie ze waren – en wat hem te doen stond.

92

Jaeger zocht om zich heen naar een wapen. Er lag niets in het reddingsvlot en Narovs MP7 zou wel ergens op de bodem van de zee liggen.

Toen zag hij het opeens: Narovs onafscheidelijke commandomes in een schede die schuin over haar borst was bevestigd; het mes dat ze van zijn opa had gekregen. Met het vlijmscherpe lemmet van achttien centimeter was het perfect voor wat Jaeger in gedachten had.

Hij boog zich naar haar toe, maakte de schede los en bond hem vast over zijn eigen borst. In reactie op haar vragende blik zei hij: 'Blijf hier. Houd je gedeisd. Ik moet nog even iets doen.' Toen hees hij zich op de rand van het vlot en liet zich achterover in het water vallen.

Zodra hij in het water lag, nam Jaeger even de tijd om zich te oriënteren aan de hand van de stemmen die door de nevelige rook naar hem toe dreven. Met lange, krachtige slagen en alleen zijn hoofd boven water ging hij vervolgens op weg. Even werd hij opgeslokt door de rook en moest hij het alleen met zijn oren doen. Met name de schorre, schrille stem van Jones dreef hem voort.

Het reddingsvlot van de Sunseeker was een groot opblaasbaar, zeshoekig geval. Jones en zijn drie mede-overlevenden zaten onder het opengeritste regenscherm de voorraden van het vlot te bekijken.

Jones moest gezien hebben dat hij Narov raakte en dat ze overboord werd geslingerd. Aangezien hij niet het type was dat snel opgaf, zou hij weten dat hij de klus nog moest afmaken.

Het was tijd dat Jaeger daar een stokje voor stak. Hij moest de vijand een kopje kleiner maken.

Het vlot was veel zichtbaarder dan een eenzame zwemmer die vlak bij het wateroppervlak bleef. Toen Jaeger bij de achterkant was, begon hij te watertrappen met zijn ogen en neus net boven de golven. Toen nam hij een grote hap lucht en dook onder water.

Op de plek waar het regenscherm open was, kwam hij geruisloos boven. Hij zag dat de rand van het vlot was samengeperst op de plek waar de kolossale gestalte van Jones zat. Met een machtige schop schoot hij als een pijl uit het water, sloeg zijn rechterarm in een wurghouding om de nek van de man en rukte diens kin omhoog en naar rechts. Tegelijkertijd ramde hij met zijn linkerhand het mes door het sleutelbeen van de man en dreef het tot in diens hart. Het opgetelde gewicht zorgde ervoor dat ze van het vlot samen in het water vielen en als één man zonken.

Het was moeilijk om iemand met een mes te doden. En met een tegenstander die zo sterk en ervaren was als deze, was het dubbel zo moeilijk.

De twee mannen zakten kronkelend en schoppend naar beneden. Jones probeerde zich te bevrijden uit Jaegers wurggreep. Hij klauwde, stootte en wurmde als een bezetene en was ondanks zijn verwonding immens sterk. Jaeger verbaasde zich over de ongelooflijke kracht van de man. Het was alsof hij vastgebonden was aan een neushoorn. Net op het moment dat Jaeger dacht dat hij het niet lang meer zou volhouden, zag hij vanuit zijn ooghoek een gestroomlijnd lijf met een puntige neus langs flitsen.

Haai. Aangetrokken door de geur van bloed. Steve Jones' bloed. Jaeger keek in de richting van de haai en zag tot zijn schrik dat er nog een stuk of tien om hen heen zwommen. Hij verzamelde zijn krachten, verslapte zijn greep en zwom hard trappend zo snel mogelijk weg bij Jones. De grote man draaide zich met een ruk om en graaide met zijn gespierde armen in de richting van Jaeger.

Op dat moment leek Jones het te beseffen. Zijn ogen werden

groot van angst. Haaien! En hij hing in een wolk van bloed!

Jaeger keek even om en zag de eerste haai agressief tegen Jones aan knallen. Jones probeerde terug te vechten en stompte in het oog van het dier, maar dat had nu bloed geproefd. Jones verdween uit het zicht in een massa kronkelende grijze lijven.

Jaegers longen stonden op springen, maar hij wist wat er boven het water op hem wachtte: gewapende mannen die de zee afspeurden. Met een laatste krachtsinspanning zwom hij onder het vlot en sneed dat met Narovs mes over de hele lengte open. De bodem begaf het en de drie mannen stortten in het water. Een van hen schopte hard met zijn been en raakte daarmee Jaegers hoofd. Hij rolde met zijn ogen en verloor bijna het bewustzijn.

Even later greep zijn hand de gescheurde rand van het vlot waar lucht uit stroomde en hij trok zich eraan omhoog. Boven haalde hij een paar keer diep adem en dook toen weer naar beneden. Daar besefte hij dat hij Narovs mes niet meer in zijn hand had. Maar goed, dat was van later zorg... als hij het hier levend vanaf bracht, tenminste.

Hij zwom in de richting van zijn eigen reddingsvlot. De in het water gevallen schutters zagen hem misschien wel, maar waren alleen maar bezig zichzelf te redden. In het kapotte vlot zaten ook reddingsvesten, dus die probeerden ze nu vast te pakken te krijgen. Jaeger liet hen over aan de zee en de haaien. Hij was hier klaar. Hij moest weg, Narov in veiligheid brengen.

Een paar minuten later hees Jaeger zich in het reddingsvlot van de Airlander. Toen hij amechtig hijgend op zijn rug lag, zag hij dat Narov probeerde op te krabbelen om de peddels te pakken en moest hij haar tegenhouden. Toen ging hij zitten en begon te roeien, weg van het bloedbad naar de kust. Toen hij een blik op Narov wierp, zag hij dat ze overmand was door uitputting en zwaar in shock raakte. Ze moest bij bewustzijn blijven, water drinken en warm blijven, en ze hadden allebei energie nodig nu het adrenalineniveau begon te dalen. 'Kijk even wat er te eten is. De noodvoorraad. We hebben nog een lange roeitocht voor de boeg en je moet blijven drinken en eten. Ik zal het werk doen, maar alleen als jij belooft in leven te blijven.'

'Beloofd,' mompelde Narov. Ze klonk bijna of ze ijlde. Ze stak haar goede arm uit om naar eten te zoeken. 'Je bent tenslotte terug-gekomen voor mij.'

Jaeger haalde zijn schouders op. 'Je zit in mijn team.'

'In dat toestel ligt je vrouw, die stervende is. Ik lag in zee en was stervende. Je bent naar mij toe gekomen.'

'Mijn vrouw heeft een heel medisch team dat voor haar zorgt. En jij… Nou ja, we waren toch op huwelijksreis?'

Ze glimlachte afwezig. 'Schwachkopf.'

Jaeger moest haar aan de praat en gefocust houden. 'Doet je schouder veel pijn?'

Met een van pijn vertrokken gezicht probeerde Narov haar schouders op te halen. 'Ik overleef het wel.'

Mooi zo, dacht Jaeger. Onverzettelijk, bot en eerlijk tot het bit-tere eind. 'Geniet dan maar lekker van deze roeitocht.'

93

Er waren vijf weken verstreken sinds Jaeger in het reddingsvlot van de Airlander naar de kust was geroeid en Narov in het dichtstbijzijnde ziekenhuis had afgeleverd. Het had hem op de rand van uitputting gebracht en hij leek er ouder door geworden. Tenminste, dat zei Narov.

Hij pakte een ziekenhuiskapje, schoof dat voor zijn neus en mond en deed hetzelfde bij de jongen die naast hem stond. De afgelopen weken had hij amper een dag zonder Simon Chucks Bello doorgebracht en ze hadden een hechte band gekregen. Het was bijna alsof het kind dat de wereld had gered als een tweede zoon voor hem geworden was.

Jaeger keek op en zag iemand. Hij glimlachte. 'O fijn. Je bent er.'

De man in het witte ziekenhuispak, dokter Arma Hanedi, haalde zijn schouders op. 'Wanneer was ik er de afgelopen weken niet? Het was een beetje druk… Volgens mij weet ik niet eens meer hoe mijn vrouw en kinderen eruitzien.'

Jaeger glimlachte. Hij kon goed opschieten met de arts van Ruth en Luke, en was na verloop van tijd wat meer over de man te weten gekomen. Hanedi kwam oorspronkelijk uit Syrië. In de jaren tachtig was hij als kind met de eerste stroom vluchtelingen naar Engeland gekomen. Na een gedegen opleiding was hij opgeklommen in de rangen der medici, wat geen geringe prestatie was. Hij hield zichtbaar van het vakgebied dat hij had gekozen en dat was fijn, want de afgelopen weken had hij zo'n beetje dag en nacht tegen de meest angstaanjagende wereldepidemie moeten vechten.

'Dus ze heeft het gered? Is ze bij bewustzijn?' vroeg Jaeger.

'Inderdaad. Een halfuur geleden is ze bijgekomen. Je vrouw is ongelooflijk taai. Zo'n lange blootstelling aan zo'n virus overleven… Dat is niet meer dan een wonder.'

'En Luke? Heeft hij vannacht beter geslapen?'

'Tja, de zoon lijkt nogal op de vader, vermoed ik. Een geboren overlever.' Hanedi woelde door het haar van Simon Bello. 'Zo, meneer, ben je klaar om de zoveelste van de duizenden die je gered hebt gedag te zeggen?'

De jongen bloosde. Hij had op zijn zachtst gezegd moeite met al die media-aandacht. Het voelde allemaal zo overdreven. Het enige wat hij gedaan had, was een paar druppels bloed geven. 'Ja hoor, maar Jaeger heeft het zware werk verricht. Ik heb geen reet gedaan.' Simon keek Jaeger een beetje schaapachtig aan. Die had geprobeerd zijn taalgebruik wat te fatsoeneren, maar was daar niet altijd in geslaagd.

Ze schoten allemaal in de lach. 'Noem het maar teamwerk,' opperde Hanedi bescheiden.

Ze liepen door de dubbele deuren. Ruth leunde tegen een stapel kussens. Een grote bos dik donker haar, verfijnde, bijna elfachtige gelaatstrekken plus die grote zeegroene ogen met gouden vlekjes. Waren ze meer groen dan blauw of meer blauw dan groen? Jaeger had die vraag nooit kunnen beantwoorden, want ze leken constant te veranderen, zowel door het licht als haar stemming.

Weer werd hij aangenaam getroffen door de opvallende verschijning van zijn vrouw. Hij had zo veel mogelijk tijd met haar en Luke doorgebracht, gewoon hun hand vastgehouden en naar hen gekeken. En iedere keer had hij zich afgevraagd waar de overweldigende liefde vandaan kwam die hij voelde.

Ruth glimlachte zwakjes naar hem. Ze was voor het eerst bij bewustzijn sinds het virus haar flink te grazen had genomen, haar had meegezogen in zijn duistere maalstroom, sinds Jaeger had gezien dat ze haar in die draagbare isolatietent aan boord van de Airlander hadden geschoven.

Hij glimlachte. 'Welkom terug. Hoe voel je je?'

'Hoelang heb ik... ertegen gevochten?' antwoordde ze ietwat verdwaasd. 'Het voelt als eeuwen.'

'Weken. Maar je bent er weer.' Jaeger keek naar de jongen. 'En dit is de reden. Dit is Simon Chucks Bello. Ik dacht... wij dachten dat je hem graag zou ontmoeten.'

Ze richtte haar blik op de jongen. Haar ogen lachten en als dat gebeurde, lachte de wereld met ze mee. Ze had altijd dat wonderbaarlijke vermogen bezeten een hele kamer op te vrolijken met haar lach, haar magie. Dat was het eerste waar Jaeger op gevallen was.

Ze stak haar hand uit. 'Aangenaam kennis te maken, Simon Chucks Bello. Ik heb begrepen dat we het geen van allen gered zouden hebben zonder jou. Jij bent me er eentje.'

'Dank u wel, mevrouw. Maar ik heb niet echt veel gedaan. Alleen maar een naald in mijn arm laten steken.'

Ruth schudde geamuseerd haar hoofd. 'Ik heb heel wat anders gehoord. Dat je een helse tocht hebt overleefd. Welkom in het leven van mijn man, de net zo lieve als gevaarlijke Will Jaeger.'

Ze lachten. Dat was typisch Ruth, dacht Jaeger. Altijd rustig, altijd vriendelijk en altijd het gelijk aan haar kant. Hij wees naar de deur van de aangrenzende kamer. 'Ga maar even naar Luke. Ga hem maar inmaken met schaken. Je hebt de spullen bij je, toch?'

Simon Bello klopte op de rugzak die over zijn schouder hing. 'Hier. En ik heb ook wat snacks meegenomen.' Hij verdween door de deur. Luke was nu ruim een week bij bewustzijn en Simon en hij hadden een soort competitie opgezet.

In de sloppenwijken was er in termen van elektronisch vermaak niet veel te beleven. Huishoudens met een computer of zelfs een tv waren zeldzaam, en voor weeskinderen gold dat helemaal. Dus speelden ze veel bordspelletjes, hoewel de meeste zelfgemaakt waren, in elkaar geflanst met stukjes karton en ander afval.

Simon Chucks Bello was een schaakgrootmeester. Luke gebruikte al zijn spelkennis en probeerde verschillende mooie openingen, maar Simon versloeg hem desondanks in minder dan vijftien zetten. Luke werd er gek van. Hij had zijn vaders competitieve instelling en kwam uit een oud geslacht van slechte verliezers.

Ruth klopte op het bed. Jaeger kwam naast haar zitten en ze pakten elkaar vast alsof ze elkaar nooit meer wilden loslaten. Jaeger kon nog amper geloven dat ze terug was. Er waren de afgelopen weken zo vaak momenten geweest waarop hij bang was haar kwijt te raken.

'Leuk kind,' mompelde Ruth. Ze keek Jaeger aan. 'En jij bent best een leuke vader.'

Hij hield haar blik vast. 'Waar denk je aan?'

Ze glimlachte. 'Nou, hij heeft wel de wereld gered. En ons. En Luke heeft altijd al een broertje willen hebben…'

Toen Jaeger en Simon later het ziekenhuis verlieten, zette Jaeger buiten zijn mobiel aan. Meteen hoorde hij het signaal van een nieuw bericht. Hij opende het:

Mijn vader heeft zich verschanst in zijn hol onder de berg. Burning Angels Peak… Ik ben onschuldig. Hij is gestoord.

Een ondertekening was niet nodig. Eindelijk was Falk König boven water gekomen. Dit gaf Jaeger de aanwijzing waar hij naar op zoek was geweest.

Epiloog

Binnen een paar dagen nadat hij uit zee was gevist, was Simon Chucks Bello in vliegende vaart naar het centrum voor ziektepreventie en -bestrijding in Atlanta, Georgia, gereden. De bron van zijn immuniteit werd geïsoleerd uit zijn bloed. Die werd op zijn beurt verwerkt tot een vaccinatievloeistof die massaal geproduceerd kon worden, zodat degenen die niet besmet waren door het virus ertegen ingeënt konden worden.

Het ontwikkelen van een geneesmiddel duurde langer, maar was toch op tijd om de meeste mensen die met het Gottvirus waren geïnfecteerd te redden. Uiteindelijk stierven er minder dan dertienhonderd mensen aan de pandemie; een grote tragedie, maar niets vergeleken met wat Hank Kammler van plan was geweest.

Op het hoogtepunt van de epidemie had de wereld op het punt gestaan in te storten. Zo'n groot aantal mensen kon niet sterven zonder dat er paniek uitbrak, maar de ergste problemen en chaos waren afgewend. Voor één keer waren de wereldleiders open geweest over wat voor virus het precies was en waar het vandaan kwam. Een dergelijke oprechtheid was nodig geweest om het vertrouwen onder de wereldbevolking te herstellen.

Desondanks duurde het maanden voordat de Wereldgezondheidsorganisatie van de Verenigde Naties het einde van de pandemie kon uitroepen. Tegen die tijd was Simon Chucks Bello al Brits staatsburger geworden en maakte hij deel uit van het gezin Jaeger. Ook had hij de hoogste onderscheiding gekregen die in de Verenigde Staten aan burgers wordt gegeven die een uitzonderlijke bijdrage hebben geleverd aan de veiligheid van de VS en aan de wereldvrede. Deze 'presidentiële vrijheidsmedaille' werd hem echter niet uitgereikt door de Amerikaanse president Joseph Byrne, want die was in de nasleep van een schandaal rond een of andere inlichtingendienst afgezet. Gelukkig.

Het team van Jaeger in Amani Beach – Raff, Alonzo, Kamishi en James – had verwondingen opgelopen in het helse vuurgevecht, maar was ontsnapt door de dekking die de Taranis hun had geboden. Ze hadden het allemaal overleefd.

Irina Narov was volledig hersteld, zowel van het virus als van haar verwonding. Maar uiteraard verweet ze Jaeger dat hij haar dierbare commandomes was kwijtgeraakt.

Ten tijde van dit schrijven liep kolonel Hank Kammler, het voormalige plaatsvervangende hoofd van de CIA, nog steeds vrij rond en was zijn verblijfplaats onbekend. Vanzelfsprekend was hij de meest gezochte man op aarde.

Ondertussen vormden Jaeger, Ruth, Luke en Bellows, zoals de bijnaam luidde die ze hem gegeven hadden, een gezin. En Jaeger had een nieuw mes besteld voor Narov met daarbij het speciale verzoek dat het vlijmscherp moest zijn.

Dankwoord

Een speciaal woord van dank voor Caroline Michel, Annabel Merullo en Laura Williams, literair agenten bij PFD, voor hun harde werk en inzet om dit boek uit te geven, en voor Jon Wood, Jemima Forrester en iedereen bij Orion – Malcolm Edwards, Mark Rusher en Leanne Oliver – van 'team Grylls'. Ook dank ik iedereen bij BGV, omdat ze de thrillerreeks Will Jaeger zo opwindend realistisch hebben gemaakt.

Mijn dank gaat uit naar Hamish de Bretton-Gordon, Ollie Morton en Iain Thompson van Avon Protection voor hun onbetaalbare inzichten, advies en expertise op het gebied van CBRN, en hun bijdrage aan de chemische, biologische en nucleaire onderdelen van dit boek, waaronder de defensie- en veiligheidsmaatregelen. Chris Daniels en iedereen bij Hybrid Air Vehicles, voor hun unieke kennis en deskundigheid over alles wat met de Airlander te maken heeft, en omdat ze de uiterste grenzen hebben opgezocht voor wat er mogelijk is met zo'n luchtschip. Paul en Anne Sherrat voor het inzichtelijk maken van de Koude-Oorlogrelaties meteen na de Tweede Wereldoorlog en Peter Message voor zijn jeugdige blik op de eerste versies van het manuscript.

En tot slot een bijzonder woord van dank aan Damien Lewis, die me heeft geholpen verder te borduren op wat we samen hebben gevonden in mijn opa's kist uit de oorlog. Het tot leven brengen van die documenten, memorabilia en voorwerpen uit de Tweede Wereldoorlog in zo'n moderne context is gewoonweg briljant.

Lees ook van Bear Grylls:

Doodsvlucht

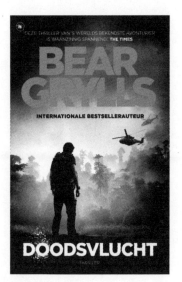

Een moeder en kind worden wreed ontvoerd vanaf een besneeuwde bergrug. Een loyale soldaat wordt gemarteld en vermoord in de afgelegen Schotse Hooglanden. Een mysterieus oorlogsvliegtuig met een dramatisch geheim wordt ontdekt in de jungle van de Amazone. Deze gebeurtenissen ontketenen een krankzinnige race om een complot te stoppen dat zijn oorsprong vindt in de donkerste dagen van nazi-Duitsland. Slechts één man is geschikt voor deze taak: Will Jaeger.

ISBN 978 90 443 5119 4